第一推动丛书：物理系列
The Physics Series

宇宙的结构
The Fabric of the Cosmos

[美] 布莱恩·R.格林 著 刘茗引 译
Brian R. Greene

湖南科学技术出版社

THE
FIRST
MOVER

总序

《第一推动丛书》编委会

科学，特别是自然科学，最重要的目标之一，就是追寻科学本身的原动力，或曰追寻其第一推动。同时，科学的这种追求精神本身，又成为社会发展和人类进步的一种最基本的推动。

科学总是寻求发现和了解客观世界的新现象，研究和掌握新规律，总是在不懈地追求真理。科学是认真的、严谨的、实事求是的，同时，科学又是创造的。科学的最基本态度之一就是疑问，科学的最基本精神之一就是批判。

的确，科学活动，特别是自然科学活动，比起其他的人类活动来，其最基本特征就是不断进步。哪怕在其他方面倒退的时候，科学却总是进步着，即使是缓慢而艰难的进步。这表明，自然科学活动中包含着人类的最进步因素。

正是在这个意义上，科学堪称为人类进步的“第一推动”。

科学教育，特别是自然科学的教育，是提高人们素质的重要因素，是现代教育的一个核心。科学教育不仅使人获得生活和工作所需的知识和技能，更重要的是使人获得科学思想、科学精神、科学态度以及科学方法的熏陶和培养，使人获得非生物本能的智慧，获得非与生俱来的灵魂。可以这样说，没有科学的“教育”，只是培养信仰，而不是教育。没有受过科学教育的人，只能称为受过训练，而非受过教育。

正是在这个意义上，科学堪称为使人进化为现代人的“第一推动”。

近百年来，无数仁人志士意识到，强国富民再造中国离不开科学技术，他们为摆脱愚昧与无知做了艰苦卓绝的奋斗。中国的科学先贤们代代相传，不遗余力地为中国的进步献身于科学启蒙运动，以图完成国人的强国梦。然而可以说，这个目标远未达到。今日的中国需要新的科学启蒙，需要现代科学教育。只有全社会的人具备较高的科学素质，以科学的精神和思想、科学的态度和方法作为探讨和解决各类问题的共同基础和出发点，社会才能更好地向前发展和进步。因此，中国的进步离不开科学，是毋庸置疑的。

正是在这个意义上，似乎可以说，科学已被公认是中国进步所必不可少的推动。

然而，这并不意味着，科学的精神也同样地被公认和接受。虽然，科学已渗透到社会的各个领域和层面，科学的价值和地位也更高了，但是，毋庸讳言，在一定的范围内或某些特定时候，人们只是承认"科学是有用的"，只停留在对科学所带来的结果的接受和承认，而不是对科学的原动力——科学的精神的接受和承认。此种现象的存在也是不能忽视的。

科学的精神之一，是它自身就是自身的"第一推动"。也就是说，科学活动在原则上不隶属于服务于神学，不隶属于服务于儒学，科学活动在原则上也不隶属于服务于任何哲学。科学是超越宗教差别的，超越民族差别的，超越党派差别的，超越文化和地域差别的，科学是普适的、独立的，它自身就是自身的主宰。

湖南科学技术出版社精选了一批关于科学思想和科学精神的世界名著，请有关学者译成中文出版，其目的就是为了传播科学精神和科学思想，特别是自然科学的精神和思想，从而起到倡导科学精神，推动科技发展，对全民进行新的科学启蒙和科学教育的作用，为中国的进步做一点推动。丛书定名为“第一推动”，当然并非说其中每一册都是第一推动，但是可以肯定，蕴含在每一册中的科学的内容、观点、思想和精神，都会使你或多或少地更接近第一推动，或多或少地发现自身如何成为自身的主宰。

再版序
一个坠落苹果的两面：极端智慧与极致想象

龚曙光

2017年9月8日凌晨于抱朴庐

连我们自己也很惊讶，《第一推动丛书》已经出了25年。

或许，因为全神贯注于每一本书的编辑和出版细节，反倒忽视了这套丛书的出版历程，忽视了自己头上的黑发渐染霜雪，忽视了团队编辑的老退新替，忽视好些早年的读者，已经成长为多个领域的栋梁。

对于一套丛书的出版而言，25年的确是一段不短的历程；对于科学研究的进程而言，四分之一个世纪更是一部跨越式的历史。古人“洞中方七日，世上已千秋”的时间感，用来形容人类科学探求的速律，倒也恰当和准确。回头看看我们逐年出版的这些科普著作，许多当年的假设已经被证实，也有一些结论被证伪；许多当年的理论已经被孵化，也有一些发明被淘汰……

无论这些著作阐释的学科和学说，属于以上所说的哪种状况，都本质地呈现了科学探索的旨趣与真相：科学永远是一个求真的过程，所谓的真理，都只是这一过程中的阶段性成果。论证被想象讪笑，结论被假设挑衅，人类以其最优越的物种秉赋——智慧，让锐利无比的理性之刃，和绚烂无比的想象之花相克相生，相否相成。在形形色色的生活中，似乎没有哪一个领域如同科学探索一样，既是一次次伟大的理性历险，又是一次次极致的感性审美。科学家们穷其毕生所奉献的，不仅仅是我们无法发现的科学结论，还是我们无法展开的绚丽想象。在我们难以感知的极小与极大世界中，没有他们记历这些伟大历险和极致审美的科普著作，我们不但永远无法洞悉我们赖以生存世界的各种奥秘，无法领略我们难以抵达世界的各种美丽，更无法认知人类在找到真理和遭遇美景时的心路历程。在这个意义上，科普是人类极端智慧和极致审美的结晶，是物种独有的精神文本，是人类任何其他创造——神学、哲学、文学和艺术无法替代的文明载体。

在神学家给出“我是谁”的结论后，整个人类，不仅仅是科学家，包括庸常生活中的我们，都企图突破宗教教义的铁窗，自由探求世界的本质。于是，时间、物质和本源，成为了人类共同的终极探寻之地，成为了人类突破慵懒、挣脱琐碎、拒绝因袭的历险之旅。这一旅程中，引领着我们艰难而快乐前行的，是那一代又一代最伟大的科学家。他们是极端的智者和极致的幻想家，是真理的先知和审美的天使。

我曾有幸采访《时间简史》的作者史蒂芬·霍金，他痛苦地斜躺在轮椅上，用特制的语音器和我交谈。聆听着由他按击出的极其单调的金属般的音符，我确信，那个只留下萎缩的躯干和游丝一般生命气息的智者就是先知，就是上帝遣派给人类的孤独使者。倘若不是亲眼所见，你根本无法相信，那些深奥到极致而又浅白到极致，简练到极致而又美丽到极致的天书，竟是他蜷缩在轮椅上，用唯一能够动弹的手指，一个语音一个语音按击出来的。如果不是为了引导人类，你想象不出他人生此行还能有其他的目的。

无怪《时间简史》如此畅销！自出版始，每年都在中文图书的畅销榜上。其实何止《时间简史》，霍金的其他著作，《第一推动丛书》所遴选的其他作者著作，25年来都在热销。据此我们相信，这些著作不仅属于某一代人，甚至不仅属于20世纪。只要人类仍在为时间、物质乃至本源的命题所困扰，只要人类仍在为求真与审美的本能所驱动，丛书中的著作，便是永不过时的启蒙读本，永不熄灭的引领之光。

虽然著作中的某些假说会被否定，某些理论会被超越，但科学家们探求真理的精神，思考宇宙的智慧，感悟时空的审美，必将与日月同辉，成为人类进化中永不腐朽的历史界碑。

因而在25年这一时间节点上，我们合集再版这套丛书，便不只是为了纪念出版行为本身，更多的则是为了彰显这些著作的不朽，为了向新的时代和新的读者告白：21世纪不仅需要科学的功利，而且需要科学的审美。

当然，我们深知，并非所有的发现都为人类带来福祉，并非所有的创造都为世界带来安宁。在科学仍在为政治集团和经济集团所利用,甚至垄断的时代，初衷与结果悖反、无辜与有罪并存的科学公案屡见不鲜。对于科学可能带来的负能量，只能由了解科技的公民用群体的意愿抑制和抵消：选择推进人类进化的科学方向，选择造福人类生存的科学发现，是每个现代公民对自己，也是对物种应当肩负的一份责任、应该表达的一种诉求！在这一理解上，我们将科普阅读不仅视为一种个人爱好，而且视为一种公共使命！

牛顿站在苹果树下，在苹果坠落的那一刹那，他的顿悟一定不只包含了对于地心引力的推断，而且包含了对于苹果与地球、地球与行星、行星与未知宇宙奇妙关系的想象。我相信，那不仅仅是一次枯燥之极的理性推演，而且是一次瑰丽之极的感性审美……

如果说，求真与审美，是这套丛书难以评估的价值，那么，极端的智慧与极致的想象，则是这套丛书无法穷尽的魅力！

献给Tracy

目 录

宇宙的结构

1

实在性之舞台

第1章 通往实在性之路

空间、时间以及事物为什么是那个样子

我的父亲并不介意别人碰他那布满灰尘的旧书架上的任何一本书。但从小到大，我从未见过任何人从中取下一本。那些书多半是大部头——涉及方方面面的文明史、成套的西方文学巨著以及大量我已记不起来的其他书籍——它们看起来已经和因为数十年牢固的支撑工作而微微弯曲的架子融为一体了。但是在书架的最上一层，有一本薄薄的小书总能引起我的注意，因为它看起来如此不合时宜，就像大人国中的格列佛[1]一样。现在回想起来，很奇怪我那时候竟然没有早点读一读那些书。或许是因为年头太久了，使得那些书不像是用来读的，倒像是祖上留传下来的传家宝一样，令人不敢碰触。不过，这种敬畏之心还是敌不过十来岁孩子不安分的天性。我最终拿起了那本书，拂去表面的灰尘，翻开了第一页。那最开始的几行文字，即使退一步说，也令人非常吃惊。

“只有一个真正的哲学问题，那就是自杀”，这本书就是这样开始的。我有点退缩了。“这个世界是三维空间吗？意识有9种还是12种方式？”这本书提出诸如此类的问题，并解释说这些问题是人类勇敢天

1.《格列佛游记》的主人公。——译者注

性作用下的一部分，但是只有当那个真正的问题解决时这些问题才值得讨论。这本书就是阿尔及利亚哲学家、诺贝尔奖得主阿尔伯特·加缪所作的《西西弗斯的神话》。后来的一段时间内，随着对他所说的话的逐渐理解，我心中感到的那丝冰冷才慢慢融化。当然，我觉得你可以一直思考和分析这些问题，但是真正的问题却在于你所有的思考和分析是否使你确信生命值得存在。那才是所有问题的症结所在，其他事情都只是细节而已。

虽然我只是偶然读到加缪的书，但他的话给我留下了极为深刻的印象，时常萦绕耳旁，这远非我读过的其他书所能比拟的。我一次又一次地想：我所遇到的、听说过的或者在电视上看到的各种各样的人会怎样回答这一根本性的问题呢？回想起来，尽管他的第2个论断——关于科学进步所起的作用——对我来说，更具有特殊意义上的挑战性。加缪认为理解宇宙结构确实有价值，但是据我所知，他并不认为这种理解可以改变我们对生命价值的评价。现在看来，十几岁的我读有关存在主义哲学的书就像巴特·辛普森[1]读浪漫诗歌一样，但是即便如此，加缪的论断仍然带给了我相当大的震撼。对于这个具有抱负的唯物论者而言，对生命做出明智的评价需要对生命舞台——宇宙——有全面的理解。我忍不住想，如果人类居住在深埋在地下的岩石洞穴里，我们就不会发现地球的表面、明媚的阳光、海洋的微风以及远离我们的星球；假设人类沿着一个不同于现在的方向进化：如果人类不能获得除触觉以外的其他感觉，那么我们所知道的一切事物

1. 巴特·辛普森为美国流行动画片《辛普森一家》中的人物，他是居住在斯普林菲尔德的辛普森家中的长子，性格调皮捣蛋，不擅读书学习。他的父亲霍默·辛普森也将在下文出现。下文中出现的巴特·辛普森和霍默·辛普森以及斯普林菲尔德，我们将不再一一注释。——译者注

将来自对周围环境的触觉印象；如果人类大脑发育停止在儿童早期，那么我们的情商和分析能力将不会超过一个5岁的孩子——简而言之，如果我们的经历仅仅是一些对实在性的琐碎描绘——那么我们对生命的评价将大打折扣。当我们最终寻找到通往地球表面的路，当我们具有了视觉、听觉、嗅觉和味觉时，当我们的大脑能够发育到正常水平时，我们对生命和宇宙的看法必然发生根本性的变化。这样看来，我们现有的对实在性的理解将会对所有哲学问题的基础产生非同小可的影响。

会产生什么影响呢？或许你会这样问。任何一位清醒冷静的思考者都会得出这样的结论：虽然我们不可能理解宇宙的每一样东西——关于物质运转和生命功能的方方面面——但是我们仍然可以在大自然的画布上按照自己的意愿添上粗糙的几笔。确实正如加缪所暗示的那样，物理学上的进步，比如对空间维度数目的理解；或者神经心理学的进步，比如对大脑的所有组织结构的理解；或者，就此而言，其他大量的科学进步都可以说是构成了重要的细节，但它们对我们理解生命和实在性的影响却微乎其微。的确，实在性是我们对世界的认识，实在性是通过我们的经验而展现在我们眼前的。

在某种程度上，我们当中的许多人对实在性都会有上述的看法，只是未明确表述出来而已。我发现自己在日常生活中常以这种方式思考，这样我们就很容易为自然的表象所迷惑。但是，从我第一次读到加缪的书以来的几十年间，我发现现代科学给我们上了与众不同的一课：20世纪以来的科学研究告诉我们，人类的经验往往会对我们理解实在性的本质起误导作用。隐藏在日常生活背后的是一个我们几乎没有多少了解的世界。神秘现象的追随者、占星术的信徒以及那些宣扬超自然的宗教主义的人们，尽管其观点各不相同，但都得到了类似的结论。但那并不是我要说的，我要说的是天才的创造者和孜孜不倦的科学家们的工作，如同剥洋葱一样，揭开了宇宙一层层的面纱，探索了一个又一个的难题，向我们展示了一个完全不同于平常人们所认识的宇宙，一个令人惊奇、兴奋和优雅的宇宙。

但是这些科学进展也只是细节而已。自然科学的重大突破已经驱使并且有力量继续驱使我们的宇宙观发生戏剧性的变化。现在，我仍然像几十年前一样确信，加缪把生命的价值作为基本问题来讨论是正确的，但现代自然科学让我相信，通过日常经验来评价生命就像通过一个空可乐瓶来凝视凡·高一样。作为先锋的现代科学，向我们的基本感知发起了一轮又一轮的攻击，使我们对我们存于其间的这个世界产生了很多概念性的迷惑。因此，即便加缪把物理问题分离出来并置于从属地位，我仍然相信科学才是最根本的。在我看来，科学的实在性为反驳加缪的观点提供了舞台和一些启示。评价存在性问题而忽略了现代科学的洞察力就像在黑暗中与一名不知名的对手摔跤。加强对科学实在性的真正本质的理解，将有利于重塑我们的人生观和宇宙观。

这本书的核心在于阐释对实在性的理解起最为关键作用的一些修正，主要集中在那些长期以来影响人类时空观念的工作上。从亚里士多德到爱因斯坦，从罗盘到哈勃望远镜，从金字塔到山顶上的天文台，自思想产生时，时空就为我们的思想确立了框架。随着现代科学的到来，它们的重要性已大大提高。近3个世纪以来，物理学的发展表明，时空观念已被看作最令人困惑且最引人注目的问题，但同时也是对宇宙进行科学分析的基础；时空观念已被列于古老的科学概念之上，而这些古老的科学概念被边缘研究改建得更加奇妙。

对于艾萨克·牛顿而言，空间和时间只不过是一个永恒不变的、普适的宇宙舞台，以便宇宙中的事件能够在此一幕幕地上演。对于同时代可与牛顿匹敌的戈特弗莱德·威廉·范·莱布尼茨而言，“空间”和“时间”只是与物体在哪里和事件何时发生有关系的词语。换句话说，空间和时间对他们而言并不能代表什么。但对于阿尔伯特·爱因斯坦而言，空间和时间是隐藏在实在性下面的原始材料。通过相对论，爱因斯坦震撼了我们的时空观，向我们展示了它们在宇宙演化中所起的重要作用。从那时起，空间和时间就成为物理学界最耀眼的明珠。对我们而言，时间和空间是既熟悉又神秘的。彻底地理解时间和空间已成为最令物理学家胆怯的挑战，而它同时也是受欢迎的猎物。

本书所讲述的物理学进展主要是一些关于时空结构的不同理论。其中的一些理论挑战了人类长久以来——即便没有几千年也有几百年——的时空观。另外一些理论则试图寻找我们对时空理论的理解和日常生活经验之间的联系。而其他理论则质疑普通观念限定范围内所不能解释的一些问题。

我们在本书中将尽可能少地涉及哲学问题（这里当然不是指关于自杀和生命的意义的那些哲学）。但在探寻科学解释空间和时间之奥妙的过程中，我们完全是不受任何限制的。从宇宙最小的微粒和最早的时刻到其所能达到的最远的边界和最遥远的未来，我们将在熟悉和宽广的环境中探索时间和空间，不停歇地去追求其真正性质。科学家们对空间和时间的探索还在继续，此刻我们还无法做出最终的评价。我们将会介绍一系列的进展——有些非常奇怪，有些令人非常满意，有些已被实验证实，有些还只是空想——它们将向我们展示人类对宇宙结构的思考究竟到了何种地步，人类的指尖对实在性真正纹理的触摸已到了何种深度。

经典意义上的实在性

关于现代科学从何时开始，历史学家们众说纷纭，尚无定论。但毫无疑问的是，从伽利略、笛卡儿、牛顿等人开始创造他们的学说时起，现代科学已经走上了正轨。在那个时代，新的科学意识体系正在稳步地建立起来，地球上和天文学上实验数据的规律性使人们越来越清楚地看到，宇宙的过去和未来是有规律可循的，通过精密的推理和数学分析，我们可以找到这些规律。富有现代科学思想的早期先驱们指出：回顾走过的科学之路，宇宙中发生的事件不仅可以解释，而且也可以预测。科学所具有的预言未来方方面面的力量——持续而定量的——早已得到了证实。

早期的科学研究主要集中在我们日常生活中可以看到或体验的各种事物。伽利略从斜塔上抛落重物（大约是人所共知的传奇），或者观察沿斜面滚落的小球的运动；牛顿研究树上落下来的苹果（又是一段传奇）和月球轨道。这些研究的目的在于使新生的科学研究与大自然和谐一致。当然，物理学中的实在性是各种体验的来源，但更富挑战的是聆听自然的和谐之声并寻找隐藏在其背后的原因。许多著名学者和无名英雄都为早期科学的飞速发展做出了巨大贡献，但最后只有牛顿成了舞台上的明星。通过对数学方程的运用，牛顿将地球和天空中的各种已知运动现象综合了起来。就这样，今日所谓的*经典物理学*诞生了。

在牛顿完成其工作之后的几十年间，他的方程被发展出了详尽精密的数学结构，大大丰富了原始理论，扩展了其实际用途，经典物理学逐渐成为一种深奥精妙而又成熟的科学体系。但是照亮科学之路的却是牛顿富有创造性的洞察力。即使今天，300多年过去了，我们可以发现牛顿方程依然出现在世界各地的初级物理学课程中；在NASA（美国国家航空和航天管理局）的飞行计划里依然用牛顿方程来计算太空船的运行轨迹；在前沿研究的复杂计算中也常常有牛顿方程的一席之地。在一个单独的理论体系下，牛顿带来了丰富的物理学现象。

但在总结他的运动学定律时，牛顿遇到了一个棘手的问题，而这个问题对于我们所要讲述的故事也很重要（第2章）。每个人都知道物体可以运动，但是这些运动发生在哪里呢？空间，也许大家都会回答。但是，牛顿却会问，空间又是什么呢？空间是一个真正的物理实体，还是人们根据对宇宙的理解而得出的一个抽象概念呢？牛顿意识到这个关键问题必须得以解决，因为如果没有对空间和时间的正确理解，他的公式将变得毫无意义。理解需要来龙去脉，思考需要正确的方向。

因此，在他的《数学原理》一书中，牛顿用简明的语言阐述了空间和时间的概念，他认为空间和时间是绝对的、不可改变的实体，这就为宇宙提供了一个固定而不可改变的舞台。根据牛顿的理论，空间和时间为宇宙提供了一个不可见的框架，从而形成了宇宙结构。

即使在当时，也并不是每个人都同意牛顿的说法。有些学者就指出，把理论建立在你摸不到又看不着也无法影响的事物上是没有意义的。但是牛顿的解释和牛顿方程惊人的预言能力使这样的观点销声匿迹。在之后的200年里，牛顿关于空间和时间的绝对性观点成为铁律。

相对论意义上的实在性

经典的牛顿世界观之所以令人心悦诚服，并不仅仅是因为它能以惊人的精确度描述自然现象，更是由于这种对大自然的描述的细节之处——数学——是与经验紧密相连的。你用力推一个物体，它就会加速。你掷出球时花的力气越大，球撞墙时所发生的形变也就越大。当你挤压某个物体时，你也会感觉到那个物体在挤压你。一个物体的质量越大，它所具有的重力也就越大。所有这些都是自然世界的最基本性质。当你学习牛顿的力学体系时，你会发现所有的这一切都可由牛顿的方程清晰直观地表示出来。不同于用水晶球占卜那一套完全无法了解的骗人伎俩，任何一个只受过很少数学训练的人都可以掌握牛顿定律。经典力学为人类的直觉提供了坚实的基础。

引力很早就被牛顿纳入其方程之中。但直到19世纪60年代，电力和磁力才由苏格兰物理学家詹姆斯 · 克拉克 · 麦克斯韦添加到经典物理体系中。麦克斯韦需要使用新的方程来描述电力和磁力，而他所用到的数学知识需要更高层次的训练才能完全掌握。由麦克斯韦引入经典物理体系中的新的方程在描述电磁现象上恰如牛顿方程在描述运动上那样成功。到了19世纪末，宇宙的奥秘显然已不是人类智力的对手了。

事实上，随着电与磁的成功统一，科学家们逐渐产生了一种认识：理论物理即将完善。有人提出，物理学正在飞速地发展为一门完善的学科，它的定律不久后就会被雕刻在石碑上。1894年，著名的实验物理学家阿尔伯特·迈克耳孙评论道，“大多数重要的基本理论已牢固地建立起来”，他引用了一位著名的科学家的话——大多数人认为这句话是英国物理学家罗德·开尔文说的——物理学界剩下的工作只是确定小数点后的数字之类的问题。[1] 1900年，开尔文曾指出物理学界上空盘旋着两朵乌云，一个与光的运动性质有关，另一个则是物体被加热时的辐射问题，[2] 但在当时，大家都觉得这些也仅是一些细节问题，它们很快就会被解决。

在随后的10年间，一切都改变了。虽然正如人们所预料的那样，开尔文提出的这两个问题很快被解决了，但是它们的解决却带来了更多的故事。每个问题的解决都导致了一场革命，都需要改写基本自然定律。空间、时间和实在性——几百年来它们不仅有效运转，而且精确地表达了我们对世界的直觉——将不得不被丢弃了。

1905—1915年，阿尔伯特·爱因斯坦完成了狭义相对论和广义相对论，掀起了一场解决开尔文第一朵“乌云”的革命（第3章）。在电、磁和光的运动的谜团中挣扎时，爱因斯坦意识到，经典物理学的基石——牛顿的空间和时间概念出现了状况。通过1905年春季几个星期的努力，爱因斯坦提出：空间和时间并不像牛顿认为的那样具有独立且绝对的存在性，两者实际上以一种与日常经验相反的形式相互联系。10年之后，爱因斯坦重写了引力定律，为牛顿定律的棺木敲上了最后一颗钉。这次，爱因斯坦指出空间和时间不仅是一个统一整体的一部分，而且通过自身的蜷曲参与了宇宙演化。空间和时间远非如牛顿所想象的那样具有稳固且不可改变的结构。在爱因斯坦的理论中，它们富有弹性并且可以不断变化。

狭义相对论与广义相对论是人类最宝贵的成就，爱因斯坦正是利用它超越了牛顿体系中实在性的概念。即使牛顿的经典物理学在数学上看起来与我们所能感知的物理世界相符合，但它所描述的实在性并不是我们世界的实在性。我们生活于其中的乃是一个具有相对论意义上的实在性的世界。但是，由于经典物理与相对论物理的实在性之间的偏离只有在极端的情况下（如在速度和引力非常大时）才非常明显，因此在大多数情况下，牛顿理论作为一种近似，仍然具有一定的精确性及有效性。但功用性和实在性是完全不同的标准。我们将会看到，我们习以为常的空间和时间的性质只不过是错误的牛顿式臆想而已。

量子世界中的实在性

罗德·开尔文提出的第二种反常为我们带来了量子革命，它是现代人类在对宇宙的认知上不得不承受的一场剧变。当这场剧变烟消云散、经典物理学的饰面被烧焦后，浮现出了新的量子实在性的理论框架。

经典物理学的一个关键特性在于，如果你知道某一时刻所有物体的位置和速度，那么根据牛顿方程和麦克斯韦添加的新方程，你就可以推算出任意其他时刻（包括过去和未来）所有物体的位置和速度。毋庸置疑，在经典物理学体系下，过去和未来都可以与现在准确地联系起来。而狭义相对论和广义相对论也有此一说。虽然在相对论框架下，过去和现在的概念比我们所熟知的经典物理中的过去和现在（第3章和第5章）的概念要微妙一些，但只要有了相对论方程以及现在这一时刻的所有物理条件，我们还是能够推导出有关过去和未来的一切。

而到了20世纪30年代，物理学家们被迫引进一种全新的理论体系——*量子力学*。令人意想不到的是，人们逐渐发现只有依靠量子定律才可以解开大量谜团，并为其时刚刚从原子和亚原子层次测得的各种数据找到合理的解释。但是根据量子定律，即使你对现在的事物的状态做出最完善的测量，你最多也只能预言物体在未来或过去某个时刻的运动路径的*概率*。根据量子力学，宇宙并*不*能从现在完全推演出，我们所能得到的只是概率。

虽然对于如何解释这些进展仍存在着争议，但大多数科学家都认同概率的概念与量子意义上的实在性是密不可分的。人类直觉及其在经典物理中的表现形式会勾画出一幅有关实在性的图像，在这幅图像中，物体总会明确地朝着这个*或*那个方向运动；但量子力学则不然，它所描绘的只是物体徘徊在各种运动状态之间的实在性。只有当某种观测事件强迫物体放弃量子概率时，我们才会得到确定的结果。而尽管我们不能预言这最终的结果，但我们却可以预言物体处于或这或那的运动状态的概率。

坦白地说，这听起来的确有点不可思议，我们并不习惯这种在具体的观测之前一直保持模糊的实在性。但是量子力学的奇异性并未到此为止。1935年，爱因斯坦和两个年轻同事——内森·罗森和鲍里斯·波多斯基写的一篇论文令人又一次震惊于量子力学的奇妙，在这篇论文中，作者们试图发起一次对量子理论的攻击。[3] 基于科学发展的螺旋式上升说法，我们可以将爱因斯坦的论文看作第一篇指出了量子力学——从表面意义上来说——隐含着某种可能性的文章。这种可能性即在此地发生的事情可以瞬时地与彼地发生的事情联系起来而不用考虑距离的问题。爱因斯坦认为这种瞬时联系荒谬可笑，并将这种来自于量子理论的数学结果视作量子理论仍有待发展的明证。但是到了20世纪80年代，理论和工程技术的极大发展使得用实验来检验这种假想的量子谬论成为现实，研究者们证实了相距甚远的两个不同位置间发生瞬时联系的可能性。在早期实验条件下令爱因斯坦感到荒谬可笑的事情真的发生了（第4章）。

关于量子力学特性对实在性图像的影响是一个正在进行中的研究课题。许多科学家，包括我自己，将它们看作关于空间意义与性质的激进的量子升级中的一部分。正常看来，空间间隔意味着物理上的独立性。如果你想要控制足球场那边发生的事情，你就不得不去那儿，或者，至少，你不得不送某人或某物（助理教练，可以传播声音的空气分子，或能引起注意的闪光，等等）穿越球场以施加你的影响。如果你什么都不做——如果你保持原地不动——你将不会对球场的那边产生任何影响，因为球场中间的大片空间将阻断任何物理联系。而量子力学，至少在某些情况下，通过展现超越空间的能力对这种观点提出了挑战：大范围的量子关联可以避开空间间隔。两个物体在空间上可以相隔很远，但从量子力学的角度考虑，它们似乎就可看作一个整体。而且，由于爱因斯坦所发现的空间和时间之间的紧密联系，量子关联对时间也有影响。我们将在后面的章节中介绍一些巧妙又真正神奇的实验，这些实验最近探测到量子力学中一些令人非常吃惊的时空关联，正如我们所看到的，它们非常有力地挑战了经典的、我们大多数人所持的直觉性观点。

除了上述的那些令人印象深刻的观念，还有一个有关时间的基本特性——它的方向是从过去指向未来的——相对论和量子力学都没法给出解释。关于这一问题，唯一令人信服的进展来自物理学领域名为*宇宙学*的研究。

宇宙学里的实在性

睁大你的双眼寻求宇宙的真正本质一直是物理学的最基本目的之一。很难想象有什么经历会比认识到——如我们20世纪做到的那样——我们所感受到的实在性只不过是实在性的一缕而已，更能令人觉得不可思议的了。但物理学的另一个同等重要的目标就是解释我们在实际生活中所感受到的实在性。回顾一下物理学史，似乎这个目标已经达到了，似乎普通的生活感受已经被20世纪前的物理学解决了。从某种程度来看，这是正确的。但即使是那些日常之事，我们也远远没有完全理解。我们日常感受到的很多事情都仍未被解释清楚，其中之一即是现代物理学界最深奥的秘密——伟大的英国物理学家亚瑟·爱丁顿爵士把它称为时间之箭。[4]

我们理所当然地认为万物都有一个时间上的发展方向。鸡蛋一旦打碎就不再完整了，蜡烛一旦熔化就不能重塑起来了，记忆一旦成为过去就不再属于未来，人们一旦年老就不再年轻了。这些不对称性主宰了我们的生活，过去和未来的区别是检验实在性的主要因素。如果过去和未来表现出来的对称性与我们所见证过的左与右、后与前的对称性一样，那么这个世界将变得无法认知。每当鸡蛋打碎时，碎片很快就可连接起来；每当蜡烛熔化时，蜡油很快就可重塑；我们会记起很多未来的事情，就像我们回忆过去一样；每当人们变得年老时很快就会再变得年轻。显然，这种时间上的对称性并不具有实在性。但是时间的不对称性来自哪里呢？是什么决定了时间所有的最基本的特点呢？

事实上，一些被广泛接受的著名物理定律并未显示出这样的不对称性（第6章）：时间的每个方向，向前或向后，在定律中都是没有区别的。*而这是一个巨大谜团的起源*。基础物理学的方程中并无时间方向的区别，这与我们的日常生活经验是不一致的。[5]

令人惊奇的是，尽管我们的注意力集中于熟悉的日常生活，但要想令人信服地解决基础物理与基本体验之间的不相容，我们就得思考最不熟悉的事情——宇宙的起源。这种认识植根于19世纪物理学家路德维格·玻尔兹曼的工作，许多研究者对此进行过详尽的说明，其中最著名的有英国数学家罗杰·彭罗斯。我们将会看到，宇宙开端时的特殊物理环境（在宇宙大爆炸之时或之后的高度有序的环境）可能已经为时间选择了一个方向，正如将一个时钟的发条拧紧，使之处于高度有序的初始状态，然后它就会滴滴答答转起来。因此，从某种意义上讲，鸡蛋破碎——而不是破碎的鸡蛋重新完整——见证的是

140亿年前宇宙诞生时即已设定的条件。

日常经验与早期宇宙之间出乎意料的联系使我们认识到为什么事物总是向时间轴的一个方向发展下去而不能反过来进行，但是这并未完全解决时间之箭的神秘性。相反，它把谜团扩大至整个*宇宙学*——针对宇宙起源与整个宇宙的演化的研究，它促使我们寻找宇宙是否有高度有序的开端，而这正是解释时间之箭的关键所在。

宇宙学是令我们人类感到困惑的最古老学科。这一点都不奇怪。我们是讲故事的人，什么故事能比有关创生的故事更伟大呢？过去的几千年间，世界范围内的宗教和哲学教义对万物——宇宙——的起源提出过种种不同版本的诠释。科学，在其漫长的历史中，也早已染指宇宙学。但直到爱因斯坦的广义相对论出现之后，现代科学宇宙学才真正诞生。

在爱因斯坦发表他的广义相对论之后不久，许多科学家，包括他自己，都曾将广义相对论应用于整个宇宙。十几年后，他们的研究导致了试探性的理论体系即所谓*大爆炸理论*的诞生，该理论成功地解释了许多天文学观测现象（第8章）。20世纪60年代中期，支持大爆炸理论的证据进一步增多，通过观测，人们发现空间中存在着近似均匀的微波辐射——虽然肉眼不可见但很容易就能被微波探测器检测到——而这是大爆炸理论预言过的。到20世纪70年代，经过更为细致的研究，人们取得了实质性进展，已经能够确定不同时期热量与温度上的改变与宇宙的基本组成之间的对应关系，大爆炸理论稳固了其在宇宙学理论中的领先地位（第9章）。

尽管其成功毋庸置疑，但大爆炸理论也有非常明显的缺陷。它无法解释太空中为什么会有天文学观测所发现的整体形状，也无法解释为什么微波辐射的温度在整个天空中各向同性——自从微波背景辐射被发现起人们就一直在研究这个问题。而且，从我们研究的最初目的来看，大爆炸理论并未提供令人信服的理由来解释宇宙在最初时刻高度有序的原因，而这正是解释时间之箭的关键所在。

20世纪70—80年代，各种各样未被解决的问题引发了一场重大突破，导致了所谓的*暴胀宇宙学*（第10章）的诞生。暴胀宇宙学修改了大爆炸理论，在宇宙最初时刻插入了一场令人难以置信的急剧膨胀的极短暂的爆炸时期（在该理论中，宇宙在不到百万亿亿亿分之一秒的时间内，其大小增加了百万亿亿亿倍）。年轻的宇宙的疯狂增长填补了大爆炸模型所留下的空隙——从而解释了宇宙形状和微波辐射的均匀性，也暗示了早期宇宙高度有序的原因——于是也就在解释天文学观测和我们所体验到的时间之箭方面取得了实质性进展。

然而，尽管取得了以上成功，但发展了20年的暴胀宇宙论一直隐匿着它令人遗憾的一面。与其所修正的标准大爆炸理论一样，暴胀宇宙论需要借助于爱因斯坦所发现的广义相对论方程。虽然大量的研究文章证明了爱因斯坦方程在精确描述大型重量级物体上确实有效，但是长久以来物理学家们都知道有关小物体的精确理论分析——比如所观测宇宙的年龄还不到1秒时——需要使用量子力学。问题是当广义相对论的方程与量子力学的方程混合在一起时，将发生灾难性的结果。方程完全破产了，这将阻碍我们确定宇宙的诞生过程，以及其在诞生之初时的条件是否能用来解释时间之箭。

将这种情况描述成理论学家的梦魇并非夸张：分析一个实验上无法涉及的重要领域时却找不到数学工具的帮助。因为空间和时间与这一特别的难以企及的领域——宇宙起源——有着千丝万缕的联系，所以要理解空间和时间，我们就得找到这样一种方程——它得能应付早期宇宙高密度、高能量、高温度的极端条件。这绝对是一个具有本质意义的目标，许多物理学家相信，要解决这个问题需要发展所谓的*统一理论*。

统一理论的实在性

过去的几个世纪里，物理学家们通过说明各种各样千变万化的或者在表面上看来全无联系的现象实际上可归结于单独一组物理定律，来肯定我们对自然界的理解。对于爱因斯坦而言，这样统一的目标——用最少的物理原则来解释最广泛的现象——成了他延续一生的激情。借助于他的两个相对论，爱因斯坦统一了空间、时间和引力。但是这种成功只能起到鼓舞他，令他思考得更加深远的作用。他梦想着能找到一个独立的，能涵盖所有自然定律的理论体系；他将这样的理论体系称为统一理论。虽然时不时地有谣传说爱因斯坦已经发现了统一理论，但是所有的传言都毫无根据，爱因斯坦的梦想还没有实现。

在爱因斯坦一生的后30年中，他集中精力研究统一理论，这使他脱离了当时的主流物理学。在许多年轻科学家看来，对于一位像爱因斯坦这样的伟人而言，一意孤行地研究统一理论是走错了方向。但是在爱因斯坦逝世后的几十年里，越来越多的科学家接过爱因斯坦的接力棒，继续他未完成的事业。今天，发展统一理论已成为理论物理学界最重要的问题。

许多年来，物理学家们发现实现统一理论的关键障碍在于20世纪物理学界的两个重大突破——广义相对论和量子力学——之间的矛盾。虽然这两个体系应用于不同的领域——广义相对论应用于宏观物体如星球和星系，而量子力学应用于诸如分子、原子之类的微观物体——但是它们各自都宣称自己具有普适性，可以应用于所有的领域。不管怎样，正如前面所说，一旦将这两个理论结合起来，所得到的方程就会产生毫无意义的答案。比如，当用量子力学结合广义相对论来计算某个过程或与引力有关的事件发生的概率时，答案不是24%、63%、91%之类；相反，所得到的数学结果居然是*无限大*。但这并不意味着某事发生的可能性如此之大，必胜无疑，以至于你应该把所有的钱都赌进去。大于100%的概率是没有意义的。计算得出无限大的概率只能说明将广义相对论和量子力学结合起来所得到的方程是有问题的。

科学家们意识到相对论和量子力学之间存在矛盾已有半个多世纪了，但在相当长的时间内，很少有人感到有必要去解决这个问题。相反，大多数研究者用广义相对论来分析大而笨重的物体，而用量子力学来分析小而轻的物体，他们小心翼翼地在每个理论的安全范围内使用它们，防止了相互矛盾情况的产生。许多年来，这种绥靖政策使得这两种理论在各自的领域取得了相当大的成就，但这并不能带来永久的和平。

很少的一些领域——既具有大质量又具有小尺度的极端物理条件下——即那些需要广义相对论和量子力学同时有效的领域彻底沦为军事禁区。举两个最为人所熟悉的例子：在黑洞中心，一个完整的星球由于自身重力可被压缩成一个微小的点；大爆炸理论假想整个可观测宇宙被压缩成比一个原子还要小很多的核。没有广义相对论和量子力学的成功结合，坍缩星球和宇宙起源将永远是未解之谜。但许多科学家宁愿把这些领域搁置一边，或至少把其他易解决的问题解决之后再来考虑这个问题。

但是有些科学家却无法等待。公认的物理定律之间的矛盾意味着掌握深层次真理的失败，这已经足以使这些科学家无法安心了。尽管路途艰辛，但那些不断探索的科学家们却发现了更加深不见底的水域和更为汹涌的波涛。然而随着时间的慢慢逝去，研究却无多大的进展，一切看起来仍是那么虚无缥缈。尽管如此，那些坚定决心探索这个领域并不断追寻着统一广义相对论和量子力学的科学家们仍然值得嘉奖。科学家们现在正沿着被先驱们照亮的道路继续前进，已经快要实现这两个理论的完美结合。大多数人认为最有竞争实力的理论是“超弦理论”（第12章）。

我们将会看到，超弦理论发轫于为一个老问题给出的新答案：最小的、不可再分的物质是什么？几十年来，传统答案是：物质是由粒子组成——电子和夸克——它们被模型化为不可再分，没有大小也没有内部结构的点。传统的理论认为——并有实验证实——这些粒子以各种不同的方式结合起来产生质子、中子和各种各样的原子和分子，进而组成我们平常肉眼所见的各种物体。超弦理论是一个与众不同的理论，它并未否认电子、夸克和实验所发现的其他粒子所起的重要作用，但它声明这些粒子并非是点。相反，根据超弦理论，每种粒子都是由极小的能量丝组成，它们约为单个原子核大小的一万亿亿分之一（远非我们目前所能探测的长度），这种能量丝形成一种形似弦的东西。就像小提琴的弦能按不同的模式振动，而每种振动模式都能产生不同的音调一样，超弦理论中的能量丝也有多种振动模式。这些弦的振动尽管不会产生不同的音调，但根据该理论，它们却会产生不同的粒子性质。按某种模式振动的细小的弦有电子的质量和电荷；据该理论，这就是我们传统意义上的电子。按不同模式振动着的另一根小小的弦将会是夸克、中子或其他类型的粒子。所有不同类型的粒子都可以在超弦理论中得到统一，因为每种粒子都是由相同基本实体的不同模式的振动产生的。

表面看来，从点演变到极小以至于看起来像点的弦似乎并不具有重大意义。但事实并非如此。从这样微小的弦开始，超弦理论把广义相对论和量子力学整合为一个独立、连贯的理论，从而消除了以前尝试统一所得出的无限大的概率。如果那还不够的话，超弦理论已经展现出了将自然界中所有的力和所有的物质都统一于同一理论的必然性。简而言之，超弦理论是爱因斯坦统一理论的重要候选者。

这些伟大的主张，如果正确，将意味着里程碑式的进步。但是超弦理论最激动人心的特征——毫无疑问，这也将使爱因斯坦激动——在于其对我们理解宇宙结构所产生的重大影响。我们将会看到，根据超弦理论，我们的时空观必须来一次巨变，才有可能在数学上合理地将广义相对论和量子力学结合起来。超弦理论要求有9个空间维度和1个时间维度存在，而不是常识中的三维空间和一维时间。在超弦理论更加复杂的化身——所谓的M理论中，统一需要十维空间和一维时间——宇宙在根本上有11个时空维度。由于我们看不见这些额外的维度，超弦理论相当于告诉我们，*我们迄今为止所瞥到的实在性只有那么一点点*。

当然，没有额外维度的观测证据也可能意味着它们并不存在以及超弦理论是错误的。然而就这样得出结论是十分草率的。在发现超弦理论的几十年前，一些富有前瞻性的科学家，包括爱因斯坦，曾经思考过这个问题，或许空间维度远远不止我们所看到的那么多，额外的维度可能隐藏起来了。研究弦论的科学家们充分精炼了这些思想并发现额外维度很难取得突破性进展，因为它们太小以至于无法用现有的设备看到（第12章），也可能它们很大，但是我们探索宇宙的方式无法发现它们（第13章）。每一种猜想都会带来丰富的内涵。通过其弦的振动的影响，微小且有褶皱维度的几何形状在回答大多数基本问题（如为什么我们的宇宙中存在着恒星和行星）上起着关键性的作用。大的额外空间维度所留有的想象余地允许更不可思议的想法：或许存在着其他的，我们至今完全没有察觉到的周边——不是普通空间意义上的周边，而是额外维度上的周边——世界。

虽然只是一个大胆的想法，但额外维度的存在并不只是理论上天马行空的想法，它也许很快就会得到验证。如果额外维度真的存在，我们就有可能在下一代原子对撞机上得到意想不到的结果，比如说人类将有可能第一次人工合成微观黑洞，或是产生一大批新的、从未被发现的粒子（第13章）。各种各样的奇异结果可能为平常不可见的额外维度提供第一手证据，并使超弦理论离人们长久寻求的统一理论更近一步。

如果超弦理论被证明是正确的，那么我们将不得不接受这样一个观点：我们所知道的实在性不过是厚重又纹理丰富的宇宙织物的精美花边而已。尽管据加缪看来，确定空间维度的数目——特别有意义的是，如果真的发现空间维数并不只是3个——所提供的远不只是一些科学上很有趣但最终无多大意义的细节。但额外维度的发现将使我们认识到，全部的人类经验还不足以帮助我们完全知晓宇宙在基本层面上实质性的东西。这将不容辩驳地证明，我们过去以为通过人类感官即可轻易明了的宇宙特性也不一定就如我们认为的那样。

过去和未来的实在性

随着超弦理论的发展，科学家们非常乐观地认为我们已经建立起了一个任何情况下——无论情况多么极端——都将成立的理论体系；而有了这个理论，我们就可以在未来的某一天，在这个理论方程的帮助下，搞清楚宇宙起源的那一刻究竟发生了些什么。迄今为止，还没有人有办法将该理论合理地应用于大爆炸理论，但是从超弦理论的角度来理解宇宙已经成为当代研究的首选之一。过去的一些年里，有关超弦理论的世界范围内的研究计划已经为我们带来了新颖的宇宙学体系（第13章），使我们可以用天文学观测来验证超弦理论（第14章），并使我们有机会初窥超弦理论在解释时间之箭中应起的作用。

时间之箭，因其在我们日常生活中所扮演的重要角色及其与宇宙起源之间的密切联系，而处在我们所感知的实在性与前沿科学试图追寻的更为精确的实在性之间的交汇地带。如上所说，时间之箭的问题串起了我们将要讨论的许多科学的进展，有关时间之箭的问题将会在后面的章节中反复讨论，这样才是恰当的。在影响我们生活的许多因素中，时间占有最重要的地位。当我们能熟练掌握超弦理论及其扩充——M理论时，我们对宇宙学的理解将会更加深刻，对时间起源与时间之箭的理解也将更为锐利。如果我们能让想象自由驰骋，我们甚至能预想到我们理解的深度终有一天能让我们自由地探索时空，进而探索那些远非我们现在的能力所能达到的领域（第15章）。

当然，我们可能永远都没办法拥有这种力量。但即使我们从来都没有控制时间和空间的能力，深刻的理解也会使我们有自己的力量。我们对时间和空间本性的理解将是人类智力的证明，我们最终会了解空间和时间——这一悄然矗立着的限定人类感知范围的界碑。

空间和时间的下一个时代

许多年前，当我翻到《西西弗斯的神话》的最后一页时，我就对文中所体现出的无上的乐观情绪感到惊奇。一个人被诅咒，当他把一块大石头推上山时，这块石头将会滚下来，于是他又不得不再次将石头推上山，这毕竟是那种注定不会有幸福结局的故事。但是加缪却在他身上找到了真正的希望，西西弗斯追求自由的意志，勇敢地面对不可逾越的障碍，英勇地选择了生存，即使他因被诅咒而不得不在冷漠的宇宙里做一项十分荒谬的工作也不放弃。西西弗斯放弃除即时体验外的一切，不去寻找任何一种更深刻的理解或更深刻的意义；在某种意义上，加缪认为，西西弗斯胜利了。

对于在别人看来只有绝望的事情，加缪却有能力发现其中的希望，我对此感到十分震惊。但是作为一个少年，即使在几十年后的今天，我依然无法同意加缪的观点——对宇宙的更深刻的理解将不会使生活更有意义。西西弗斯是加缪心目中的英雄，而我心中的英雄却是最伟大的科学家——牛顿、爱因斯坦、尼尔斯·玻尔和理查德·费恩曼。我读过费恩曼对于玫瑰的描述——他解释他如何感受到玫瑰的芳香和美丽，就像其他人做的那样，而他的物理知识大大丰富了人类的体验，因为他也能理解基本的分子、原子和亚原子中的奇迹和壮丽——我被他深深地迷住了。我推崇费恩曼的描述：在所有可能的层面上体验生活、感知宇宙，而不仅仅停留在那些恰好符合人类感知能力的层面上。寻求对宇宙的深层次理解已经成为我活力的源泉。

作为一名物理学教授，长久以来我认识到我高中时在对物理的沉迷中存在一些天真的想法。物理学家们一般不会怀着对宇宙的敬畏和幻想把时间花在思考花儿上。相反，我们把许多时间花在研究爬满黑板的复杂数学公式上。进展是如此的缓慢，即使富有希望的想法也往往毫无所得，那就是科学研究的本质。但是，即使在只有微小进展的时期，我也会发现在猜测和计算上的努力使我同宇宙之间的联系变得更加紧密了。我觉得一个人开始了解宇宙，并非只能通过解释宇宙的神秘之处了解，也可以通过令自己沉浸在研究宇宙的乐趣之中来了解。获得答案很了不起，获得被实验验证的答案就更了不起。但即便最终被证明是错误的答案，也代表着与宇宙的联系加深了一步——这种联系为我们的问题带来了更多的光亮，进而使我们对宇宙的了解更近了一步。即使与特定的科学探索有关的巨石依然滚回原地，我们还是会学到一些东西并丰富我们对宇宙的体验。

当然，科学史向我们揭示，人类集体科学探索的这块巨石——几个世纪以来各个大陆的无数科学家们所做出的贡献——不会从山上滚下来。不像西西弗斯，我们不用一次又一次从头再来。每一代科学家们从先辈手中接过接力棒，对先人的艰苦工作、洞察力、创造性表示敬意，并把它们再向前推进一点。新的理论和更为精准的测量是科学进步的标志，而这样的进步又建立在以前科学成就的基础上。正是由于这样，我们的任务并不是荒唐而没有意义的。在把巨石推向山顶时，我们承担的是最精细、最高贵的工作：揭开我们称之为家园的这片地方的奥秘，在我们发现的奇境中畅游，把我们的知识传授给我们的跟随者。

作为一个能直立行走的物种，我们所面临的挑战是艰难的。在过去的300年中，我们取得了巨大的进步，从经典物理学到相对论，再到量子的实在性，直到今天对统一实在性的探索，我们的思想和工具都经历了时间和空间上的巨大跨越，使得我们离这个伪装得如此之巧妙的世界更近了。我们正在逐步揭开宇宙的面纱，一步步接近真理。虽然我们的探索之路还很长，但很多人相信，人类已经快要结束童年时期了。

可以肯定的是，我们对银河系[6]的探索已经酝酿了相当长的一段时间。我们以这样或那样的方式探索这个世界、思考整个宇宙已经有几千年了。大多数时候，我们只简单地探索未知之物，每一次尽管稍有收获但大体没有多大的变化。自从牛顿仓促地树起现代科学的旗帜，科学就勇往直前了。跟从前相比，我们正朝着更高的目标前进。而我们的探索之路将从一个简单的问题开始——

什么是空间？

第2章 宇宙与桶

空间究竟是人为的抽象，还是物理实体呢

一桶水能够成为一场长达300年之久的论战的核心问题的机会并不多。但是艾萨克·牛顿爵士的这桶水并不寻常。爵士在1689年记述了一个小小的实验，自那以后，这个实验对世界上最伟大的一些物理学家产生了意义深远的影响。这个实验说的是：将一只水桶装满水，然后用绳子吊起来；将绳子紧紧地拧起来，使得松手后桶能够旋转起来；拧紧后松手。起初，桶开始旋转，而其中的水处于静止状态，水的表面光洁平坦。慢慢地，随着桶的速度越来越快，其运动就会通过摩擦力缓缓地传递给桶中的水，从而使得水也开始旋转。这个时候，水的表面变成凹状，边缘高中心低，如图2.1所示。

这就是我们要讨论的实验——并不是那种使人心跳加速的问题。但是我们稍微思考一下，就会发现这桶旋转的水令人困惑不解。接下来我们就好像300年来并没有人研究过它一样，紧紧地抓住旋转的水桶这一问题，将其视为通向了解宇宙奥秘之路的关键几步。当然，理解这个问题需要一些背景知识，但是在这方面下点功夫将会是值得的。

图2.1　水面开始是平的。桶刚开始旋转的时候，水面保持平稳。接下来，水也随之旋转，从而导致水面下凹。在水旋转的过程中，水面将一直下凹，即使桶减速并停止旋转的时候依然如此

爱因斯坦之前的相对论

我们总是将“相对论”这个词与爱因斯坦联系起来，但事实上这一概念可以追溯到更为久远的年代。伽利略、牛顿以及其他的很多人都深知*速度*——物体运动的速率与方向——具有相对性。使用现代术语，我们可以这么解释：在击球手看来，投得不错的快球以差不多100千米/时的速度飞来；但从棒球的角度看，是击球手以差不多100千米/时的速度接近。这两种说法都是准确的，只是立场不同而已。运动只有在相对的条件下才有意义：一个物体的速度究竟如何，只有通过与另一个物体的关系才能说明。或许你曾有过这样的经验：坐在火车中，窗外的另一辆火车与你乘坐的这辆火车相对运动。这时，你不能立刻说出究竟是哪一辆火车真的在动。伽利略在描述这一问题时使用的是他那个时代的交通工具——船。在平稳行驶的船上自然地

松开一枚硬币，如同在陆地上的情况一样，硬币会落到你的脚上。从你的角度来看，你处于静止状态而水流从船边流过。这样的话，由于你并没有运动，硬币相对于你的脚的运动将与你在陆地上的情形一模一样。

当然，在某些情况下，运动似乎具有某种内在性，你可以在没有外界事物作参考的情况下就可以感受并且宣称你肯定在运动。这就是*加速*运动，一种你的运动速度或运动方向发生改变的运动。如果你所乘坐的船突然向某一边倾斜，掉转船头，突然加速或减速，又或者是在漩涡中团团转的时候，你就会知道你正在运动。这个时候你并不需要选好某个参考点就可以知道自己在运动。即使你闭着眼睛也是如此，因为你能感觉到它。但是如果你处于速度大小和方向都不变的运动状态——*匀速直线运动*——你就没法知道自己是否处于运动状态。所以，你所感觉到的是运动的改变。

但是细想一下，这事有点怪。为什么运动的改变那么特别，具有某种内在的意义呢？如果运动是某种只有在比较下——通过与另一个物体对比来说明这个物体处于运动状态——才有意义的概念，那么为什么运动的改变就不是这样呢？为什么它不需要对比就有意义？事实上，它是否也是需要在对比下才有意义呢？有没有可能在我们每次提到或感受到加速运动的时候，都有某种隐含的对比在起作用呢？或许你会感到有点不可思议，但这个就是我们要追寻的核心问题，因为这个问题触及了与空间和时间的意义有关的一些深刻问题。

伽利略对运动的深刻洞察力使他确信地球本身就处于运动之中，

而这却遭到宗教裁判所的憎恨。更加谨慎的笛卡儿为了避免相同的命运，在他的《哲学原理》里采用了一种模棱两可的说法来表述他对运动的认识，不过这样显然无法躲过30年后的牛顿的审慎检查。笛卡儿认为物体对于自身运动状态的改变会自然地抗拒：静止的物体将保持静止状态直到有外力迫使其改变；以匀速沿直线运动的物体将保持匀速直线运动状态直到有外力迫使其改变。就这一说法，牛顿质疑道："静止"或者"匀速直线运动"这样的概念究竟是什么意思？静止或匀速是相对于谁来说的？静止或匀速是从谁的角度看？如果不是处于匀速运动，那么究竟是相对于谁或者说从谁的角度看不匀速？笛卡儿理顺了有关运动意义的几个方面，牛顿却发现了笛卡儿遗漏的一个关键问题。

牛顿，这个执着追求真理的人，曾经为了研究眼部解剖结构而在自己的眼眶与眼睛之间插上一根钝针；后期，他在担任造币局局长时制定了最为严酷的措施惩罚那些制造假币的人，为此超过100人被送上了绞刑架。一个像他这样的人绝不能容忍谬误或者不完备的推理，他要更进一步，于是他想到了水桶。[1]

桶

当我们放开水桶的时候，桶和其中的水会一起旋转起来，水的表面成凹状。牛顿提出的问题是：水的表面为什么会形成这样的形状？你也许会说：因为它在旋转呀，就像突然一个急转弯时，坐在汽车中的我们也会感受到汽车的压力；桶中的水也是如此，旋转的时候，水会受到来自桶壁的压力，在这种压力下，桶壁处的水就只能向上延伸。这种解释当然说得通，却没能抓住牛顿问题的根本意图。牛顿想要问的是水在旋转究竟是什么*意思*：水相对于什么旋转？牛顿那时仍在思索运动的基础，还远未来得及想明白诸如旋转这样的加速运动为何不需要与外部物体做比较这样的事情。[1]

自然而然的选择当然是将水桶当成参照物。但是经过论证，牛顿认识到这样行不通。试想一下，在桶最初开始旋转的时候，桶和水之间一定会有*相对*运动，这是因为桶动起来的时候水不可能立即就动。即使水动起来了，水的表面也会保持平的状态。过了一小会儿后，水旋转起来了，这时水和桶之间没有*相对*运动了，水的表面却凹了下去。所以，如果我们将桶作为参照物的话，我们就将得到与我们所期望的完全相反的结论：有相对运动的时候，水面是平的；而没有相对运动的时候，水面却凹下去了。

其实，我们还可以将牛顿的水桶实验更进一步。桶再转一会儿，绳子又扭在一起（方向不同），于是桶就会慢慢减速并且最终静止下来，但是桶里的水还会继续旋转。这时，水与桶之间的相对运动与实验开始时的状况是一样的（除了顺时针旋转和逆时针旋转这一区别）。但是，水面的形状却*不一样*（实验开始时水面是平的，现在是凹下去的），这正好说明了相对运动不能解释表面形状。

将桶作为水的运动的参照物这种可能性排除之后，牛顿继续大胆思考。他进一步论证道：试想一下，我们在一个深冷、完全虚无的

---

1. 虽然离心力和向心力这样的词语常常被用来描述旋转运动，但是它们只是一个名称而已。我们真正想知道的是为什么旋转会产生力。

空间——真空——中继续我们的转桶实验。这时我们不能重复完全一样的实验了，因为水的表面形状是部分依赖于地球引力的，在现在的这个实验条件下根本没有地球存在。为使我们的例子更具可操作性，我们需要一个漂浮在真空中的巨桶——就像游乐场里的摩天轮一样巨大。再想象一下，一位勇敢的宇航员——霍默——被捆在巨桶的内壁（牛顿用的并不是这个例子，他想到的是用一个绳子将两块石头绑在一起来说明问题，但要点都是一样的）。有证据表明巨桶在旋转。与桶中的水会形成凹面类似的是，霍默将会*感受*到被压在桶的内壁上。他面部紧张，腹部缩紧，头发向着桶壁拉伸过去。现在问题来了：在一个*完全*虚无——没有太阳，没有地球，没有空气，没有油炸圈饼，什么都没有——的空间究竟什么东西有可能作为巨桶旋转的参照物？因为我们想象的空间是完全虚无的，除了巨桶本身什么都没有，所以看起来可能没有任何东西可以作为巨桶旋转的参照物。但牛顿并不这么认为。

他的回答是选定终极容器作为参照物，而这个终极容器就是：*空间本身*。牛顿提出，我们所有人都存在于并且所有的运动都发生于一个透明的、虚无的舞台之中，而这个舞台本身就是一个真正的物理实在，他将其称为*绝对空间*。[2] 我们既抓不到、摸不着绝对空间，也闻不到、听不着绝对空间。但是牛顿宣称绝对空间的确存在。牛顿提出绝对空间是描述运动最真实的参照物。如果一个物体相对于绝对空间静止，那它就是真正的静止；一个物体相对于绝对空间运动，那它就是真正的运动。而且最重要的是，牛顿总结道，一个物体相对于绝对空间有加速度，那它就是处于真正的加速状态。

牛顿就这样以如下的方式解释了陆地上的水桶实验。实验开始的时候，桶相对于绝对空间旋转，而水相对于绝对空间静止，因此水的表面是平的。随着水的速度渐渐地接近于桶的速度，水也相对于绝对空间旋转起来了，于是水的表面就成了凹状。绳子拧紧的时候，桶开始逐渐减速，而水继续旋转——相对于绝对空间旋转——所以其表面仍然是凹的。因此，尽管水与桶之间的相对运动解释不了实验现象，但是水与绝对空间之间的相对运动就解释了这一点。空间本身就为定义运动提供了参照系。

桶只不过是个例子，论证过程本身当然是具有一般性的。根据牛顿的观点，当你系上安全带坐在车里时，你之所以能够感觉到你在运动是因为你相对于绝对空间运动；当你乘坐的飞机加速起飞时，你感到被压向座椅是因为你正在相对于绝对空间加速；当你在溜冰场中旋转起来时，感觉双臂被甩出去了是因为你相对于绝对空间加速。从另一个角度看，如果整个溜冰场旋转起来而你保持不动（假定你处于理想的无摩擦滑动状态）——那你和溜冰场之间仍然有相对运动——但是你不会感觉自己的胳膊被甩出去，因为你与绝对空间没有相对加速度。我们一直用人来打比方，为了不被一些无关紧要的细节误导，我们现在再来看看牛顿的例子。牛顿举的例子是用一根绳子拴在一起的两块石头，这两块石头组成的系统在真空中旋转。因为石头相对于绝对空间有加速度，所以绳子会被拉紧。总之，绝对空间对于运动的概念有决定性的意义。

但绝对空间究竟是什么？在这个问题上，牛顿的回应是含混不清加武断的。他首先在《自然哲学之数学原理》中写道，“我并不定义时间、空间、位置与运动，因为（这些）是众所周知的"，[3] 从而回避了严格精确地定义这些概念。然后他又写出了那句著名的话，"绝对空间，只取决于其本身性质，不需要任何外部事物为其做参考，永远保持不变并且不可移动"，也就是说，绝对空间就是永恒。这就是他的回答。但是我们也可以隐约感觉到，牛顿对简单地断言某种你不能直接看到、测量或者作用于其上的事物真的存在并肯定其重要性并不满意。他写道：

> 事实上，发现并且有效地区分某个特别物体的真实运动并不是一件容易的事情，因为运动发生于其中的那个不可变动的空间并不能被我们感知。[4]

这样一来，牛顿就把我们留在了一个有些尴尬的处境中。在描述物理学中最根本、最重要的元素——运动时，他把绝对空间这样一个概念放在首要及核心的地位，却没有清楚地说明其定义，并且承认对将这样重要的鸡蛋放在那么含糊的篮子里感到不快。其他很多人也都感到了这种不快。

空间困境

爱因斯坦曾经说过，要是某人用了诸如"红""困难"或者"失望"这样的词，我们都知道这是什么意思。但是到了"空间"这个词的时候，"它与心理体验缺乏直接的联系，在加以解释时存在着很大的不确定性"，[5] 这种不确定可以追溯到久远的年代，人们为了解空间的意义而进行了不懈的努力。德谟克利特、伊壁鸠鲁、卢克莱修、毕达哥拉斯、柏拉图、亚里士多德及其众多的追随者们多少个世纪以来在“空间”的意义上来来回回地斟酌。空间与物质之间的区别是什么？空间是否是可以脱离物质而独立存在的客体？是否有真正虚无的空间存在呢？空间与物质彼此对立吗？空间是有限的还是无限的？

几千年来，人们对空间的哲学分析同神学的质疑不可分割。依照某些人的看法，神是无所不在的。这样的思想赋予了空间神圣的特征。这样的思想历程起源于17世纪的神学家、哲学家亨利·摩尔，有的学者认为摩尔是牛顿的导师之一。[6] 摩尔相信完全虚无的空间并不存在，不过这是个完全无关紧要的观测事实。因为按照他的看法，即使空间中的物质全部被清空，空间中仍然充满着精神，因此空间永远不可能真正地空。牛顿的观点稍有不同，他认为空间中除了有实体物质外，还存在着“精神物质”。出于谨慎，牛顿认为这些精神的东西“不能阻挡实体物质的运动，就好像什么都没有一样”。[7] 牛顿宣称，绝对空间，是神的感觉中枢。

对空间的哲学或宗教的思考具有一定的合理性，但正如前文爱因斯坦的审慎评价所言，这些思想在描述上都缺乏严密性。从那些思想中我们可以得到一个基本且可精确阐述的问题：我们到底是要将空间归为独立实体——就像我们对待其他事物，比如你手中的这本书——那样，还是要将空间仅仅视作描述普通物质之间关系的一种语言呢？

与牛顿同时代的伟大德国哲学家戈特弗莱德·威廉·范·莱布尼茨坚信，按传统意义，空间并不存在。在谈到空间时，莱布尼茨宣称，空间只不过是用以描述事物之间相对位置的一种简单又方便的方法而已。在莱布尼茨看来，如果空间中没有物质存在，空间本身就并没有任何独立意义，或者说空间并不存在。比如说英语字母表，它就是按26个英文字母的顺序排列。也就是说字母表只不过是用来表明a与b相连，d后面第6个字母是j，x是u后的第3个字母，诸如此类。但如果字母不存在的话，字母表就没有任何意义——并没有独立存在的“精神字母”。字母表之所以存在是为了给字母提供字典中的顺序。莱布尼茨认为空间也是如此：空间除了在讨论物质位置关系时作为自然的语言出现外没有其他意义。在莱布尼茨看来，如果将空间中的所有物质都拿走——空间完全是空的——空间就像没有了字母的字母表一样无意义。

莱布尼茨提出了一系列的论点支持他的所谓*相对者*立场。比如，莱布尼茨提出，如果空间真的是一个实体，就像某种背景物质，那么神就要在宇宙中选出一块位置来安放空间这一物质。但是，做出的所有的决定都是建立在公正基础上，从不依靠随机和偶然的神，怎样才能在完全一致的虚无中为空间挑选出一块安置之地呢？毕竟，那些虚无完全一样呀。在受过科学训练的耳朵听来，这样的说法无异于诡辩。但是，即使去掉神学的元素，就用莱布尼茨提出的其他一些观点，我们也要面对很棘手的问题：空间在宇宙的什么位置？要是将宇宙整体——保持所有物质的相对位置不变——从左往右移动10英寸（1英寸≈2.54厘米），我们有可能知道吗？整个宇宙穿越空间这个物质时的速度是多少？如果我们根本不能探测到空间，或者对其有所作用，我们还能宣称空间真的存在吗？

就在这个时候，牛顿带着他的桶插了进来，并且戏剧性地改变了论战的性质。尽管牛顿承认绝对空间的某些性质很难或者根本不可能直接探测到，但他同时也提出绝对空间的存在有可观测的效应：加速运动，就像在旋转的桶那里讨论的那样，是相对于绝对空间进行的。因此，根据牛顿的观点，凹下去的水面，就是绝对空间存在的证据。在牛顿看来，一旦有了某物存在的确定证据，不管这个证据多么的间接，论战也应该停止了。就是这样神奇的一击，牛顿将有关空间的哲学式思考转变成了科学上可验证的数据。其效应很明显，莱布尼茨被迫适时地承认“我同意一个物体绝对真实的运动同其相对于另一个物体在位置上的相对改变有区别”，[8] 虽然这并不是向牛顿的绝对空间投降，但这却是对坚定的相对论者的一次重击。

接下来的200年间，莱布尼茨及其追随者关于反对赋予空间独立的实在性的论辩在物理学家中未能激起一丝涟漪。[9] 相反，舆论明显地倒向了牛顿的空间观，建立在其空间观基础上的牛顿运动学定律占据了舞台的中心。很明显，牛顿定律在对实验的精确描述上所取得的巨大成功使人们普遍接受了他的观点。但是，有必要提及的是，牛顿本人仅仅将自己在物理学上取得的巨大成就视为用以支持他所真正看重的伟大发现的坚固基础，这个伟大发现就是：绝对空间。对于牛顿来说，所有的一切都是为了空间。[10]

马赫以及空间的意义

我还是个孩子的时候，常常和我的父亲在曼哈顿的街上玩一种游戏。我们俩中的一人四下张望，悄悄地选定某件正在发生的事情——刚刚过去的公共汽车、落在窗台上的鸽子、某人口袋中掉落

的硬币 —— 然后换一个非常规的视角来描述整件事情，比如用公共汽车的轮子、飞翔中的鸽子，或者下落中的硬币的视角来描述这个过程。整个游戏的困难之处在于用不熟悉的描述方式，比如“我走在漆黑、圆柱形的表面上，周围满是低矮却布满花样的墙，一束粗壮的白色蔓枝从天而降”，然后另一个人需要猜出，此时是否是以一个热狗上的蚂蚁的视角在观察，而小摊贩正往热狗上加泡菜呢？早在我接触第一门物理课程之前的很多年，我们就不玩这个游戏了，但是这个游戏还是使我在初次遭遇牛顿定律时有些不满。

这个游戏强调的是要从不同的视角来看待这个世界，每个视角和其他的视角都是一样有效的。但是根据牛顿的说法，你当然可以自由地选择一个视角来观察这个世界，但是不同视角的地位绝不是相同的。从冰面上一只蚂蚁的角度看一位溜冰者的靴子，旋转的是溜冰场和整个体育馆；但是从看台上的观众的角度看，正在旋转的是溜冰者。两个视角看起来是等效的，好像有相同的地位，好像两者之间是彼此对称的关系。但是，根据牛顿的观点，某种视角比其他的视角更加接近于真相。因为，如果*真的*是溜冰者在转的话，他或她的胳膊将向外伸展；而如果*真的*是溜冰场在转的话，他或她的胳膊就不会向外伸展。接受牛顿的绝对空间的观念意味着必须接受绝对化的加速运动概念，特别是，要接受关于谁或什么东西真正在旋转的绝对化的答案。我努力去想为什么会是这样，我参考的每一种资源 —— 教科书或者老师之类的人 —— 都同意当考虑的是匀速直线运动的时候，只有相对运动才有意义。但是，我禁不住想到，为什么在这个世界中加速运动这么特别呢？为什么*相对*加速运动不能是考虑非匀速运动时唯一有关的内容呢？就像相对速度一样。也许在别的地方，绝对空间的存在没有什么；可是对于我，绝对空间实在太古怪了。

很久以后我才知道，在过去的几百年间，很多的物理学家和哲学家——或者大声疾呼，或者悄悄抛出观点——都与相同的问题斗争过。表面上看起来牛顿的桶说明了正是绝对空间使得一种视角比另一种视角更重要（相对于绝对空间旋转的人或物才是*真正的*旋转，其他的则不是），但这样的答案令很多仔细思考过这一问题的人很不满意，直觉上不应该有哪种视角比其他的视角“更加正确”。而且，考虑到莱布尼茨的合理意见，物体之间只有相对运动才有意义，我们不禁要问，为什么绝对空间能告诉我们哪个才是真正的加速运动，却不能告诉我们哪个是真正的匀速直线运动？毕竟，如果绝对空间真的存在，它应当成为所有运动的基准，而不仅仅是加速运动。如果绝对空间真的存在，为什么它不能告诉我们在绝对意义上我们处于什么位置？那样我们就不需要根据另一个作为参照物的物体来确定我们的相对位置了。而且，如果绝对空间真的存在的话，为什么只能是它来影响我们（例如，在我们旋转的时候会使我们的胳膊向外伸展），而我们却无法对它产生影响？

在牛顿宣示其工作之后的上百年里，这些问题时不时成为争论的焦点。但直到19世纪中叶，奥地利物理学家、哲学家欧内斯特·马赫登场之后，一个大胆而极富预见性的，并且产生了深远影响的新的关于空间的观点才出现在世人面前；而这一观点在适当的时候对爱因斯坦产生了深远的影响。

为了理解马赫的洞察力——或者更准确地说，为了用现代知识解读通常归功于马赫的原理[1]——让我们暂时回到桶的问题上。牛顿的论证中有些古怪之处，桶的问题给我们的挑战是解释为什么有些情况下水面是平的，而另一些情况下则是凹的。为了给出解释，我们详细考虑了两种不同情形并且发现不同情形关键的区别在于水是否在旋转。于是问题来了：在引入绝对空间的概念以前，牛顿只把桶当成确定水运动与否的参照物，正如我们所见，这样的尝试带来了失败。然而，我们完全可以用其他一些物体作为参照物来确定水运动与否，比如我们就可以选择做实验的地方作为参照物——实验室的地板、天花板以及墙壁，等等。或许我们还可以在一个晴朗的天气跑到户外的开阔地做这个实验，周围的建筑、树木或者脚下的大地都可以当作是确定水旋转与否的"静态"参照物。要是我们在外太空做这个实验，我们还可以将远方的群星选为静态参照物。

于是我们就提出了下面的问题：是不是牛顿根本没理会这种情况呢？我们在生活中常常自然想到的那些相对运动，比如水与实验室、水与大地或者水与群星之间的相对运动，是不是被他漏掉了呢？这样，一些相对运动能否在不引入绝对空间的情况下解释水面的形状呢？这就是马赫在19世纪70年代提出的问题。

为了更全面地体会马赫的观点，发挥一下你的想象力：你正漂浮

---

1. 关于在下文中提到的马赫观点有些需要交代的地方。马赫的某些著作含混不清，而我们提到的某些观点实际上来自另外一些人对马赫工作的解释。一般认为马赫知道有这些解释，考虑到他并未对这些解释提出批评意见，所以人们通常认为马赫本人是同意这些解释的。为了还历史以本来面貌，我每次写出"马赫认为"或者"马赫的想法"时，亲爱的读者，你应当将其视作"马赫提出的一种方法的盛行的解释"。

在外太空，安静，不动，完全感受不到重量。四下一望，你可以看到远方的群星，它们也处于完美的静止状态（真正禅定的时刻）。就在这个时候，恰巧飘过来的某人抓住了你，使你团团转起来了。这时候你会发现两件事。第一件，你的手臂和腿会感受到向外的拉力，要是你不使劲的话，手脚会自然伸展开。第二件，你再盯着群星看的时候，会发现它们不再是静止的了，天际的群星组成了巨大的弧形，绕着你不停地旋转。你这一刻的体验将身体感受到的力与见证相对于群星的运动紧密联系起来。请先记住这件事，我们稍后换个场景再试一次。

再次发挥一下你的想象力：这次你浸在完全空荡荡的空间中，周围漆黑一片，没有星星，没有银河，没有地球，没有空气，总之除了黑暗什么都没有（真正的存在主义的一刻）。这次你开始旋转时有什么感受呢？你还会感到手脚向外伸展吗？我们的日常生活经验告诉我们是这样的：每次我们从不旋转的状态（什么感觉都没有的状态）进入旋转状态的时候，都会感到肢体向外伸展。但是目前我们面临的这种状况是我们中的任何人前所未有的经历。在已知的宇宙中，总有其他物质，有的就在附近，有的远点（比如远方的群星），可以作为各种运动状态的参照物。但是，在现在的这个例子中，绝对没有任何办法可以让你通过与参照物对比来分辨什么是“旋转”，什么是“不旋转”；这里没有任何其他物体。马赫想到了这一点，并且继续前进了一大步。马赫认为，在这种状况下，我们也没办法区分各种不同的旋转之间的差别。更准确地说，马赫认为，在一个完全虚无的宇宙中，旋转与不旋转没有区别——如果没有比较作为基准的话根本无所谓运动或加速——所以旋转与不旋转是完全一样的。如果将牛顿的那两块用绳子拴在一起的石头放到完全空荡荡的空间中，绳子只能是松弛的。如果你在完全空荡的空间中旋转，你的手脚也不会向外伸展，你耳朵中的液体也不会受到任何影响。总之，你什么感觉也没有。

这一想法深奥而微妙。只有在心里面真正把自己想象成是在漆黑凝滞、完全虚无的空间中，你才能真正理解这一想法。这里说的完全虚无一物的空间并不像一间漆黑的房间，在房间里你的脚还能踩在地板上，慢慢适应一会儿之后，你的眼睛还能习惯黑暗，逐渐能够感受到门缝或者窗户缝里透来的微光。我们需要想象出来的空间是真正的虚无一物，什么都没有，连地板都没有，即使慢慢适应了，你的眼睛也什么光亮都看不到。你彻底陷入宇宙的黑暗之中，没有任何物体与你为伴，没有任何物质可以参照。由于没有参照物，马赫论证道，运动以及加速这些概念都不再有任何意义，现在不再是你感受不到自身的旋转那么简单；现在的事实更加基本，在一个空无一物的宇宙中，你究竟是在安静地站着还是在匀速旋转中是完全不可区分的。[1]

当然，牛顿是不会同意这一点的。牛顿宣称即使在空无一物的空间中仍然有空间。尽管空间无形且无法直接触摸，牛顿依然认为它可以作为衡量物体运动与否的参照物。但是别忘了牛顿是怎样得到他的结论的：他对旋转运动的思索是在一个假设下进行的，即大家所熟知的实验室中得到的结果（水的表面凹下去；霍默能感受到桶壁的压

1. 我之所以喜欢用人来举例子是因为这样能够一下子把我们正在讨论的物理问题与我们的内在感受联系起来。但是这也带来一个问题，那就是我们的全身都可以随意识活动，所以身体的某个部分可以相对于另外的部分运动——这样带来的效果是我们可以用身体的一部分作为基准来讨论另一部分的运动（比如你可以相对你的头旋转你的手臂）。所以我要强调统一的旋转运动——全身的每个部位都一起运动——来避免不必要的复杂性。所以，当我说到你的身体处于转动状态时，把你的身体想象成像被牛顿绑在一起的石头或者奥运赛场上做出最后一个动作后保持静止的溜冰运动员一样，你全身的每个部位都以相同的速率转动。

力；旋转的时候你的手臂会向外伸展；两块绑在一起飞速旋转的石头中间的绳子被拉紧）在空无一物的空间中同样能够得到。这样的假设引导他去寻找在真空中可以作为运动的参照物的东西，而他所得到的结论是：那个可以用以定义运动的东西就是空间本身。马赫挑战的正是牛顿这一关键假设：马赫认为在实验室中能够得到的结果并不能在完全空无一物的空间中得到。

200年间，马赫原理第一次真正做到了挑战牛顿体系。接下来的很多年里，马赫原理持续着其对物理学界的影响力（其影响甚至超越了物理学界）：1909年，弗拉基米尔·列宁在伦敦的时候著有一本哲学小册子，其中就讨论了马赫原理的有关内容[11]。但是，即使马赫是正确的，即在完全虚无一物的空间中没有旋转的概念——这一论述排除了牛顿提出的绝对空间——地球上进行的水桶实验仍然是个未解之谜，水面的确凹了进去。不采用绝对空间的概念的话——如果绝对空间什么都不是——如何解决这一难题呢？这一问题的答案来自对马赫推理的一个简单异议的思考。

马赫、运动及群星

我们来想象一个不同于马赫的想象——并非完全空无一物的宇宙，在这个宇宙中，有一些星星在天际闪闪发光。在这样的环境下你再来进行外太空旋转实验，这时，那些星星——即使由于距离的原因它们只有针孔般大小的微光——就可以用以标定你的运动状态。开始旋转的时候，远方的星光围绕着你转。既然远方的星光已经为你提供了一种可以看到的方式来确定旋转与否，你会觉得自身也可感受到这种区别。但是远方的星星如何才能做到这一点呢？它们的存在与否是如何开启或关闭你感知旋转的能力（或者更一般地说，感知加速与否的能力）的呢？如果在一个只有少数距离很远的星星的宇宙中你能够感受到旋转运动，这是否意味着马赫错了呢？或者，正如牛顿所言，在一个空无一物的宇宙中你仍 能感受到旋转？

对于这一异议，马赫给出了一种回答。根据马赫原理，在一个空荡荡的宇宙中，你不会感受到你是否旋转（更准确地说，根本就没有旋转或不旋转这样的概念）。另一方面，在由群星以及其他我们真实宇宙中存在的事物组成的宇宙中，旋转的时候你会感受到你的手臂及大腿受到一种向外伸展的力的作用（自己试试）。现在就是问题的关键所在了，在一个既不是完全空无一物，又没有我们的宇宙那么多的物质的宇宙中，马赫认为你在旋转时所感受到的力介于零和在我们的真实宇宙中所感受到的力之间。也就是说，你所感受到的力正比于宇宙中物质的数目。在一个只有一颗星星的宇宙中，你在旋转时所感受到的力极小。有两颗星星存在的话，感受到的力会大一点。依此类推，一直到其中的物质与我们的真实宇宙的物质一样多的时候，你在旋转时所感受到的一切会令你十分熟悉。按这种方法，你从加速运动中所感受到的力实际上是宇宙中所有物质的一种累加效果。

当然，这种观点对于所有的加速运动都成立，而不是仅仅适用于旋转。你所乘坐的飞机加速离开跑道的时候，你开的车伴着刺耳的声音刹住的时候，你所乘的电梯开始攀升的时候，马赫的想法告诉你：你所感受到的力是组成宇宙的所有物质的共同影响。如果宇宙中的物质更多，你所感受到的力也应该更大；如果宇宙中的物质更少，你所感受到的力也应该更小。而如果宇宙中没有物质存在的话，那你将什么都感受不到。所以，按照马赫的方式思考，实际上重要的只有相对运动和相对加速度。*仅当你相对于宇宙中其他物质的平均分布加速的时候你才能感受到加速运动*。什么其他物质都没有的话——没有任何可以参考的基准——马赫则认为没法感受到加速运动。

对于大多数物理学家而言，这是在过去150年间关于宇宙的看法中最诱人的一种。令几代物理学家深感不安的那种触不到、抓不着、理解不了的空间，真的就是可以用来作为衡量运动的根本的、绝对的基准吗？对于很多人来说，这实在太荒谬了。至少在科学的意义上，基于某种完全感觉不到的，大大超过了我们的认知范围的，甚至可以说接近神秘的东西来理解运动，这样的做法并不可靠。但是这些物理学家们也同时受困于如何解释牛顿的水桶。马赫的见解之所以能够带来一股兴奋之情完全在于他发现了新解释的可能性，而其中空间并不是关键，马赫的回答把人们再次带回到莱布尼茨所倡导的空间的相对论者观念。在马赫看来，空间——正如莱布尼茨所想的那样——只不过是表示物体之间相对位置关系的语言。就像没有了单词的单词表什么都不是一样，空间也不喜欢独立存在。

马赫与牛顿

我在读大学的时候知道了马赫的想法，马赫原理真是天赐之物。终于，我们有了一个可以将所有的视角等同起来的空间和运动的理论，而所有视角之所以地位相同是因为只有相对运动和相对加速度才有意义。不同于牛顿判定运动的基准——那个不可见的绝对空间，马赫的基准是让所有人都能看见的——那就是遍布于宇宙的物质。我确信马赫原理必是正确的答案。我也发现我并不是唯一一个有这样反应的人，在我之前的很多物理学家，包括阿尔伯特·爱因斯坦，在初次了解到马赫原理的时候便对其一见钟情。

那么马赫真的是对的吗？牛顿真的陷入桶的泥潭而不可自拔以至于得到的是有关空间的孱弱结论？到底是牛顿的绝对空间真的存在，还是历史的钟摆最终摆回到相对论者的一边呢？马赫引入他的想法之后的几十年里，人们无法回答这些问题。问题的关键在于马赫的想法并不是一种完备的理论或者描述，马赫从未能指出宇宙中的物质是如何施加他所提出的那种影响的。如果马赫的观点是正确的，那么远方的星星和你家隔壁的房子是如何在你旋转的时候使你感受到旋转的呢？由于没能提出一种物理机制来实现他的想法，我们很难定量地考察马赫的观点。

以我们现代的角度看来，合理的猜测是，与马赫提出的影响力有关的可能是引力。在马赫提出他的观点之后的几十年里，这种可能性引起了爱因斯坦的注意。在提出自己的引力理论——广义相对论时，爱因斯坦就从马赫的想法中汲取了大量的灵感。当相对论最终尘埃落定时，关于空间是否是一种物质——或者说相对论者和绝对论者的空间观点哪种正确——这一问题，以一种将以前所有看待宇宙的方式全部粉碎的形式再次出现在我们面前。

第 3 章 相对与绝对

空间究竟是爱因斯坦式的抽象，还是物理实体呢

有些发现可以回答某些问题，有些发现则更为深刻，能够以一种全新的角度提出问题，使人们发现之前的神秘之处不过是因缺乏知识而造成的误解。你可能会穷尽一生的时间——很多古人的确如此——来思考地球的边缘是什么样的，或者试图想出是谁或者何物居住在世界的尽头。但当你发现地球是圆的，你会认识到之前的神秘问题没法回答，实际上，那个问题问得并不切题。

20世纪的头20年，阿尔伯特·爱因斯坦得出了两项重大发现，每一项发现都使人类对于空间和时间的认识发生了巨大的变化。爱因斯坦拆除了牛顿建立的严格、绝对的结构，然后以一种前所未有的方式将时间和空间综合起来进而建立了自己的体系。爱因斯坦完成他的工作之后，时间和空间就成了不可分割的统一整体，空间或时间的实在性再也无法通过分别思考空间或时间来得到了。所以到了20世纪30年代末，有关空间的实体存在问题就彻底过时了。按照爱因斯坦式的重组，我们应该问的是：时空是某种事物吗？就是这一小小的修改，使得我们对于实在性的舞台的理解完全换了一种样子。

真空真的是空的吗

在爱因斯坦于20世纪的头几年编写的相对论剧本中，光才是主角。为爱因斯坦那不可思议的洞察力搭建起舞台的正是詹姆斯·克拉克·麦克斯韦。早在19世纪中叶，麦克斯韦第一次发现通过4个强大的方程，人们可以在一个严格的理论框架下很好地理解电、磁及其之间的密切联系。[1] 仔细研究英国物理学家麦克尔·法拉第的工作之后，麦克斯韦写出了这套方程组。法拉第早在19世纪早期就做了成千上万次实验，研究迄今为止仍未完全搞清楚的电和磁的特点。法拉第的关键性突破在于提出“场”的概念，后来被麦克斯韦和其他科学家加以拓展延伸。“场”的概念在前两个世纪的物理学发展中产生了不可估量的影响，并且解释了我们在日常生活中所遇到的许多小秘密。通过机场安检时，你有没有注意到那台机器是怎样做到不接触你却可以探测到你是否携带有金属物品的？做过核磁共振成像（MRI）吗？一台完全在体外的机器究竟是怎样详细地绘制出体内的图像的？就算你完全不动手，指南针的针头也会自动指向北方，这是怎么回事呢？指南针这个问题与地球的磁场有关。事实上，前两个问题也可以用磁场的概念加以解释。

我见过的最好的感性认识磁场的方式就是小学课堂里的演示：铁屑在条形磁铁附近的分布。轻微的震荡后，铁屑以规则的弓形排列，起于磁铁的北极，止于磁铁的南极，就像图3.1所示。铁屑的分布就是一个直接的证据，它说明磁铁创造了一种存在于周围空间的、不可见的物质——这种物质可以对金属碎屑这样的东西有力的作用。这种不可见的物质就是*磁场*，根据我们的直觉，它类似于可以充满某片空

图3.1 铁屑在条形磁铁附近的分布描绘出了磁场的分布

间的薄雾或香气，并可以作用于磁铁物理范围之外的物体。磁场与磁铁的关系就如同战场与指挥官，或审计员与国税局：影响远在它们的物理范围之外，它允许力在场中作用于其他物体。而这也是磁场被称作力场的原因。

磁场弥漫于空间的能力使其非常有用。机场金属探测器的磁场透过你的衣服，使你带着的金属物体也发出其自己的磁场——这些磁场反作用于探测器，从而使它发出警报。MRI的磁场透过你的身体，使体内特殊的原子以适当的方式旋转并产生它们自己的磁场——然后这些磁场被探测器探测到，解码成一幅内部组织图。地球的磁场透过指南针的外壳，使指针发生偏转，指向北方，这是由于长年地球物理学过程，使地球磁场方向基本与南北极方向相符。

磁场是一种我们很熟悉的场，但法拉第还分析研究了另一种场：*电场*。正是由于这种场的存在，羊毛围巾发出噼里啪啦放电的声音；我们接触金属门把手后，与毛毯接触就会发出噝噝的声音；在一个电闪雷鸣下着暴雨的晚上，我们站在山顶上时会有皮肤刺痛的感觉。如果你碰巧在风雨交加的晚上看指南针，磁针偏转的方向和周围电闪雷鸣的环境就会启示我们：电场和磁场之间存在着深层次的联系——电场与磁场之间的联系是由丹麦物理学家汉斯·奥斯特首先发现的，后来法拉第又勤奋地做了很多实验对其进行进一步研究。这就像股票市场的发展会影响债券市场，反过来债券市场也会对股票市场产生影响一样，科学家们发现，电场的变化会使附近的磁场发生变化，而磁场的变化也会造成电场的变化。麦克斯韦发现了这种联系的数学基础。因为麦克斯韦的方程表明电场和磁场之间是可以相互纠缠的，就像拉斯塔法里教的长卷发[1]互相纠结在一起那样，最终它们被命名为*电磁场*，电磁场可以通过*电磁力*作用于其他物体。

今天，我们长久地生活在电磁场的海洋中。手机和汽车广播在无限宽广的空间内工作着，因为电信公司和广播站的电磁场充斥着广阔的空间。无线网络连接环绕在我们身边，电脑从震荡在我们周围的电磁场——事实上，这些电磁场也穿过了我们——中采集信息形成了整个万维网。当然，在麦克斯韦时代，电磁场技术还没有充分发展起来，但是科学家们已经公认了麦克斯韦的伟大成就：麦克斯韦通过场的理论指出尽管电和磁是有区别的，但它们实际上是一种物理实体的不同方面。

后来，我们遇到了各种各样的场——引力场、核子场、希格斯场，等等——我们越来越认识到场对于现代物理学定律的形成起着十分

1. 拉斯塔法里教派，宣扬牙买加政治家加尔维（M. Garvey）的主张，认为黑人要反压迫必须回到非洲。长发是该教的一个标志。——译者注

关键的作用。但到现在，在我们讨论的领域中，关键性的下一步也归功于麦克斯韦。麦克斯韦进一步分析他的方程后发现，变化的电磁场以波的形式传播，速度为300000千米每秒。这正是其他实验所发现的光的传播速度，麦克斯韦意识到光也属于电磁场，它可以作用于我们视网膜上的化学物质，从而使我们产生光感。麦克斯韦得出了举世瞩目的伟大发现：他将磁铁产生的力、电荷产生的力，以及在宇宙中所能看到的光联系起来——但这就提出了一个更为深刻的问题。

当我们说光速是300000千米每秒时，经验以及前面的讨论告诉我们，如果没有参照物的话，这种说法将毫无意义。有趣的是，麦克斯韦只给出了这个数值而并未提到任何参照物。这就像是某人说在北部的35千米外有个聚会，却没有参照坐标，没有说明是*哪儿*的北部。包括麦克斯韦在内的很多物理学家，试图用类似于下面的方式来解释方程中的速度：我们熟悉的波，比如海洋的波或声波，是在物质或者说介质中传播的。海洋中的波涛是在水中传播的，声波是在空气中传播的，这些波的速度都是*相对于介质而言的*。当我们说声波在房间中的速度是340米每秒时（也就是通常所说的1马赫，这里的马赫来自我们在前面提到过的欧内斯特·马赫），我们想要表明声波在空气中是以上述速度传播的。于是很自然的，那时的物理学家推测光波——电磁波——也是在某种特殊的介质中传播的，虽然这种介质从未被人探测到，但它肯定是存在的。这种看不见的传播光的物质被命名为*光以太*，或*以太*；后者是一个古老的术语，亚里士多德曾用它来描述一种可以包罗万象的神奇物质，在想象中，天国的东西就是由它做成。为了使该说法与麦克斯韦的结果一致，有人提出他的方程暗示着采用了相对以太静止的物体作为参照物。他的方程中的300000千米每秒，就是光相对于静止以太的速度。

正如你所看到的那样，光以太和牛顿的绝对空间存在着惊人的相似性。它们都起源于提供一种参照物以定义运动的尝试；加速运动导致了绝对空间的概念，光的运动导致了光以太的概念。事实上，许多物理学家认为以太是圣灵——亨利·摩尔、牛顿和其他科学家认为的充满绝对空间的圣灵——的实际替身（牛顿和他同时代的科学家曾用“以太”描述过绝对空间）。但实际上以太是什么呢？它是由什么构成的？它来自哪里？它存在于每个地方吗？

这些关于以太的问题与几个世纪以来关于绝对空间的问题一样。但是，虽然关于绝对空间的完整的马赫式检验需要在全空的宇宙中旋转，但物理学家们却能提出可行的实验确定以太是否真的存在。比如说，当你游向迎面而来的浪花时，波浪向你移动的速度加快了；当你游向浪花的相反方向时，波浪向你移动的速度减慢了。类似的，当你穿过假设中的以太朝向或背离光波移动时，按照同样的推理，光波向你移动的速度比300000千米每秒加快或减慢了。1887年，阿尔伯特·迈克耳孙和爱德华·莫雷测量了光速。经过一次次实验，他们发现，*不管他们做什么运动，也不管光源做什么运动*，光速总是300000千米每秒。人们想出各种各样的巧妙说法以解释这个结果。有些人说，或许实验者是在不知情的情况下，在移动时拖曳以太与他们一起运动。有些人则大胆地猜测，或许实验设备穿过以太时变得不太正常，从而毁了实验。最后，直到爱因斯坦提出他革命性的理论，人们才终于弄清楚如何解释迈克耳孙-莫雷实验。

相对的空间，相对的时间

1905年6月，爱因斯坦发表了一篇题为《运动物体的电动力学》的论文，彻底结束了光以太的历史。仅仅一击，它就永远改变了我们对空间和时间的理解。1905年4月和5月，经过5个星期的高强度研究工作，爱因斯坦的思想在这篇论文中最终成型，这个问题烦扰了他将近20年。还在少年时代，爱因斯坦就在考虑这样一个问题，假如你以光速奋力追赶光，那光波看起来将会是什么样子。因为你和光都以相同的速度飞快地穿过太空，你将和光保持同样的步伐。爱因斯坦的结论是，这样以你为参照物的话，光是不运动的。如果你伸出手去，就可能抓到一把不运动的光，就像你抓住从天空中飞落的雪花一样。

但问题是，麦克斯韦方程不允许光处于静止状态——光不能看起来不动。而且很明显，没有任何可靠报告说过人能抓住一把静止的光。因此，年轻的爱因斯坦就问，我们的推理究竟是哪里发生了矛盾呢？

10年后，爱因斯坦用他的狭义相对论给了我们一个答案。虽然关于爱因斯坦的发现的理性根源有许多争论，但毫无疑问的是，他对于简易性不可动摇的信念在他发现狭义相对论的过程中起了非常重要的作用。爱因斯坦知道至少有一些实验没有探测到以太的存在。[2] 既然这样，我们为什么非要试图找出实验的错误呢？相反，爱因斯坦认为，从最简单的方面思考：这些实验没有找到以太是因为以太根本就不存在。因为麦克斯韦的方程描述了光的运动——电磁波的运动——不需要任何介质，实验和理论都得出了相同的结论：光，不像我们曾经遇到过的任何一种波，它不需要介质就可以传播。光是一位孤独的旅行者，光可以在真空中穿行。

但是我们是如何根据麦克斯韦的方程得出光速是300000千米每秒的？如果没有以太作为基准的话，那这个速度又是从何而来的？又一次，爱因斯坦颠覆了传统，最终用简单性回答了这个问题。如果麦克斯韦的理论没有使用任何静止的参照物，那最直接的解释就是我们根本不需要参照物。爱因斯坦解释道："光速相对于任何物体而言，速度都是300000千米每秒。"

这种说法显然相当简单，它非常符合爱因斯坦的座右铭："使一切事情尽可能简单化，除非不能更简单。"这个问题看起来有点疯狂。如果你追着一束光跑，常识告诉我们以你为参照物的话，光速比300000千米每秒要慢。反之，如果你朝着光跑，常识告诉我们光速比300000千米每秒要快。在其一生中，爱因斯坦总要挑战常识，这次也不例外。他有力地论辩道，不管你跑得有多快，也不管你是朝着光跑还是背离光跑，你测量到的光速将总是300000千米每秒——不会比这多，也不会比这少。这当然就解决了困扰过少年爱因斯坦的问题：麦克斯韦的理论不允许静态的光存在，因为光永远都不会静止；不管你处于何种运动状态，你朝着光跑或是背离光跑，或者静止不动，光速都不会发生变化，它总是300000千米每秒。但是，我们不禁要问，光为什么会有这么奇怪的现象呢？

先考虑一下速度。速度是通过某物运动的距离除以通过该距离所用的时间而得到的，它是对空间（运动的距离）的测量与对时间（该段路程的运动时间）的测量的比值。从牛顿的时代起，空间被看成是某种绝对存在，某种“与外界的任何物质无关”的存在。因此，空间的测量和空间间隔都是绝对的：不管测量空间中两个物体之间距离的是谁，只要他认真测量，所得到的答案都是一致的。虽然我们没有直接这样说过，但牛顿宣称时间也是如此。牛顿在《自然哲学之数学原理》一书中用他以前描述空间的语言来描述时间：“时间的存在和流逝与外界的任何事物无关。”换句话说，牛顿认为，存在着一个普适的、绝对的时间概念，这样的时间概念可用于任何地点、任何时刻。在牛顿式的宇宙里，不管测量某件事所用时间的人是谁，只要他认真测量，所得到的结果都应是一致的。

这种关于时间和空间的假说与我们在日常生活中的体验一致。正是以这样的常识为基础，我们才会说，如果我们追着光跑，光速看起来将会减慢。为了搞清楚这个观点，我们来想象一下巴特，他曾有一个核动力的溜冰板，他决定用来做终极挑战——追着光跑。虽然当他看到溜冰板的极限速度是800000000千米每小时时有点失望，但他决定还是做出他的惊人举动。他妹妹站在准备好的激光前，从11开始倒数（11是她的偶像叔本华最喜欢的数字）。等数到0时，巴特和激光飞奔出去。莉莎看到了什么呢？过去的每小时里，莉莎看到光移动了1080000000千米，而巴特只走了800000000千米，这样莉莎就得出结论，光每小时都比巴特多走280000000千米。现在我们再来看一下牛顿的理论。他的观点表明莉莎关于空间和时间的观察是绝对的、普遍的，任何人做这个实验都可以得到相同的答案。对于牛顿而言，有关运动在空间和时间中的这些事实，就和2乘以2等于4一样都是客观的。按牛顿的说法，巴特会同意莉莎的看法，他会说光波每小时比他多走280000000千米。

但是回来后的巴特说，他完全不能同意这种看法了。他沮丧地说，不管他做什么——不管他怎样推溜冰板——他看见的光速总是300000千米每秒，一点也不少。[3] 如果你不相信巴特，可以去看看过去100年间数以千计的设计精妙的实验。这些实验都是利用移动的光源和接收者来测量光速，而所有的结果在很高的精度上支持巴特的观测事实。

为什么会这样呢？

爱因斯坦指出，这个答案符合逻辑，而且是对我们到目前为止的讨论内容的深度拓展。巴特对距离和时间间隔的测量——巴特用来搞清楚光比他快多少所需要的信息——一定不同于莉莎对距离和时间间隔的测量。想一下，因为速度无非是距离除以时间，对于巴特而言，在光比他快多少这个问题上，没有理由得出一个不同于莉莎的结果。因此，爱因斯坦得出结论：牛顿关于绝对空间和时间的观念是错误的。爱因斯坦意识到相对于彼此运动的实验家们，就像巴特和莉莎，在空间和时间的测量上，是不会得出相同的结果的。关于光速的这种令人费解的实验数据只能通过空间感和时间感上的不一样来解释。

狡猾但不恶毒

空间和时间的相对性是一种令人惊奇的结论。我已经了解它25年了，但即使是现在，每当我坐下来静静地思考它时仍会感到迷惑。从光速恒定这一乏味的说法中，我们可以得出这样的结论：*空间和时间是针对旁观者的角度而言的*。我们每个人都有一个自己的时钟；对于时间的流逝，我们每个人有自己的认识。每个人的时钟都一样精确，但若我们相对于其他人运动的话，这些时钟就会不一致。它们是不同步的；用它们测量两个给定事件之间流逝的时间，不同的时钟测得的量是不一样的。对于距离也是一样的。我们每个人都有自己的准绳，对于空间中的距离，我们每个人有自己的认识。每个人的准绳都同样精确，但当我们相对于其他人运动的时候，这些准绳就会不一致；用它们测量两个定点之间的距离，不同的准绳测得的量是不一样的。如果空间和时间不是这样的话，光速就不恒定了，它将取决于观测者的运动状态。但光速*是*恒定的，空间和时间*确实是*这样的。空间和时间以精确的方式互相补偿，从而使得人们测量光速时总是得到同样的结果，无论观测者的速度怎样都是如此。

定量上精确地找出空间和时间的测量结果究竟有何不同是非常棘手的，但所需要的却只是高中水平的代数而已。使爱因斯坦的狭义相对论富于挑战性的并不是数学的深度，而是由于他观点上的与众不同，且不符合我们的日常生活经验。但只要爱因斯坦参透了关键的一点——需要打破200多年来牛顿关于空间和时间的观点——完善整个理论的细节之处就将没有任何难度。在每次测量光速都能得到同样结果的前提下，爱因斯坦能够精确地算出两个不同观测者在空间和时间的测量上的差别究竟有多大。[4]

为了更深刻地理解爱因斯坦的发现，让我们再来想想巴特，他曾经激情满怀地拿出了他那最高时速可达65千米的滑板。如果他向着北方高速运动——朗读、吹口哨、打哈欠，或者偶尔在马路旁张望，然后消失在往东北方向去的高速路，那么他朝北运动的时速将小于65千米。原因很明了。刚开始，他所有的速度都是贡献于向北的运动，但是当他转向时，一部分速度贡献给了向东的运动，只留下一部分贡献于向北的运动。这个相当简单的例子实际上帮助我们抓住了狭义相对论的核心内容。以下是解释：

我们习惯于认为物体可以穿越空间，事实上另一种运动也非常重要：物体也可以穿越时间。举个例子来说，腕上的手表、墙上的时钟都显示着时间在滴滴答答地溜走，这就意味着你和你周围的一切事物都在不断地穿越时间，不停地从一秒到下一秒。牛顿认为穿越时间的运动完全不同于穿越空间的运动——他认为这两种运动之间不存在什么联系。但爱因斯坦却发现它们紧密相连。事实上，狭义相对论的革命性发现在于：当你注视某物，比如一辆静止的车时，以你作为参照物的话它是静止的——没有穿越空间，也就是说——这辆车的所有运动仅是穿越时间。车、司机、马路、你以及你的衣服都在同时穿越时间：一秒接着一秒，时间在滴答声中均匀地溜走。但是如果车开走了，它的一部分穿越时间的运动将转换成穿越空间的运动。这正如巴特将一部分向北的运动转换成向东的运动，从而使得向北运动的速度减慢了一样；车子的一部分穿越时间的运动转换成了穿越空间的运动，从而使车穿越时间的运动的速度减慢了。也就是说，汽车穿越时间的运动减慢。因此，相比于静止的你我而言，运动中的汽车和司机所感受的时间流逝要慢一些。

简而言之，这就是狭义相对论。事实上，我们可以更加精确地、一步步地描述这个过程。由于设备问题，巴特只好把时速限制在65千米。这在整个过程中是非常重要的，因为当他转向东北方向时，如果可以加速，它就可以弥补在转速中损失的速度，从而维持朝北的速度。但是由于这个限制，不管他如何努力加速，他的整个速度——北部和东部两个方向的合速度——仍然保持在最多65千米每小时。这样一来，当他把方向向东转一点，当然会减慢向北的速度。

狭义相对论提出了一个适用于所有运动的简单原则：*任何物体穿越空间和穿越时间的合速度总是精确地等于光速*。仅凭直觉你可能不会接受这种观点，因为我们都已经习惯了只有光才能以光速运行。但是这个众所周知的说法*指的只是穿越空间的运动*。而我们现在的讨论与此有关，但更加复杂：一个物体穿越空间和时间的合速度。爱因斯坦发现一个关键的事实：这两种运动总是互补的。当你刚才注视的那辆静止的车开走时，真正发生的情况是穿越时间的运动的一部分速度转换成了穿越空间的运动速度，但*保持合速度不变*。这样的转换无疑意味着汽车穿越时间的运动将会减慢。

我们再来看看刚才那个例子，当巴特以时速800000000千米的速度运动时，如果莉莎能看到巴特戴的手表，她将会发现巴特手表的运转速度是她自己戴的手表的2/3。换句话说，莉莎的手表每过3小时，巴特的手表将只过2小时。他在空间的快速运动大大减慢了他穿越时间的速度。

而且，当穿越时间运动的所有速度都转化为穿越空间运动的速度时，将达到穿越空间的最大速度，即光速——这样我们就能理解为什么不可能以大于光速的速度在空间运动。光在空间总是以光速运动，光的特别之处就在于它总能完成这样的转换。就像只向东行驶中的汽车不需要有向北的速度，光的所有速度都贡献于空间运动，而在时间上无运动！当物体在空间中以光速运动时，时间就停止了。如果光粒子戴有表的话，那这个表将完全不动。光实现了庞塞·德·莱昂和宇宙工业的梦想：它没有年龄。[5]

说得更清楚一点就是，当速度（穿越空间）只比光速小一点时，狭义相对论的效应最明显。但我们所不熟悉的，穿越空间和穿越时间的运动之间的互补性，总是适用的。速度越小，与相对论之前时代的物理——也就是说，物理常识——之间的偏差就越小；但偏差虽然小，却必然是存在的。

真的就是这样。这并不是巧妙的文字游戏、诡辩或者心理上的幻象。宇宙实际上就是这样运行的。

1971年，约瑟芬·海福乐和理查德·基廷乘坐一架商业喷气机飞越了整个世界，飞机上带有当时技术水平所能达到的最精确的铯束原子钟。当他们把飞机上的钟和静止在地面上的钟相比较时，发现飞机上的钟比地上的钟走得慢。尽管差别很微小——1秒钟的几百亿分之一——却与爱因斯坦的发现一致。我们不可能找到比这更能说明问题的证据了。

1908年，传言有更新更精确的实验发现了以太存在的证据。[6]如果这些传言是真的话，就将意味着存在着绝对的静止标准，爱因斯坦的相对论是错误的。听到这个传闻，爱因斯坦回答道："上帝是狡猾的，但他并不恶毒。"窥探大自然的奥秘，弄清空间和时间的本质是一项非常具有挑战性的工作，它几乎打败了除爱因斯坦外的每个人。但是，允许这样一个令人惊奇而优美的理论存在，但又不让它与宇宙有任何联系，无疑是很恶毒的。相信这些实验的话，爱因斯坦的理论就不复存在了；但爱因斯坦根本不相信这些实验。爱因斯坦的信心绝非空中楼阁。这些实验最终被认定是错误的，光以太从此便从科学发现中销声匿迹了。

但是桶呢

对光而言，这当然是一个很利落的理论。理论和实验都认为光的传播不需要介质，无论光在什么样的介质中传播，也不论人们如何观测，光的速度总是恒定不变的。所有的观测点的地位都是一样的，没有绝对的或首选的静止标准。很好。但是我们前面提到的水桶实验中的桶呢？

记住，虽然许多人都由于信任了牛顿的绝对空间，而把光以太看作物理实体，但它却与牛顿为什么引进绝对空间没有关系。相反，在与一些诸如旋转的桶这样的加速运动奋战之后，牛顿没有选择，只能引进一些无形的背景以使运动可以被明确地定义。对付了以太，却没能对付得了水桶，那么爱因斯坦和他的相对论是如何处理这个问题的呢？

好吧，说真的，在狭义相对论中，爱因斯坦的关注点集中于一种特殊的运动：匀速运动。直到10年之后的1915年，爱因斯坦才通过他的广义相对论，得以全面地把握更为普通的加速运动。虽然如此，爱因斯坦和其他人还是一而再地用狭义相对论来思考旋转运动的问题。他们认为，正如牛顿而不是马赫认为的那样，即使在一个全空的宇宙里，你也可以感受到来自旋转的外推力——霍默会感受到旋转的桶的内壁的压力，旋转的石头之间的绳将由于被拉直而富有张力。[7] 没有了牛顿的绝对空间和时间，爱因斯坦应该如何解释这一切呢？

答案令人惊奇。尽管名字是相对，但爱因斯坦的相对论并没有预先声明一切事物都是相对的。狭义相对论确实声称*某些*事情是相对的：速度是相对的；空间之间的距离是相对的；持续时间是相对的。但狭义相对论实际上引进了一种全新的、颠覆性的绝对概念：*绝对时空*。对于相对论而言，绝对时空是绝对的，正如对于牛顿而言，绝对的空间和绝对的时间是绝对的。部分由于这个原因，爱因斯坦并不建议使用或者特别喜欢"相对论"这个名字。相反，他和其他物理学家建议用*不变性理论*这个名字，以便强调这样的理论，究其本质，乃是与那些对于每个人都一样的事物，而不是*相对的*事物有关的理论。[8]

绝对时空是水桶故事非常重要的下一章，这是因为，即使在定义运动时放弃所有的物质基准，狭义相对论的绝对时空还是能提供某些东西，使得物体可以相对于它们加速运动。

雕刻空间与时间

我们来看一个例子，想象一下玛吉和莉莎，为了追求生活质量，一起注册了伯恩斯学院开设的有关城市重建的拓展课程。她们首次的作业是，重新设计斯普林菲尔德的大街小巷，而且要服从两个要求：第一，街道的网格构成必须使翱翔核纪念碑恰巧位于网格中心，即在第五大街和第五大道交界处；第二，设计必须用100米长的大街，100米长的大道要垂直于大街。就在上课之前，玛吉和莉莎对比她们的设计，意识到一些事情完全搞错了。在合理地设计坐标图以使纪念碑位于中心后，玛吉发现Kwik- E-Mart位于第八大街和第五大道，核电厂位于第三大街和第五大道，如图3.2（a）。但是在莉莎的设计中，位置完全不同：Kwik-E-Mart位于第七大街和第三大道的拐角处，核电站位于第四大街和第七大道，如图3.2（b）。很显然，有一个人犯了个错误。

经过一番思考之后，莉莎意识到是怎么回事了。她和玛吉都是对的，她们只是为她们的大街和大道的坐标图选择了不同的方位。玛吉的大街和大道垂直于莉莎的；她们的坐标图相对于彼此旋转了；她们把斯普林菲尔德切割成两种不同形式的大街和大道［如图3.2（c）］。这个课程很简单，但是很重要。关于如何把大街和大道组成斯普林菲尔德存在着一定的自由性，没有“绝对的”大街和“绝对的”大道。玛吉的选择和莉莎的一样有效——或者说其他可能的方向都是有效的。

当我们把时间画进图片里时也请记着这个观点。我们思考时习惯于把空间作为宇宙的舞台，但在*某段时间内*，物理过程发生在空间的某些区域。比如说，想象一下傻猫和坏鼠[1]正在进行一场决斗，如图

1.《傻猫和坏鼠》为美国流行动画片《辛普森一家》中的风靡于少年儿童中的卡通片，其中主角为傻猫和坏鼠。——译者注

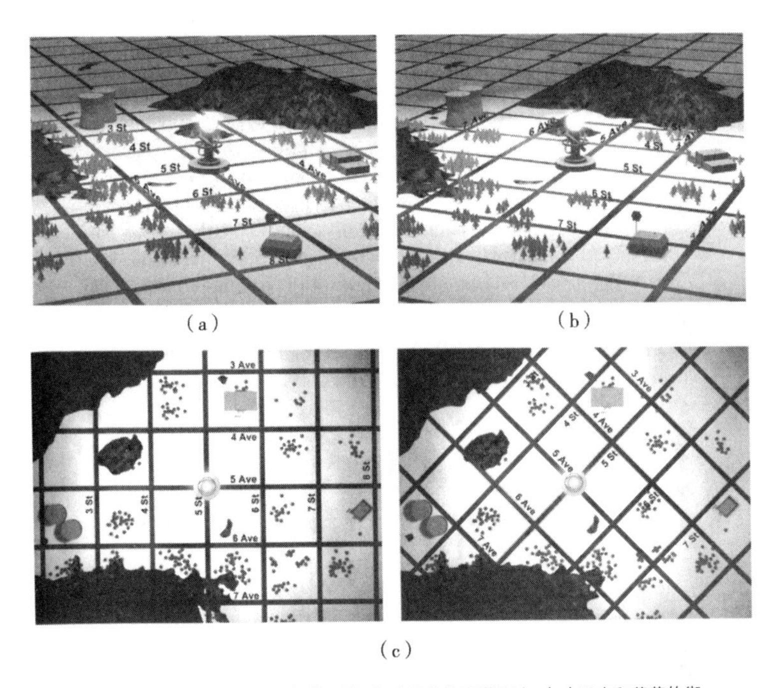

图3.2　(a)玛吉的街道设计。(b)莉莎的街道设计。(c)玛吉和莉莎的街道林荫大道设计全景。她们的坐标图方向旋转了

3.3(a),发生的事件正按时间顺序以旧时代翻页相册的形式记录下来。每一页都是一个“时间片”—— 就像电影胶片中静止的每一帧 —— 它显示了在某一时刻的某一区域发生了某件事情。我们翻到不同的页数就可以看到在不同的时刻发生了什么。[1](当然,空间是三维的,相册是二维的,但我们可以把思维和相册简化一下。)理清一下术语,在一段时间内的空间区域被称为 时空区域;你可以认为时空区域是某一段时间内某个空间区域内发生的所有事情的记录。

1. 像翻页相册的页数一样,图3.3中的页数只显示了代表性时刻。这就提示我们时间是否可以分离或是无限分割的。稍后我们将回到这个问题,但现在先想象一下时间是可以无限分割的,这样我们的翻页相册就可以在图中显示的时间片中插入无数页。

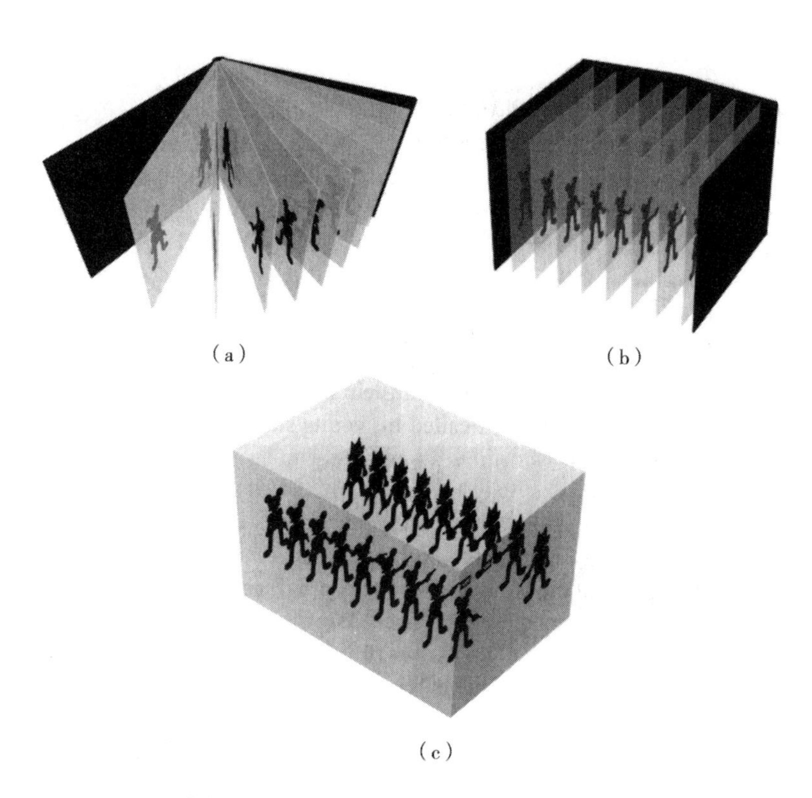

(a) (b) (c)

图3.3 (a)决斗的翻页相册。(b)扩展装订的翻页相册。(c)包含决斗的时空模块。页码或“时间片”在模块中组织了事件。时间片之间的空间清晰可见；它们并不意味着时间是分离的，这个问题我们稍后再述

现在，我们来看看爱因斯坦的数学教授赫曼·闵科夫斯基的洞察力（他曾把他的年轻学生叫作一只懒狗），他把时空区域看作实体：把完全的翻动画册看作拥有自己版权的物体。如图3.3（b），想象一下我们扩展了翻动画册的装订，就像图3.3（c），所有的页数都是完全透明的，这样你就会发现一本包含了在某个给定时刻发生的所有事情的书。从这个角度来看，这些页可以被看作是提供了一种组织模块内容的便利方式——即组织时空事件。就像大街-大道坐标图通过标出大街

和大道地址，可以很轻易地帮助我们使定位具体化一样，把时空板块分割成一页页可以使我们很轻易地具体化事件（坏鼠射击，傻猫被打，等等），通过给出事件发生的时间——事件发生的那一页，事件发生的具体地点在那一页有具体的描述。

关键在于：就像莉莎意识到把空间区域分割成街道的等效方式不止一种，爱因斯坦意识到把时空——图3.3（c）中那样的时空条——分割成不同时刻不同区域的等效方式也不止一种。图3.3（a）、（b）、（c）中的页——再说一遍，每一页代表一个时刻——所画出的只是许多种可能的分割方式中的一种。这听起来只比我们对空间的直观感受拓展了一点点，但这一点点却是扭转我们几千年来固有的最基本直觉的基础。1905年以前，人们都认为时间的流逝对每个人来说都是一样的；大家对发生在哪一时刻的事情都会有相同的看法；因此，对于时空画册的某一页上发生了什么，大家都会有相同的看法。但是当爱因斯坦意识到相对运动的两个观测者的时钟不同时，所有的一切都变了。相对于彼此运动的时钟不再同步，因此有不同的同时性概念。图3.3（b）中的每一页，只是某一个观测者按他或她自己的时钟上的某个时刻记录下来的发生在空间中的所有事件。而相对于第一个观测者运动的另一个观测者将会发现，某一页上的所有事件并非同时发生。

这就是同时性的相对论，我们可以直观地感受到它。想象一下傻猫和坏鼠，手中都拿着手枪，对峙在长长的正在移动的火车两端，一个裁判在车上，而另一个在月台上。为了使决斗尽可能的公平，所有人都同意放弃三步规则，取而代之的是当一小排火药在他们中间爆炸时，决斗者将开始动手。第一个裁判，阿布，点燃了火药抛向空中，然后返回来。当火药发亮爆炸时，傻猫和坏鼠开始开火决斗了。由于傻猫和坏鼠离火药的距离相同，阿布认为闪亮的一刹那发出的光到达他们的时间是相同的，所以他就举起了绿旗声明这个决斗是公平的。但是另一个站在月台上的裁判马丁，抱怨这是不公平的决斗，他认为傻猫比坏鼠先看到爆炸发出的光信号。他解释说因为火车向前开，坏鼠是朝向光前进的，而傻猫是远离光而去的。这就意味着光到达坏鼠不用走那么远，因为坏鼠自己就会向光靠近；而光到达傻猫需要走得更远一些，因为傻猫会远离光运动。因为从任何一个人的角度看光速都是不变的，所以马丁认为光需要更长的时间才能到达傻猫，因此，这样就使决斗不公平了。

谁是正确的？阿布还是马丁？爱因斯坦给出的答案出人意料：他们都对。虽然两个裁判的结论不同，但每个人的观测和推理都没有错误。就像球棒和球，它们对于事件顺序有各自不同的视角。爱因斯坦令人震惊的发现在于，由于各方视角不同，因而导致各方对同时发生的事件会做出不同但同等有效的解释。当然，就日常的速度如火车的速度而言，这个差别是非常小的——马丁认为傻猫看到光的时间比坏鼠要慢万亿分之一秒——但要是火车开得更快，接近光速，那时间上的差异就会变得重要起来。

想想这对于时空画册意味着什么。由于相对于彼此运动的观测者对同一时间发生的事情达不成一致，所以每个人把时空条切成片的方式就会不同——每一片包含的是对某个观测者而言，在某一时刻发生的所有事情。相对于彼此运动的观测者以不同却同样有效的方式把时空条分割成页，分割成时间片。莉莎和玛吉从空间中发现的道理，正是爱因斯坦从时空中发现的。

调调角度

街道坐标图和时间片之间的类比可以进一步深究。就像莉莎和玛吉的设计由于坐标的旋转而不同，阿布和马丁的时间片，他们的翻页相册页——包含了时间和空间——也由于旋转而不同。这在图3.4（a）和3.4（b）中阐释得很清楚，马丁的时间片相对于阿布的发生了旋转，这使得他认为决斗是不公平的。细节的不同在于玛吉和莉莎的设计中的旋转角度只是一个设计上的选择，而阿布和马丁的切片之间的旋转角度是由他们的相对速度决定的。不用花多大的力气，我们就能弄清楚是什么原因。

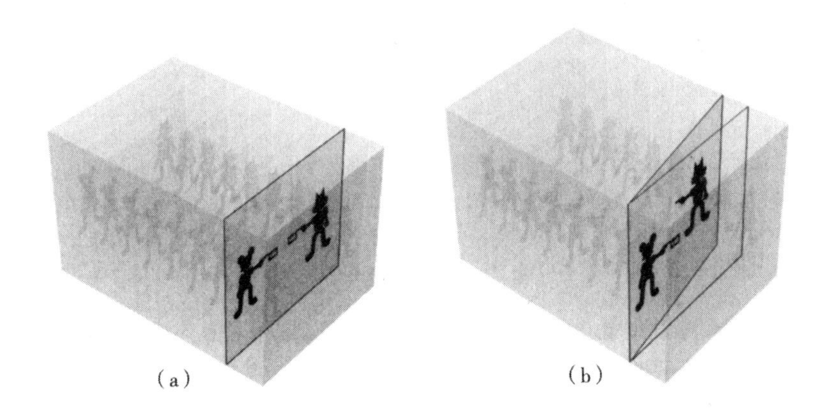

图3.4 （a）阿布的时间片。（b）马丁的时间片。

他们两人处于相对运动中。他们穿越时间和空间的切片由于旋转了一个角度而不同。根据火车上的阿布所言，决斗是公平的；根据月台上的马丁所言，决斗是不公平的。两种观点都同样有效。在（b）中，着重强调了他们穿越时空的切片的不同角度

想象一下，坏鼠和傻猫和解了。他们不再射击对方，只是想确保火车前面和后面的钟完全同步。由于他们与火药的距离是相同的，他们就进行了下列的计划。他们同意把他们的钟都调到中午，就像他们都看到火药爆炸发出的光一样。从他们的角度来看，光运行相同的距离到达他们，由于光速是恒定的，因而光同时到达他们。但是就像之前的推理，马丁和其他在月台上的人都看到坏鼠是朝着光走去而傻猫是远离光而去的，因此坏鼠看到光的信号要比傻猫早一点。月台上的观测者们也因此得出结论：坏鼠把钟调到12：00的时间要比傻猫早，所以坏鼠的钟比傻猫的要快一点儿。举个例子，对于一名马丁这样的月台上的观测者来说，当坏鼠的钟是12：06时，傻猫的钟可能只有12：04（相差的数值取决于火车的速度和长度；火车越长，速度越快，差异就越大）。但是，从在火车上的阿布和其他人的角度来看，坏鼠和傻猫根本就是同时进行这一动作的。虽然很难接受，但这并不矛盾：*处于相对运动中的观测者并未在同时性上达成一致——即他们对于同一时间发生的事情并没有达成一致。*

这就意味着从火车上的人的角度看，画册中的一页，里面包含了他们认为是同时发生的所有事情，比如坏鼠和傻猫同时调整钟；但从月台上的观测者看来，那一页中的事件却应当属于不同的页（在月台上的观测者看来，坏鼠要比傻猫早调钟，因此从月台上的观测者的角度看，这些事件应该在不同的页上）。从火车上的观测者的角度来看发生在单独一页上的事件，对于月台上的观测者而言却是发生在不同的页上。这就是为什么马丁和阿布在图 3.4中的时间片相对于彼此发生了转动：从一个观测者的角度看属于同一时间片上的事情，从另一个观测者的角度看就可能属于不同的时间片。

如果牛顿关于绝对空间和绝对时间的观点是正确的，那么大家将认同单独的一张时空片，每一片将代表绝对时间中某一特定时刻的绝对空间。但世界就是这样运转的，从牛顿式的僵化到爱因斯坦新发现的弹性，这样的转变使我们的看法发生了变化。我们不再把时空看作一本不可改变的翻页册，有时有必要把它看作一块巨大的新鲜面包。这就代替了构成一本书的固定页数——牛顿时代固定的时间片，见图3.5（a）。你可以从不同的角度把面包切成平行的切片，从观测者的角度来看，每一片面包代表着某一时刻的空间。但是如图3.5（b）所描述的那样，另一个相对于该观测者运动的观测者，将会从不同的角度来切时空面包。这两名观测者的相对速度越大，他们各自切片的角度差就越大（就像在注释中解释的那样，光速设定的速度极限，使这些切片的最大旋转角度为45度[9]），观测者在同一时间报告的事件的差异就越大。

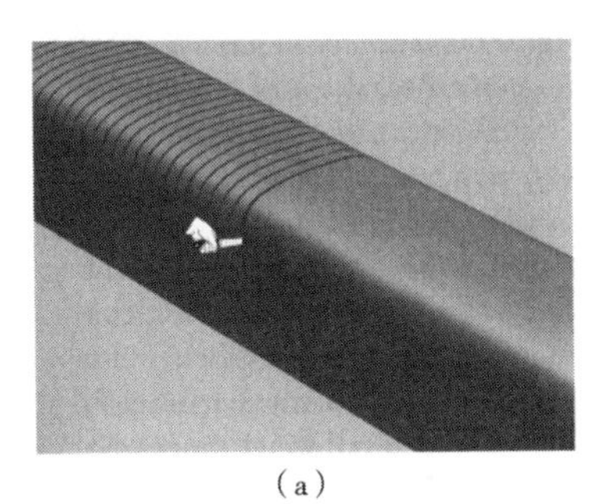
（a）

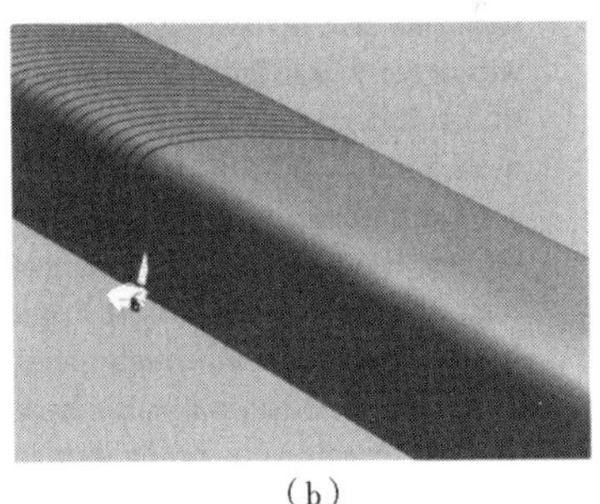
（b）

图3.5 就像一块面包可以从不同的角度切成片一样，时空模块可以被处于相对运动中的观测者从不同的角度切成“时间片”。相对速度越大，角度就越大（由于任何速度都不可能超越光速，最大角度只能是45度）

桶，狭义相对论的观点

理解时间和空间的相对性需要我们思想上的剧变。但有重要的一点，前面提到过但现在用面包来讲，我们不应该忘记：*并不是相对论中的每一件事情都是相对的*。即使你我想以不同的方式切割一块面包，我们仍有可以达成一致的东西，那就是面包的整体性。虽然我们的切片有可能不同，但如果我们同时把切片组合起来，我们将得到相同的面包。为什么会是这样呢？因为我们要切的是同一块面包。

同理，在连续的时间内所有空间切片的完整性，从任意观测者的角度看（见图3.4），都会保证得到同样的时空区域。不同的观测者可以用不同的方式来切割时空区域，但时空区域本身，就像面包一样，有独立的存在性，因此，虽然牛顿肯定是错误的，但他的直觉——总有一些东西是绝对的，总有一些每个人都会认同的东西——不会完全被狭义相对论否定。绝对的空间是不存在的，绝对的时间也是不存在的。但根据狭义相对论，绝对的时空是存在的。了解了这一点，让我们再来看看桶吧。

在一个空的宇宙中，桶是相对于什么旋转呢？根据牛顿的观点，答案是绝对空间；根据马赫的观点，讨论桶的旋转是没有意义的；根据爱因斯坦的狭义相对论，答案是绝对时空。

为了理解这一点，我们再次来看看前面提到的斯普林菲尔德的街道设计图。玛吉和莉莎对于Kwik-E-Mart和核电站在街道中的地址没有达成一致，因为她们的坐标图相对于彼此旋转了。即便这样，先不考虑每个人如何设置坐标图，有一些东西她们是一致同意的。打个比方来说，为了提高午饭时间工人的效率，从核电厂到Kwik-E-Mart的地上画一条直线，玛吉和莉莎就这条线穿过几条大街和几条大道不会达成一致意见，如图3.6所示，但她们都会在这条线的形状上达成一致：必须是一条直线。这条线的几何形状是独立于一个人所使用的街道等特殊坐标的。

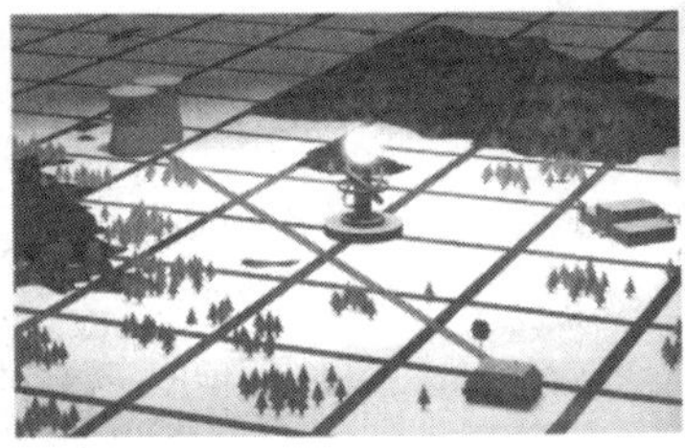

图3.6 不论采用哪一种设计图，在该例子中大家都认为轨迹的形状为直线

爱因斯坦意识到对于时空也存在类似的问题。即使两个相对运动的观测者以不同的方式切割时空，他们仍然有达成一致的地方。拿最初的例子来看，想象一条不只穿过空间，而是实际穿过时空的直线。虽然时间的轨线我们不熟悉，但片刻的思考却能解释其意义。由于一个物体穿过时空的轨线是直的，则该物体不仅穿过空间的线是直的，它穿过时间的轨迹也应该是直的；这样的话，它的速度和方向都不变，因此它以恒定的速度运动。虽然不同的观测者以不同的角度切割时空面包，他们就时间流逝了多少以及一条轨线上的两点之间的距离是多长无法达成共识，但像玛吉和莉莎这样的观测者总会一致同意穿过时空的轨线是一条直线。就像到Kwik-E-Mart的轨线的几何形状是独立于街道的坐标图一样，时空中的轨线的几何形状也独立于时间片的选择。[10]

这一认识简单却关键，因为狭义相对论正是利用它，提出了一个关于判断某物是否加速的绝对标准，而这一标准是所有的观测者，不论他们的相对的固定速度是多少，都会同意的标准。如果物体穿越时空的轨迹是一条直线，就像图3.7所示的那个静静坐在那里的宇航员所留下的轨迹（a），那它就没在加速。如果一个物体穿越时空的轨线是直线以外的其他形状，则它是加速的。举个例子，要是宇航员开启引擎，像图3.7中的宇航员（b）那样螺旋运动或是像宇航员（c）那样以越来越快的速度朝着外太空飞行，他穿过时空的轨迹线就会弯曲——这是加速的证据。因而，有了这些新的认识，我们就可以明白：*时空轨迹线的几何形状为判断物体是否加速提供了绝对的标准。*时空，而不是空间，提供了基准。

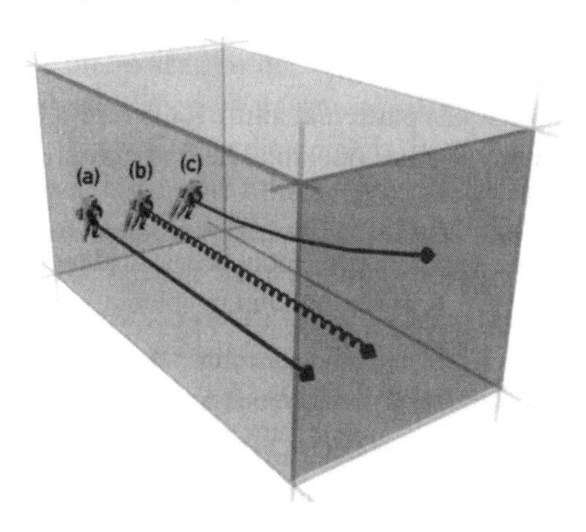

图3.7　3个宇航员通过时空模块的路径。宇航员（a）没有加速，因而穿越时空的轨迹是一条直线。宇航员（b）在上空反复盘旋，因而穿越时空的轨迹呈螺旋形。宇航员（c）加速飞向外太空，因而穿越时空的轨迹线发生了弯曲

从这个意义上来讲，狭义相对论告诉我们时空本身就是加速运动的最终仲裁者。时空为像旋转的桶一样的物体提供了背景，有了这样

的背景，即使在空的宇宙中我们也可以说旋转的桶在加速。从这个角度来看，钟摆又回来了：从相对主义者莱布尼茨到绝对主义者牛顿再到相对主义者马赫，现在又到爱因斯坦，他的狭义相对论又一次展示了实在性的舞台——应该是时空，而不单是空间——足以为运动提供最终的判断标准。[11]

引力和古老的问题

到了这里你可能会以为，我们已经讲完了桶的故事，马赫的观点不再被信奉，而爱因斯坦激进地升级了牛顿关于空间和时间的绝对概念并已经得胜。虽然事实更加奥妙并且更有趣，但如果你对迄今为止我们发现的新观点感兴趣，在进行到这一章的最后一部分之前你可能需要休息一会儿。表3-1的总结将帮助你更新自己的记忆。

表3-1　关于空间和时空性质的不同立场的总结

代表人	观点
牛顿	空间是一个实体，加速运动并非是相对的。绝对论主义者的立场。
莱布尼茨	空间并非一个实体，运动的所有方位都是相对的。相对论主义者的立场。
马赫	空间并非一个实体，宇宙中加速运动是相对于平均质量分布而言的。相对主义者的立场。
爱因斯坦（狭义相对论）	空间和时间都是相对而言的；时空是一个绝对的实体。

好。如果你读了这些话，我想你已经为了解时空观念的关键性的下一步打好了基础，这一步很大程度上正是被欧内斯特·马赫促进的。尽管狭义相对论认为——不像马赫的理论——即便在一个空的宇宙中你仍可感受到旋转的桶的内壁的压力，以及连接两个旋转的石头的绳子被拉紧的张力，爱因斯坦仍然深深地着迷于马赫的观点。他意识到，对这些观点的严肃思考要求将这些思想进一步拓展。马赫并没有给出一个框架，以说明遥远宇宙中的星球和其他物质，是怎样在你旋转时使你的胳膊受到向外张开的力的，以及你在旋转的桶内感受到的内壁压力究竟有多大。爱因斯坦开始怀疑是否存在某种与引力有关的机制。

这种想法对爱因斯坦而言有一种特殊的吸引力，因为在狭义相对论中，为了使分析易于理解，他完全忽略了引力。或许，他思考着，存在一种更加健全的理论，既包含狭义相对论又包含引力，并将带来一种完全不同于马赫的观点。或许，他猜测道，对狭义相对论做包括引力的推广可能会告诉我们，物质——不管是远方的还是近处的——将决定我们加速时所感受到的力。

爱因斯坦还有另一个需要将注意力转移到引力上的更加充分的理由。他意识到狭义相对论其核心论断是光速是最快的，与牛顿关于引力的普适定律直接矛盾，而牛顿的定律在过去的200年中曾做出过里程碑式的贡献，比如精确地预测了月球、行星、彗星以及在空中运行的其他天体运动。牛顿定律尽管从实验上来说是成功的，但爱因斯坦意识到根据牛顿的定律，引力的影响无处不在——从某地到另一地，从太阳到地球，从地球到月球，从任何一个地方到另一个地方——且是瞬时产生，这意味着它*比光速还快*。因而这与狭义相对论直接矛盾。

为了形象地说明这个矛盾，想象一下你拥有一个令人真正失望的夜晚（家乡的球类俱乐部解散了，没有人记得你的生日，有人正在吃着最后一块芝士），你需要一点时间单独待一会儿，于是你驾着家里的轻舟午夜出航。当月亮悄悄爬到头顶时，涨潮了（月球的引力作用造成的），皎洁的月光反射在起伏的波浪上，似在浪尖舞蹈。此时此刻，你的夜晚似乎还不是最令人气馁的，意想不到的其他星系的敌人破坏了这美好的一切，他们轰击月亮，一下子就把它弄没了。月球的突然消失肯定是令人奇怪的，但如果牛顿的引力定律是正确的，刚才的那一幕将展示一些更加奇怪的东西。牛顿的定律预测水将从高潮开始退下去，月球引力消失，一秒半以前还看得见的月亮突然从天空消失了。*就像一个抢跑的赛跑选手，海水却是在一秒半前就开始退潮。*

根据牛顿定律，原因是这样的，在月球消失的一刹那，它的引力效应也随之立即消失了，没有了月球的引力，潮将很快退去。由于光花一秒半的时间才能够从月球传到地球，因而你不会立即看到月球消失。在这一秒半中，虽然皓月当空，但潮水正在退去。因此，根据牛顿的思路，引力可以比光先影响我们——引力比光快。关于这一点，爱因斯坦认为它肯定是错误的。[12]

因此，在1907年左右，爱因斯坦开始沉迷于建立一个新的引力理论，它至少要像牛顿的理论一样精确，而且又不与他本人的狭义相对论相矛盾。这无疑是一个挑战。爱因斯坦那惊人的智力终于遇上了对手。从那时起，爱因斯坦的笔记本上写满了各种半成形的想法，几乎迷失在小小错误诱导的长长的迷途中，每次惊喜地以为就要解决该问题时又遇到了另一个错误。终于，到了1915年的时候，爱因斯坦看到了胜利的曙光。虽然爱因斯坦在一些关键的地方得到了数学家马塞尔·格罗斯曼的巨大帮助，但广义相对论的发现仍是人类在探索宇宙过程中少有的孤胆英雄式的壮举，所得到的结果是前量子时代的物理学皇冠上的明珠。

爱因斯坦的广义相对论之旅开始于一个200多年前牛顿力图回避的问题。引力如何使其影响遍布于无限广阔的空间？遥远的太阳如何影响地球的运动？太阳并未接触地球，那么它是怎样做到这一点的呢？简而言之，引力是如何完成它的工作的？虽然牛顿发现了精确描述引力作用的方程，但他也意识到还留下了一个重要的问题没有解决——引力实际上是如何工作的。在他的《自然哲学之数学原理》一书中，牛顿不怀好意地写道："我把这个问题留给读者思考。"[13] 正如我们所看到的，这个问题与19世纪初麦克斯韦与法拉第解决的问题有类似之处，他们用磁场的观点解释了磁铁为什么可以对它实际上并不接触的物体产生力的作用。鉴于上面的启发，你或许会提出一个类似的答案：引力是通过另一种场来发挥作用的，这种场就是引力场。广义上来说，这个答案是正确的。但弄明白这种形式的答案为什么不与狭义相对论矛盾就不是说说那么简单了。

场的办法更加容易。这正是爱因斯坦致力于研究的问题，在接近20年的在黑暗中的探索之后，爱因斯坦取得了这个耀眼的工作成果，爱因斯坦推翻了牛顿有关引力的理论。同样炫目的是，这个问题终于要画上完美的句号了，因为爱因斯坦的关键性突破与牛顿提出的桶的问题有着密切的联系：加速运动的真正本质是什么？

引力和加速等价

在狭义相对论中，爱因斯坦的注意力主要集中在匀速运动的观测者上——观测者感觉不到自己在运动，因此都声称他们是静止的，剩余的世界是运动的。火车上的坏鼠、傻猫和阿布感觉不到任何运动，从他们的角度来看，马丁和月台上的其他人在移动。马丁也感觉他没有运动，对他而言，是火车上的其他人在运动。从他们的角度看，没有谁比谁正确多少。但加速运动是不同的，你可以感觉到它。当汽车向前加速时，你感觉到自己身体向后靠。当车急转弯时你会感觉到身体被甩向一侧，当电梯向上加速时你会感觉到来自地板的冲击力。

不过，令爱因斯坦吃惊的正是你所感受到的力的平常性。比如说，当你的车急转弯时，为了避免身体被甩向一边，你需要系着安全带，因为这个力是不可避免的，所以只能做点防护措施。没有办法使我们不受这个力的影响，除非我们改变计划不转这个弯了。就是这点使爱因斯坦头脑一震。他意识到引力也具有类似的特点。只要你站在地球上你就会受到地球引力的作用，没有什么方法可以使你避免地球引力的作用。你可以使自己避免受到电磁力和核力的作用，却没有方法逃脱引力的作用。1907年的一天，爱因斯坦意识到加速与引力之间根本就是相似的。这就是许多科学家们花了毕生精力试图得到的灵光一现，爱因斯坦最终意识到引力和加速运动是同一枚硬币的两面。

正如改变原计划的运动（以避免加速）你就可以避开被车座后背挤压或在车上被甩向一边的感觉，爱因斯坦意识到适当地改变运动，可以避免引力所带来的感觉。这个主意非常简单。为了便于理解，想象一下巴尼，他非常想赢斯普林菲尔德的比赛，所有参加腰带尺寸挑战赛的男性，要在一个月的时间里尽量减肥，最后看看谁减肥减得最多。但是经过两周的液体饮食（达夫啤酒）后，他对澡堂的体重秤仍有心理障碍，于是他放弃了所有的希望。紧接着，在澡堂遇到点小麻烦，体重秤黏到了他的脚上，他从澡堂的窗口跳了出去。在他掉下来将要落到邻居的水池时，巴尼回头看了一眼体重秤的读数，他看到了什么？爱因斯坦是第一个意识到巴尼将看到体重秤的读数减为零的人。由于体重秤和巴尼以同样的速度下落，这样他的脚不再对体重秤施压，所以体重秤的读数为零。*在自由落体运动中，巴尼经历了和太空中宇航员同样的经历。*

事实上，如果在我们的想象中，巴尼从窗口跳进的是一个大的升降机，其中的空气都被排空，那么在他下降过程中，不仅没有空气阻力，而且由于他身体中每个原子以相同的速率下降，所有平常身体所承受的外在压力和牵扯——他的脚冲击着他的踝，他的腿顶着他的臀部，他的胳膊拽着他的肩膀——也都将不存在。[14] 下降过程中，闭上眼睛，巴尼将有漂浮在漆黑的太空中的感觉。（我们也可以用无人实验来说明这个问题：用一根绳子拴住两块石头，然后在真空中把它们丢落，绳子始终是松的，就像太空中漂浮的石头一样。）因此，通过改变运动状态——通过完全“屈服于引力”——巴尼能够模拟一个失重环境。（事实上，NASA 训练他们的宇航员以适应失重环境与此有异曲同工之妙，NASA 让他们的宇航员驾驶经过改装的 707 飞机，代号叫作“*Vomit Comet*”，此飞机的特点是周期性地进入失重状态。）

同理，通过适当地改变运动状态，你就能创造出一种本质上与引力相同的力。想象一下，脚上黏着体重秤的巴尼进入太空船后加入宇航员的失重训练中，体重秤的显示还是零。假如太空船点燃推进器加速，一切就会不一样了。巴尼会感觉到来自太空船地板的压力，就像你站在加速的电梯上感觉到电梯对你的力一样。这时巴尼脚下的体重秤的读数就不再是零了。如果太空船以合适的力度开动推进器，体重秤的读数仍然可以和巴尼在澡堂中看到的一样。通过适当地加速，巴尼能感受到一种与引力难以区别的力。

对于其他种类的加速运动也一样。要是巴尼也加入霍默在太空中的桶中，当桶旋转时，巴尼站在与霍默垂直的方向上——脚和秤都踩着桶内壁——由于他的脚对体重秤施压，秤的读数不再是零了。如果桶以适宜的速率旋转，体重秤的读数与巴尼在澡堂时看到的一样：桶的加速也能模拟地球的引力作用。

以上这些实验和推理使爱因斯坦得出了这样的结论：人们感受到的引力与人们因加速而感受到的力是一样的，它们是等效的。爱因斯坦称其为*等效原理*。

让我们来看看这意味着什么呢？现在你每时每刻都会感受到引力的影响，如果你站着，你会感觉到地板支撑着你的重量；如果你坐着，你会感觉到其他东西支持着你；甚至你在飞机或火车上读书，你可能认为你处于静止状态——你没有加速甚至根本没有运动，但根据爱因斯坦的观点，你实际上是在加速。因为你正静静坐着，所以你觉得这种说法听起来有点愚蠢，但不要忘记问问普通问题：加速是以什么为基准来判定的？加速是选谁作参照物的？

有了狭义相对论，爱因斯坦可以宣布绝对时空为狭义相对论提供了基准，但狭义相对论并没有考虑引力的作用。但通过等效原理，爱因斯坦提供了包括引力在内的更加严格的标准。在认知上，这是一场更加激进的变革。*既然引力和加速运动是等效的，那么如果你感受到引力的作用，你就一定是在做加速运动*。爱因斯坦认为，只有那些根本感觉不到力——包括引力的作用——的观测者才有权利声明他们没有加速。这些不受力的观测者为运动提供了真实的参照系，这种认识，要求我们对思考此类问题的方式做出重大变革。当巴尼从窗口跳到真空的升降机时，通常情况下我们说他向着地球表面加速运动。但这并不是爱因斯坦认同的描述方式。根据爱因斯坦的观点，巴尼并*没有加速*，他并未感觉到力量，他处于失重状态。他感觉他就像漂浮在漆黑的真空中，他才是所有其他运动的标准。以巴尼为参照物的话，如果你静坐在家中，那么你就在加速。从巴尼的角度——根据爱因斯坦的观点，他的角度才是运动真正的基准——看，当他通过你家窗口自由下落时，你、地球以及我们通常所认为的静止的其他所有物体都在做向上的加速运动。爱因斯坦会认为，是牛顿的头撞上了苹果，而不是苹果撞上了牛顿。

很明显，这是一种全然不同的考虑运动的方式。它所依靠的是这样简单的一个认识：只有当你对抗引力时你才能感觉到引力的作用。相反，当你完全无须抗拒引力时你就感觉不到它的存在了。假设你没有受到任何其他影响（比如空气阻力），当你屈服于引力使得自己自由下落时，你会感觉自己就像自由漂浮在真空中——这种状态，不用怀疑，我们认为是没有加速。

总之，只有那些自由漂浮的个人，不管他们是在太空深处，还是在撞向地球表面的过程中，才有权利声明他们并未加速。如果你经过一个这样的观测者，你们之间有相对加速，那么根据爱因斯坦的观点，你就是在加速。

事实上，坏鼠、傻猫、阿布和马丁中没有一个人有资格说他们在决斗中是静止的，因为他们都感觉到引力竖直向下的作用。但这不会影响我们前面的讨论，因为以前我们关心的只是水平运动，竖直方向上的运动不会影响水平运动。但作为一条重要的原理，爱因斯坦发现的引力和加速运动之间的联系意味着——再说一遍——只有那些感觉*不到*力的观测者才能真正地说他们处在静止状态。

爱因斯坦已经发现了引力和加速运动之间的联系，接着开始准备结果牛顿遗留的挑战，寻求引力是如何发挥其影响的合理解释。

蜷曲、弯曲与引力

通过狭义相对论，爱因斯坦指出每个观测者把时空切成平行的片，这些片可以看成是一系列连续时间段的空间；相对于彼此匀速运动的观测者将会从不同的角度切割时空。如果这样一个观测者开始加速，你可能会认为他每一时刻速度的改变或运动方向的改变将会导致他的切片的方向和角度不停地改变。简单地说，就是这样。爱因斯坦（利用卡尔·弗雷德里希·高斯、格奥尔格·伯恩哈德·黎曼以及19世纪其他数学家建立起来的几何学知识）发展了这个观点——断断续续地——指出从不同的角度切割时空将会形成弯曲的片，但合起来却像银盘里的调羹一样完美，如图3.8所示。加速运动的观测者将切出弯曲的时空片。

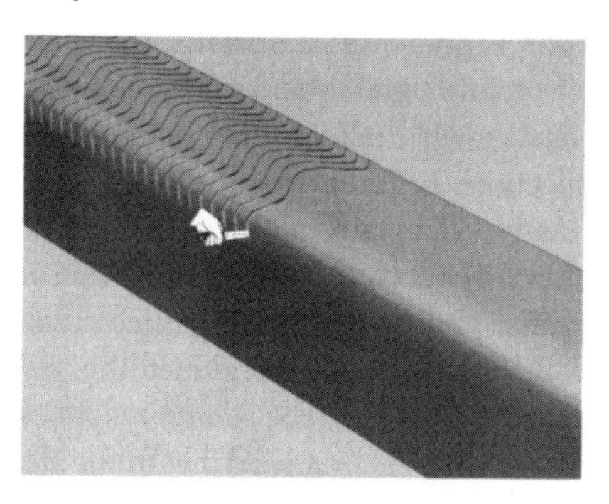

图3.8 根据广义相对论，不仅可以从不同角度（由处于相对运动中的观测者来操作）把时空面包切成片（每一片都代表某一时刻的空间），而且切片本身可以因物质或能量的出现而发生弯曲

有了这样的观点，爱因斯坦就能使等效原理产生深刻的影响。既然引力和加速是等效的，爱因斯坦领会到，引力本身不是别的，正是时空结构中的蜷曲和弯曲。让我们来看看这究竟是什么意思。

如果你沿着光滑的木制地板滚一颗弹球，它的轨迹将是一条直线。但如果最近发洪水了，洪水退后，地板上全是坑坑洼洼，那么滚动的弹球就不再沿着原来的路径了。它将受路的引导，受地表坑坑洼洼的影响。爱因斯坦把这个简单的观点用在宇宙结构上。他假想了一种情景，没有物质和能量——没有太阳，没有地球，也没有其他星球——的时空，就像光滑的木制地板一样没有坑坑洼洼，它是平的，如图3.9（a）所示，其中，我们关注的是一个空间片。

当然，因为空间是三维的，所以图3.9（b）更加精确些，但是把图画成二维的更便于理解，因此我们继续使用它。爱因斯坦认为物质和能量的存在对空间的影响就像洪水对地面的影响一样。物质和能量，比如说太阳，会使空间（和时空[1]）像图3.10（a）和图3.10（b）所描述的那样发生弯曲，就像在崎岖的地板上滚动的弹球是沿着崎岖的路径滚动一样。爱因斯坦指出，在蜷曲空间穿行的任意事物——就像地球在太阳周围运行一样——将会沿着弯曲的轨迹运行，就像图3.11（a）和图3.11（b）所描述的那样。

物质和能量在时空结构中留下了深沟众壑，物体就好像被无形的手引导一样，沿着时空结构中的沟壑运动。根据爱因斯坦的观点，这就是引力施加影响的方式。同样的观点更适用于家中。现在，你的身体有沿着由于地球的存在而造成的时空结构的凹痕滑下的倾向，但是你的下滑趋势被你正坐在或站在上面的地球表面阻挡。你生命中的每一刻都能感受到的向上的推力——来自地板，房间的地面，角落里的便椅或是你的双人床都在阻止你沿着时空的峡谷滑下来。与之相反的是，如果你将自己高高置于跳水板上，让你自己完全屈服于引力，你就会随着时空瀑布自由下落。

图3.9、图3.10、图3.11几个示意图描绘出了爱因斯坦10年奋斗的成果。爱因斯坦这些年来的大部分工作旨在精确定出一定数量的物质

1. 画出蜷曲的空间很容易，但由于时间与空间之间的联系紧密，时间也会因物质和能量而蜷曲。就像空间的蜷曲意味着空间被拉伸或压缩，如图3.10所示；时间的蜷曲也意味着时间可以被拉伸或压缩。也就是说，不同引力场中的时钟——比如一个在太阳上，另一个在外太空中——会以不同的速度运转。事实上，普通物体，比如地球和太阳（黑洞不在此列），所造成的空间弯曲远不如它们所造成的时间弯曲明显。[15]

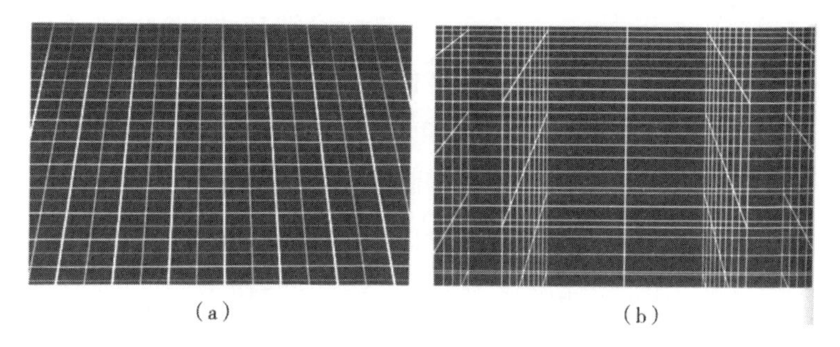

图3.9 （a）平坦的空间（二维）。（b）平坦的空间（三维）

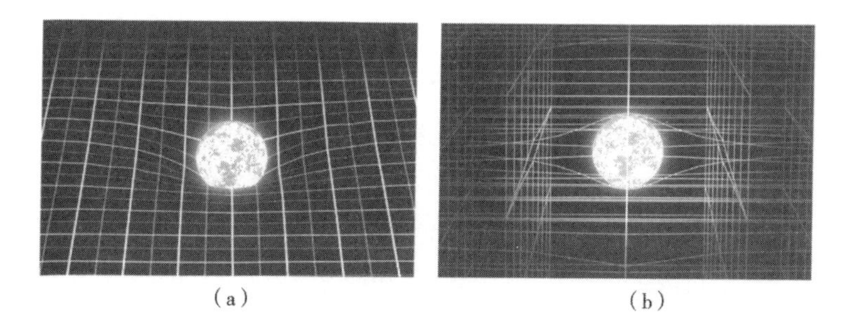

图3.10 （a）太阳使空间发生弯曲（二维）。（b）太阳使空间发生弯曲（三维）

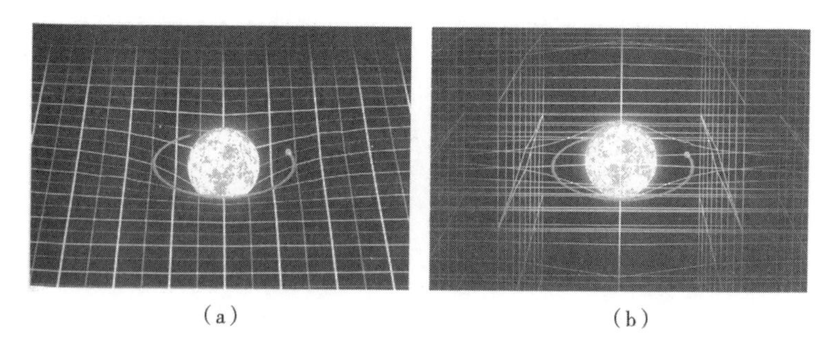

图3.11 地球绕着太阳运行，因为它沿着因太阳出现而造成的时空结构的弯曲而运行。（a）二维版本。（b）三维版本

和能量所造成的时空弯曲的形状和大小。爱因斯坦发现数学成果为这些图奠定了基础，它们在*爱因斯坦场方程*中有具体的表达。正如其名字所启示的一样，爱因斯坦把时空的弯曲看作引力场的表现——几何表现。通过在几何上思考这个问题，爱因斯坦发现方程在解决有关引力问题中所起的作用就像麦克斯韦的方程在电磁学中所起的作用一样。[16] 爱因斯坦和其他科学家们通过这些方程预言了各个星球的运行轨迹，甚至还有遥远的星球发出的光穿过弯曲时空的轨迹。这些预言不仅有很高的精确度，而且可以与牛顿理论在预测方面的成就相媲美，爱因斯坦的理论终于以更高的准确度与实际情况相符。

同等重要的是，由于广义相对论明确了引力工作的细节，因而为确定引力的传播速度提供了重要的数学框架。引力传播速度问题变成了空间的形状改变得有多快的问题。即，空间蜷曲和起涟漪——就像是石子被扔进水池所引起的涟漪——在空间中的传播速度究竟是多少？爱因斯坦能把这个计算出来，而且答案令人非常满意。他发现空间的蜷曲和涟漪——即引力——从一个地方到另一个地方并不是牛顿式的引力计算的那种瞬时传播。相反，*它们以光速传播*，与狭义相对论设置的速度极限完全一致。如果外星人把月球弄没，潮水会在一秒半后以我们看到月球消失的速度退去。牛顿理论失败的地方正是爱因斯坦的广义相对论发挥优势的地方。

广义相对论和桶

广义相对论不仅构建出数学上优美，概念上有力，并且第一次实现自洽的引力理论，而且也彻底重塑了我们的空间观和时间观。在牛顿的理念和狭义相对论中，空间和时间为宇宙事件提供了一个不可变更的舞台。在狭义相对论中，将宇宙分割为连续的时间片——每一片都表示某个时刻的空间——的方式可以有很多种，尽管在牛顿时代的人眼中这有点不可理解，但时间和空间还是不会对宇宙中发生的事件做出回应。时空——我们一直用面包条来指代的时空——被看作是一成不变的。但在广义相对论中，一切都不一样了。时间和空间成了宇宙演化的参与者，它们变得生动起来。物质使空间发生蜷曲，而蜷曲又使物质移动，从而进一步使空间弯曲。广义相对论为空间、时间、物质和能量在宇宙中的舞蹈提供了广阔的舞台。

这是一个令人惊奇的进展。但现在我们回到我们的中心主题：桶怎么样了？广义相对论如爱因斯坦所希望的那样为马赫的相对主义观点提供了物理基础吗？

多年来，这个问题引起了许多争议。最初，爱因斯坦认为广义相对论完全包括了马赫的观点，他认为马赫的观点非常重要，并将其命名为*马赫原理*。事实上，1913年的时候，当爱因斯坦疯狂地工作以期完成广义相对论的最后一块拼图时，他给马赫写了一封热情洋溢的信，在信中他描述了广义相对论究竟是怎样肯定了马赫对牛顿水桶实验的分析。[17] 1918年，爱因斯坦写了一篇文章，列举了广义相对论背后的三个重要观点，他所列举的第三个即是马赫原理。但是广义相对论十分奥妙，对其性质的研究花了包括爱因斯坦在内的科学家的多年时光。当这些困难方面渐渐理清之际，爱因斯坦发现很难把马赫原理纳入广义相对论中。慢慢地，爱因斯坦从马赫原理中醒悟过来，在他生命的最后几年，他逐渐断绝了与马赫原理的关系。[18]

又经过了半个世纪的研究之后，我们事后诸葛亮，重新审视一遍广义相对论对马赫原理的符合程度。尽管还有一些争论，但我认为最准确的说法是，在某些方面，广义相对论显然有一些马赫观点的意味，但是它并不完全符合马赫提倡的相对论观点。下面就是我要讲的意思。

马赫认为，[19] 当旋转的水面开始凹陷时，或者当你感觉到胳膊向外伸展时，或者当两块石头之间的绳子被拉紧时，这些都与假想的——按他的观点，完全是误导——绝对空间（或从我们现在的观点来看的绝对时空）概念毫无关系。相反，他提出加速运动很明显是相对于整个宇宙中的所有物质而言的。没有物质，就没有加速运动的概念，也没有所列举的一系列物理效应（凹陷的水面，张开的胳膊，拉紧的绳子）。

广义相对论又是怎么说的呢？

根据广义相对论，所有运动特别是加速运动的基准是自由落体的观测者——完全屈服于引力且没有感受到任何其他力作用的观测者。现在，关键的一点是，作用于自由落体状态的观测者的引力来源于整个宇宙中传播的所有物质（和能量）。地球，月球，遥远的行星，恒星，大气层，类星体和其他星系都对你所在的位置产生引力场（用几何语言来说是时空的曲率）。体积较大、距离较近的物体产生的引力影响更大些，但是你所感受到的引力场代表着其他所有物体作用的综合影响。[20] 你完全屈服于引力做自由落体运动——你成为判断其他物体是否加速的标准——时走过的路径将会被宇宙中所有物质影响，既包括天空的恒星又包括隔壁的房间。因此，在广义相对论中，当我们说一个物体加速时，就意味着这个物体相对于宇宙中所有物质所决定的基准加速运动。这个结论正是马赫所倡导的。因此，从这个意义上来讲，广义相对论确实在一定程度上包含了马赫的想法。

然而，广义相对论并没有肯定马赫所有的推理，就像我们考虑——再一次——在没有其他物质的真空宇宙中旋转的桶时直接看到的那样。在一个空的、不会变化的宇宙中——没有恒星，没有行星，没有任何东西——没有引力。[21] 没有引力，时空就不会弯曲——这时它所呈现的是图3.9（b）所示的简单的未弯曲的形状——这就意味着我们回到了狭义相对论所描述的更为简单一点的情况中（记住，在提出狭义相对论时爱因斯坦忽略了引力。广义相对论通过包含引力弥补了这个缺陷。但是，当宇宙中什么都没有且不变化的时候，不存在引力，广义相对论就简化成了狭义相对论）。如果我们把桶引进真空宇宙中，由于它的质量太小了，所以它的存在根本不会影响空间的形状。因此，我们以前用狭义相对论对桶进行的有关讨论同样也适用于广义相对论。这与马赫所预言的不一样，广义相对论得出了和狭义相对论一样的结果，并声明即使在没有其他物质的真空宇宙里，你依然可以感觉到旋转的桶的内壁的压力；你旋转时，你的胳膊会感觉到向外拉的张力；系在两个旋转的石头之间的绳子仍然可以被拉直。我们所得到的结论是，即使在广义相对论中，空的时空也可以为加速运动提供一个基准。

因此，虽然广义相对论采纳了马赫想法的一些元素，但它并未完全从属于马赫所提倡的相对论观点。[22] 马赫原理是一种富于启发性的思想，它的确为革命性的发现提供了灵感，即使这最终的发现并未将激发其灵感的观点纳入体系中。

3000年的时空

旋转的桶已经讨论了很长时间。从牛顿的绝对空间和绝对时间，到莱布尼茨和后来马赫的相对论观点；再到爱因斯坦在狭义相对论中认识到的：空间和时间是相对的，但它们组合起来却是绝对时空；再到他的下一个发现，在广义相对论中认识到的：时空是动态宇宙中的一个参与者，在这个过程中，那只旋转的桶总是在那儿。在我们内心深处，旋转的桶提供了一个简单、静态的检验方式，以探明不可见的、抽象的、不可触摸的空间（从广义上来说是时空）是否足以为运动提供最终的参照物。裁判？虽然这个问题还在争论之中，但正如我们所看到的，对爱因斯坦和他的广义相对论最直接的解读就是，时空可以提供这样一种基准：*时空的确是具体的*。[23]

注意，这个结论也是更广意义上的相对主义支持者欢呼庆祝的原因。从牛顿和后来的狭义相对论的角度来看，空间和后来的时空被看作可以为定义加速运动提供基准的实体。因此，根据这些观点，空间和时空是绝对不可变的，加速的概念是绝对的。在广义相对论中，时空的特点就完全不同了。在广义相对论中，空间和时间是动态的：它们是可变的；它们随物质和能量的出现而不同；它们并不是绝对的。时空，特别是它蜷曲和弯曲的方式正是引力场的体现。因此，在广义相对论中，相对于时空的加速运动远非以前的理论提出的绝对的、与相对无关的概念。相反，爱因斯坦，在其逝世前一些年[24]曾意味深长地说，相对于广义相对论中的时空而言，加速运动*是*相对的。这里所说的加速并不是相对于石头、恒星一类的实物而言，而是相对于某种真实的、可触摸的、可变的事物而言的，这种事物就是场——引力场。[1]从这种意义上来讲，时空——通过引力得以彰显——在广义相对论中是如此真实以至于它所提供的基准是许多相对主义者可以舒心接受的。

当我们真正开始理解空间、时间和时空究竟是什么时，我们就本章中所讨论的问题而展开的争论无疑将会继续下去。随着量子力学的发展，问题变得更加厚重。当量子力学登上历史舞台时，真空和虚无的概念呈现出全新的意义。事实上，自打爱因斯坦在1905年废除了光以太，关于空间充满不可见的物质的观点一直试图重新回来。我们在后面章节中将会提到，现代物理学中的关键发展一直在以各种各样的形式重塑以太类物质，不过这些新的以太类概念并不像原始以太概念那样要为运动提供绝对的标准，但是所有的这些以太概念全部会对全空的时空这样的幼稚观点发起挑战。而且，正如我们将要看到的，空间在经典宇宙中所起的最基本作用——比如作为隔离物体的介质，使我们可以明确说明物体彼此区别、彼此独立的无所不入的事物——将遭遇惊人的量子概念的全面挑战。

1. 这种观点在狭义相对论中——广义相对论中引力场为零的特例——广为适用：零引力场仍是一种场，它可以测量且可以发生变化，因此为可定义的加速运动提供了一种标准。

第 4 章 纠缠着的空间

在量子宇宙中，分隔是什么意思

接受狭义相对论和广义相对论就意味着放弃牛顿的绝对空间和绝对时间观念。尽管并不容易，但你可以训练自己的思维以做到这一点。当你走来走去时，想象着不随你运动的事物所感受到的此刻与你所感受的此刻是不一样的。当你在高速路开车时，想象着你的手表运转的速率与在家中时是不一样的。当你从山顶上四下张望时，想象着由于时空的弯曲，相比于那些在低处受到更强引力的物体，时间于你而言变得更快了。我之所以说“想象”，是因为在类似的普通情况下，相对论的作用如此之小以至于它们完全不会被注意到。日常经验无法展现宇宙究竟是怎样运行的，而这也就是为什么在爱因斯坦提出相对论之后的一百多年中，没有一个人，即便是专业物理学家，在他的骨骼中感受到相对论的存在。这并不奇怪：人类只有在巨大压力下才有可能得到来自于牢靠掌握相对论的生存优势。而在我们日常生活中所遇到的低速、适度重力的情况下，牛顿关于绝对空间和绝对时间的错误概念运作得非常好，因此，我们的感觉在没有进化压力的情况下无法发展出能感受到相对效应的敏锐性。所以，我们需要努力运用智力以弥补感官上的不足，才能达到真正的觉醒与理解。

相对论代表了对宇宙传统观念的里程碑式的突破，而在1900—1930

年，另一场革命使物理学陷入了混乱之中。它开始于20世纪之初的两篇关于辐射性质的论文，一篇是马克斯·普朗克写的，另一篇是爱因斯坦写的。这两篇文章，在30年的热烈研究后，终于导致了*量子力学*的诞生。相对论的效应只在极端速度或引力条件下才有意义，和它一样，新物理——量子力学——也只在另一种极端条件下才能充分显现，这种极端条件就是超微观世界。但在相对论带来的剧变和量子力学带来的剧变之间有着明显的区别。相对论的神秘性源于我们每个人的时空体验不同于其他人的时空体验，它的神秘性来自于比较。我们不得不承认我们对于实在性的看法只能算是满足时空要求的众多可能性——事实上是无穷多的可能性——中的一种。

量子力学则不同。它的神秘性显然是无须比较的。很难将你的思维训练成拥有量子力学式的直觉，因为量子力学打破了我们个人对于实在性的概念。

量子眼中的世界

每个时代都有自己关于宇宙孕育形成的观点。根据古印度创世神话，神肢解了原始巨人普鲁萨，将他的头颅化作天空，双足化作大地，呼吸变作风，于是宇宙就这样形成了。对于亚里士多德而言，宇宙是55个同心水晶球的集合体，最外层的是天堂，接着是行星，地球和它的自然环境，最后是七重地狱。[1] 牛顿和他有关运动的精确的、确定性的数学体系，再次改变了对宇宙的描述。宇宙就像是一个巨大宏伟的时钟：上紧发条设定好初始状态后，宇宙就会以高度的规律性和可预见性滴滴答答地从这一刻走到下一刻。

狭义相对论和广义相对论指出了时钟这个比喻的重要细节：根本不存在一个优先的、普遍通用的时钟；关于什么构成了时刻，什么构成了*现在*，没有普遍共识。即便这样，你依然可用一个时钟式的宇宙进化故事。这个时钟是你自己的时钟，这个故事是你自己的故事，但宇宙却会像牛顿体系中的那样呈现出规律性和可预见性。如果你通过某种方法知道了宇宙现在的状态——如果你知道了*每*个粒子在哪，朝向哪个方向，以多快的速度运动——那么，牛顿和爱因斯坦都将同意，从原则上讲，你可以运用物理定律预测未来任意时刻宇宙中将发生的一切，也可以描述过去任意时刻宇宙所曾发生过的一切。[2]

量子力学破坏了这个传统。我们永远也*不可*能知道单独一个粒子的精确位置和速度。我们甚至不可能完全确定地预测哪怕最简单实验的结果，就更不用说整个宇宙的演化了。量子力学告诉我们，我们所能做的事情，不过是预测实验得出或这或那的结果的*概率*。随着量子力学经受住了几十年来各种精确到难以想象的地步的实验检验，牛顿式的宇宙时钟，甚至是爱因斯坦的升级版，都变成了站不住脚的比喻；世界显然*不是*这样运转的。

但过去的突破还是不完全的。尽管牛顿和爱因斯坦的理论在空间和时间的性质上，观点完全不同，但两者却在某些基本方面，某些不证自明的真理上保持一致。如果两个物体之间有空间——比如天空中有两只鸟，一只在你的左边，而另一只在你的右边——那么我们就可以认为这两个物体是独立的，我们把它们看作可以分开的、有所区别的实体。空间，不管从根本上讲它是什么，提供了分割并区分物体的介质，空间干的就是这些事情。位于空间中不同位置的物体就是不同的物体。而且，要想使一个物体影响另一个物体，就必然会以某种方式与隔离它们的空间打交道。一只鸟飞向另一只鸟，穿过它们之间的空间，才可以啄到或靠近另一只鸟。如果一个人想影响另一个人，他可以使用弹弓，使一个小石子穿越他们之间的空间；或者他可以大声喊叫，使活跃的空气分子形成多米诺效应，分子一个碰一个，直到传至接收者的鼓膜。一个人想对另一个人施以影响还有更复杂的方式，发射激光，使电磁波——一束光——穿越他们之间的空间；或者，更野心勃勃的人（就像在上一章中提到的外星恶作剧者），可以摇动或移动巨大的物体（如月球），将引力扰动从一个地方传到另一个地方。可以肯定的是，如果我们想从某个地方影响另一个地方的人，不管我们怎么做，这个过程总是会涉及将某人或某物从一个地方传送到另一个地方，并且只有当某人或某物到达另一个地方时，影响力才能发挥出来。

物理学家们把宇宙的这种特性称为*定域性*，以强调你只能对你附近的物体产生直接影响。魔法就违反定域性，因为使用魔法就可以通过在此地做某事影响彼地的某物，而不需要任何东西从一个地方到另一个地方，但常识却告诉我们那是不可能的，可重复的实验会证实定域性。[3] 而大部分的实验的确也做到了。

但是20世纪末的一些实验却表明，我们在此地做的某件事情（如测量一个粒子的某种特性）*可以*巧妙地与彼地发生的某件事情（如测量某个相距较远的粒子的某种特性所得到的结果）发生联系，而*无须*把一个物体从某地移到另一地。虽然直观上有点令人困惑，但这种现象完全符合量子力学定律。早在相应的技术发展到可以做该实验时，量子力学就已经预言了这种实验结果，而现在实验证明，该预言的确是正确的。这听起来有点像魔法；爱因斯坦，作为最早认识到——并尖刻地批判——量子力学这种可能的特征的物理学家之一，将其称为“鬼魂一般”。但是我们将会看到，这些实验所证实的长距离间的联系是相当敏锐的；而且，在精确的意义上，从根本上超出了我们能力的控制范围。

不管怎样，来自理论和实验的这些结果，强有力地支持这样的结论：宇宙允许非定域关联的存在。[4] 发生在此地的某事可以与发生在彼地的事情有所关联，即便没有任何东西被从一个地方移动到另一个地方——即便没有足够的时间让任何东西，即使是光，在两地之间传播——也没有关系。这就意味着空间不可能像人们曾经认为的那样。实际上，两个物体间的空间，*不论有多大*，都不能确保这两个物体是分离的，因为量子力学允许它们之间存在纠缠，或者说某种关联。一个粒子，比如构成你或我的无数粒子中的一个，能运动却无法隐藏起来。根据量子理论以及证实了很多预言的实验，即便两个粒子分别处于宇宙的两端，它们之间的量子关联依然存在。从它们之间相互关联的角度来看，尽管它们之间隔着几万亿千米的空间，但看起来就像其中一个在另一个正上方一样。

对我们实在性概念的攻击，大都来自于现代物理学；在后面的章节里我们还将会遇到很多。但就这些已经被实验证实的结果来看，没有什么比认识到宇宙不具有定域性更令人难以置信的了。

红和蓝

为了体验一下量子力学的这种非定域性，想象一下史考莉探员[1]，她很长时间没有休过假了，现在返回她在普罗旺斯[2]的别墅度假。还没等她打开包裹，电话铃声就响了。是在美国的探员穆德打来的。

“你拿到那个包裹了吗——用红蓝纸包装的那个？”

史考莉走到门口——她把所有的邮件都堆在那里——看到了那个包裹。“穆德，别这样，我跑这么老远来到爱克斯不是来处理另外一堆文件的。”

“不，不，你搞错了，这个包裹不是我寄给你的。我也收到了一个，里面装着些很小的不透光的钛盒，从1标到1000，有封信说你将会收到同样的一封信。”

“是的，看到了，怎么回事。”史考莉慢慢回答道，担心这些不透光的小钛盒会破坏她的假期。

“这个嘛，”穆德继续说，“信上说每个小钛盒都装着一个不同的小球，一打开上面的门这些小球就会发红光或蓝光。”

“穆德，是要给我什么惊喜吗？”

1. 史考莉和穆德都是美国流行剧《X档案》中的探员。——译者注
2. 法国南部省份，下文中的爱克斯为该省的一个旅游胜地。——译者注

“恐怕不是这样。听着，信上说在任何一个盒子打开之前，这个小球都有可能在发红光或蓝光，而在门打开的一瞬间，到底是什么颜色的光是随机决定的。但奇怪的是，信上说虽然你的盒子和我的盒子完全一样——盒子里的球也都是随机发出红光或蓝光——但我们俩的盒子却总是一唱一和的。信上说它们之间有种神秘的联系，我要是打开1号盒子时发现有蓝光的话，你打开你的1号盒子时也会发现蓝光；如果我打开我的2号盒子时发现有红光的话，你打开你的2号盒子时也会发现红光，如此种种。”

“穆德，我真的筋疲力尽了，等我回去再玩这些小把戏吧。”

“史考莉，请别这样。我知道你在休假，但是我们不能不管这些事情啊。我们只需要几分钟看看这是否是真的。”

虽然不情愿，但史考莉认识到抗议是无效的，于是史考莉走过去打开她的盒子。通过对比每一个盒子中所发出的光的颜色，史考莉和穆德发现确实如信上所说的一样。盒子中的小球有时发红光，有时发蓝光，但是打开相同号码的盒子，史考莉和穆德发现盒子中发出的总是相同的光。穆德对此现象感到十分兴奋，但史考莉却没有太大兴趣。

“穆德，”史考莉在电话里严肃地说，“看来你也需要一个假期了。这太傻了。显然，盒子的门被打开时，每个盒子里的小球都是按编好的程序发红光或蓝光。他们送给我们的盒子编有相同的程序，因此我们打开相同号码的盒子，它们都会发相同颜色的光。”

“但是，史考莉，信上说当盒上的小门打开时，小球随机发出红光或蓝光，而不是按预先编好的程序发某一种光。”

“穆德，”史考莉说，“我的解释听起来更合理些，并与事实相符。你还想要怎样？看这儿，信的最底部，这是最令人可笑的。‘外星人’的小印刷字体告诉我们，不仅打开盒子的小门会造成里面的区域发光，其他用来弄清楚盒子是怎样运行的方式——比如，如果我们在门打开之前，先检查盒子这些区域的颜色组成或是化学物质的构成——也同样会使它发光。换句话说，我们无法分析他们所假定的在选择红色或蓝色上的随机性，因为任何这样的尝试都将会影响我们试图得出的实验结果。这就像我告诉你我是金发，但是当你或其他人又或什么东西看我的头发或分析它时，我就变成了红头发。你怎样证明我是错误的？给你这些盒子的人是非常聪明的——他们已经把事情都安排好了，它们的诡计不会被识破。现在，赶紧去玩弄你的那些小盒子吧，而我想要静静地待会儿。”

看来史考莉已经站在了科学一边。但是，实际是这样的。80年来，量子工程师们——科学家们，而不是外星人——一直宣称宇宙的运行方式正如上文中的信上所言。问题是，现在有强有力的科学证据表明，穆德这边——而不是史考莉——才是数据所支持的一边。举个例子来说，根据量子力学，一个粒子可以处于一种特性和另一种特性间的边缘地带——就像在盒子的小门打开之前，一个“外星”小球可以徘徊于发出红光或发出蓝光之间——只有当人们关注（即测量）粒子时，它才会随机地选择其中的一种。好像这也没什么奇怪的，量子力学也是预言粒子之间存在联系，就像前面提到的那些“外星”小球之间的联系。两个粒子因量子效应而产生的纠结如此强烈，以至于它们在随机选取某种特性上也是相互关联的：就像每个“外星”小球随机选择发红光或蓝光，但相同号码的盒子里的小球所选择的颜色却是彼此关联的（都发红光或发蓝光）一样，两个粒子，即便在空间上相隔很远，它们随机选择的特性也会存在类似的某种完美的关联性。简单地说，量子力学告诉我们，即使是相距很远的两个粒子，只要其中一个做了什么，另一个也会做相应的事情。

举一个具体的例子，假如你戴了一副太阳镜，量子力学就会告诉我们，一个特殊的光子——比如从湖面或沥青路面反射到你身上的那种——将有50%的概率穿过你佩戴的偏光眼镜，从而使进入你眼睛中的光强减弱：当光子碰到你的镜片时，它会“随机”选择反射回来或穿过眼镜。令人惊奇的是，这样的光子可以有一个在几千米以外向相反方向传播的伙伴，另一个光子也会以50%的概率通过另一个偏振太阳镜，就像它的伙伴那样。*即便每一个结果都是随机决定的，即便它们在空间上相距很远，但只要一个粒子能通过偏振镜，另一个光子也将通过*。这就是量子力学预言的所谓非定域性。

爱因斯坦本人从来都不是量子力学的推崇者，他不愿意相信宇宙会按这样诡异的原则运行。他支持更为传统的解释，在这样的解释中，不存在粒子会在被测量时才随机选择某种特性或结果这样的概念。与之相反，爱因斯坦认为，即便人们观测到两个距离很远的粒子拥有相同的特性，也并不能证明存在着与粒子属性有瞬时联系的神秘的量子关联。而且，就像史考莉认为小球并不是随机选择发出红光或蓝光，而是被提前设计好了，当被观测时发哪一种光，爱因斯坦认为，粒子并没有随机选择哪一种特性，而是类似的被“设计好了”被观测时拥有哪一种特殊的、具体的性质。爱因斯坦说，相距很远的粒子在属性上的关联，证明了光子在被发射时具有相同的性质，而不是遵循某种诡异的长程量子纠缠。

将近50年过去了，关于这个问题谁是谁非——爱因斯坦对还是量子力学的支持者们对——仍未解决，因为正如我们所看到的，这个争论就像是史考莉和穆德之间的争论：任何试图否定奇怪的量子力学关联且同时保有更为传统的爱因斯坦观点的努力都将是徒劳的——实验本身必然会污染试图得到的实验结果。所有这一切在20世纪60年代都变了。凭借着令人叹服的洞察力，爱尔兰物理学家约翰·贝尔指出这个问题可以用实验来解决，并且，人们的确在20世纪80年代完成了这个实验。从数据得出的直接结果来看，是爱因斯坦错了，距离很远的物体之间的确可以有奇妙诡异的量子关联存在。[5]

这个结论背后的论证如此繁复，以至于物理学家们用了30多年的时间才完全弄清楚一切。但是，在搞清楚了量子力学的本质特征后，我们将看到，这一论证的核心思想不会比一道脑筋急转弯还难。

产生波

取一小张黑色的35毫米胶片，沿着两条非常紧密的细线刮去感光乳剂，然后用激光去照射它，你将看到光是一种波的直接证据。如果你没这样做过，很值得一试（你可以用许多东西来取代胶片，比如咖啡机中的金属丝网）。当激光通过胶片的细缝碰到探测屏时，就会使探测屏上出现如图4.1所示的明暗相间的条带。解释这种图形的出现需要知道一些波的基本特性。水波是最常见的波，因此我们就先以平静的湖面上出现的水波为例，解释一下波的重要性质，然后我们再将讨论推广到光波的解释上。

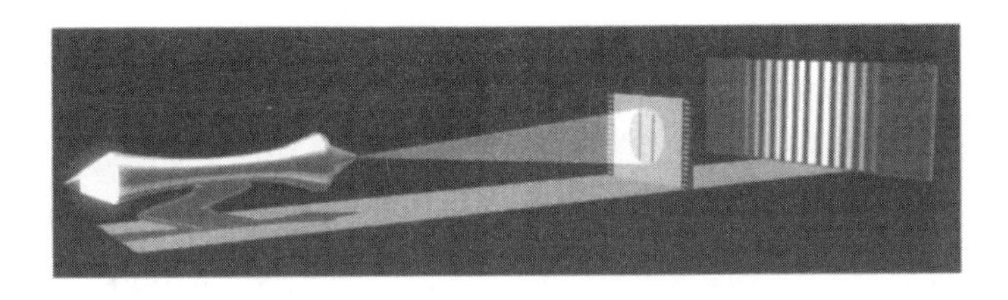

图4.1 激光通过黑色底片上的两条细缝在探测屏上产生干涉图样，表明光是一种波

水波会在平静的湖面上激起涟漪，使得有些地方隆起，有些地方凹下去。波最高的部分称为*波峰*，最低的部分称为*波谷*。典型的波具有周期性，波峰后是波谷，波谷后是波峰，依此类推。如果两列波相遇——举个例子来说，假如你我在湖面上相近的位置各扔下一颗小石子，那就会产生相向的波——当它们相遇时将会产生如图4.2（a）所示的*干涉效应*。当一列波的波峰和另一列波的波峰相遇时，干涉波的振幅将是前面两列波的波峰的叠加。类似的，当波谷与波谷相遇时，水面将会由于两个波谷叠加而凹陷得更深。而最为重要的情形是：当一列波的波峰与另一列波的波谷相遇时，它们将相互抵消，波峰试图将水往上提，而波谷试图将水往下拉。如果一列波的波峰高度与另一列波的波谷深度相等，它们将完全抵消，这样的话该位置的水根本就不会上下波动。

相同的原理也可以用来解释图4.1中一束光通过两条细缝时产生

的图样。光是一种电磁波，当它通过两个细缝时会分裂成两列波，这两列波会在探测屏上相遇。就像上文所讨论过的水波一样，这两列光波发生了干涉。它们在探测屏上不同位置相遇时的情形也不一样，有时波峰和波峰相遇，于是探测屏上的相应位置就会变得更亮；有时是波谷和波谷相遇，那么探测屏上的相应位置也会变得更亮；但当一列波的波峰遇到另一列波的波谷时，它们就会相互抵消，于是探测屏上的相应位置就会变得黯淡，如图4.2（b）所示。

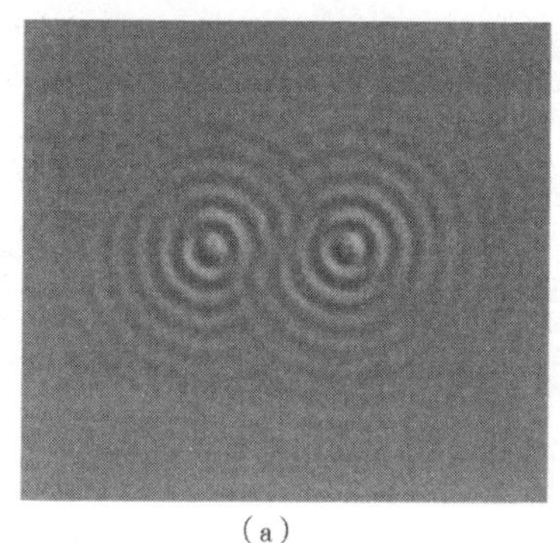
（a）

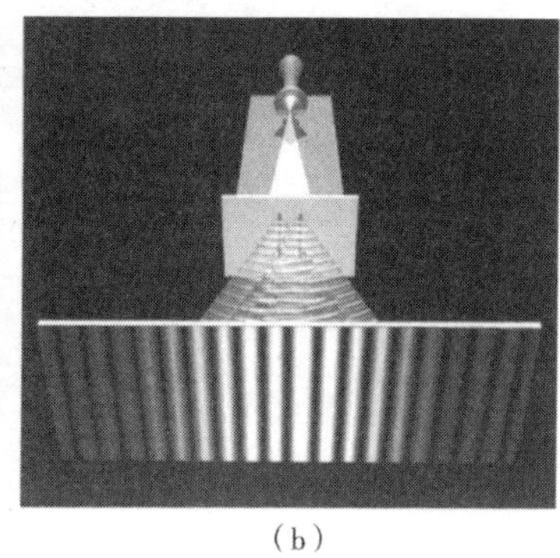
（b）

图4.2 （a）重叠的水波产生了干涉图样。（b）重叠的光波产生了干涉图样

用数学仔细地分析波的运动，包括两列波的波峰和波谷之间的各个不同位置之间部分抵消的情况，我们会发现，计算所得到的明暗分布正如图4.1所示的那样。因此明暗相间的条带的出现说明光是一种波，自从牛顿认为光不是一种波而是由一束粒子组成的（稍后还要就此进一步讨论）以来，这个问题已经争论很久了。我还要指出，这里的分析也同样适用于任何一种波（光波，水波，声波，总之你能叫得上名的任何一种波），而且，干涉图样为我们提供了波的证据：当波被迫通过两条适当大小的细缝时（大小由波峰和波谷之间的距离所决定），就会产生图4.1中所示的加强图样（亮的条带代表着高强度，黑

色条带代表着低强度），于是我们就知道它的确是一种波。

1927年，克林顿·戴维森和莱斯特·戈默用一束电子——与波没有任何明显联系的微粒实体——穿过一片镍晶体。细节我们并不关心，重要的是这个实验等价于用一束电子撞击两条细缝之间的障碍物。在该实验中，电子穿过细缝射到磷屏上，它们打在磷屏上的位置将会以小亮点的方式记录下来（我们平常所看的电视机的屏幕也是由类似的小亮点组成的），实验结果令人非常惊奇。想象一下，把电子看作小子弹或小球，我们自然就会想到它们撞击磷屏的位置会与这两条细缝平行一致，如图4.3（a）所示。但那并不是戴维森和戈默得到的结果。他们的实验产生了如图4.3（b）所示的结果：电子撞击磷屏后，呈现出了波所特有的干涉图样。戴维森和戈默发现了干涉图样这个证据。他们的结果出人意料地表明，电子束一定是某种波。

现在，你也许觉得这个结果并不是特别令人惊讶。水是由H_2O分子组成的，当许多分子以一定模式移动时，水波就会出现。一组H_2O分子在某些位置上升，在邻近的位置，另一组H_2O分子却在下降。或许图4.3所示的数据只是表示电子会像H_2O分子一样，有时以一定模式移动，其整体的宏观运动形成了类似于波的干涉图形。乍一看，这似乎是个合理的解释，但事实上，真实的情况更加令人出乎意料。

我们来想象一下，如图4.3那样，从电子枪持续不断地射出电子束，但我们能调节枪使它每秒钟射出的电子越来越少。事实上，我们可以把它调到很低，比如说，使其每10秒射出一个电子。有足够耐心的话，我们可以用很长时间来做这个实验，记录穿过细缝的每个电子

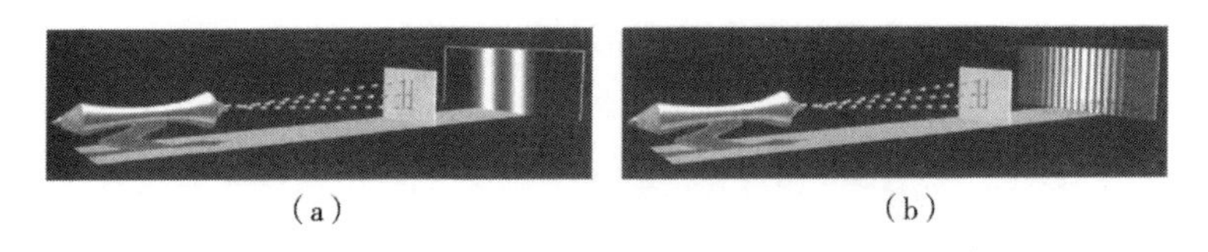

（a）　　　　　　　　　　　　（b）

图4.3　（a）经典物理学预言电子通过障碍物的两条裂缝后将在探测屏上产生两条明亮的条带。（b）量子物理预言并且也得到了实验的证实，电子将会产生干涉图样，这表明它们具有波的特性

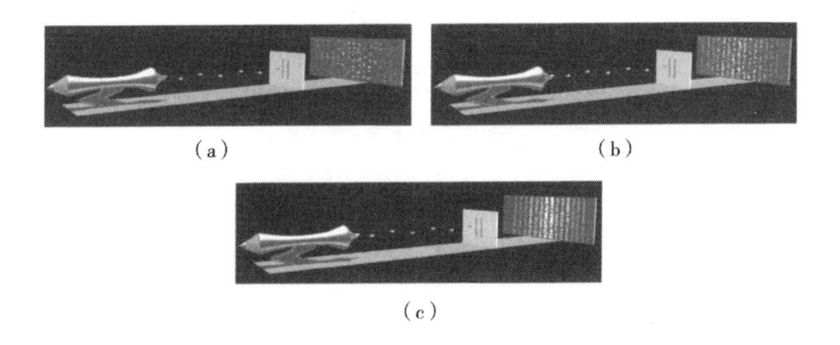

（a）　　　　　　　　　　　　（b）

（c）

图4.4　发射出去的一个个电子通过裂缝后在探测屏上形成了干涉图样。图（a）~（c）描述了电子形成干涉图样的过程

撞击探测屏的位置。图4.4（a）~（c）分别显示了在1小时、半天以及一天内所积累起来的数据的结果。20世纪20年代，类似于这样的图像构建起了物理学的基础。*我们可以看出，即使单独的电子，分别地、一个接一个地撞击在探测屏上，也会形成波的干涉图样。*

这就好像在说一个单独的水分子也可以形成水波。但那怎么可能呢？波的运动看起来是某种集群性质，当应用于单独的微粒时就没有意义了。比如说，球场的看台上，时不时地就会有个别的观众站起来或坐下，但这种起来和坐下*无法*形成人浪。而且，波的干涉似乎需要两列来自不同*地点*的波相遇。因此波的干涉怎么可能只与单独的微粒组分有关？但不管怎么说，正如图4.4中干涉图样所证明的那样，即使单个电子是微小的物质粒子，它也可以具有波的某些特点。

概率和物理学定律

假如一个单独的电子也是波，那么是什么在波动呢？欧文·薛定谔迈出了第一步：或许构成电子的物质在空间杳无踪迹，而正是这无影无踪的电子之魂在波动。从这个观点来看，一个电子就是电子迷雾中的一个尖峰。但人们很快就意识到，这种说法不可能正确，因为即使是一个尖锐的波峰——比如巨大的潮汐波——它最终也将传播开来。如果电子波会弥散开来，那么我们就可能在某个地方找到电子电荷的一部分或发现它质量的一部分。但是我们从未发现这样的情况。当我们找到一个电子时，我们总是发现所有的质量和电荷都集中在一个微小的、像点一样的区域内。1927年，马科斯·玻恩提出了另一个看法，而这个观点的提出正是迫使物理学进入一个激进的新领域的过程中起决定性作用的一步。玻恩提出，这种波既不是无影无踪的电子，也不是以前我们在科学中碰到的任何其他东西。玻恩提出，这种波，是一种*概率*波。

为了便于理解，我们来看一张水波的快照，图中既有强度较高的区域（在波峰和波谷附近），又有强度较低的区域（波峰和波谷之间的传播区域）。水波的强度越大，对附近的船或海岸线造成的影响力就越大。玻恩想象的波也有高密度区和低密度区，但是他赋予这些波的意义却令人大跌眼镜：*空间中某点的波的大小与电子位于该点的概率成正比*。最容易找到电子的地方就是概率波最大的地方，不容易找到电子的地方就是概率波较小的地方。而没有电子的地方，概率波在该点的概率就为零。

图4.5给出一张概率波的“快照”，图中说明中强调了玻恩的概率诠释。不像水波的照片，这种图像实际上是不可能用照相机拍出来的。没有人直接看到过概率波，而且根据传统的量子力学的解释，也没有人能看到。相反，我们应用数学方程（薛定谔、尼尔斯·玻尔、沃纳·海森伯、保罗·狄拉克以及其他人发展出来的）来计算出概率波在某些情况下的形状。然后再把理论计算结果与用下面的实验方法得出的结果相对比，计算出给定实验条件下的某个电子的假设概率波后，重复同一个实验多次，每一次都记录下所测得的电子的位置。不同于牛顿的预言，同样的实验、同样的初始条件并不一定会得到同样的结果。相反，我们的测量产生了各种各样的测量位置。有时候电子在这儿，有时候电子又在那儿。如果量子力学正确的话，我们将发现电子在给定位置的次数与我们所计算出来的该点的概率波的大小成正比。80多年的实验显示，量子力学的预言有着非常高的精确度。

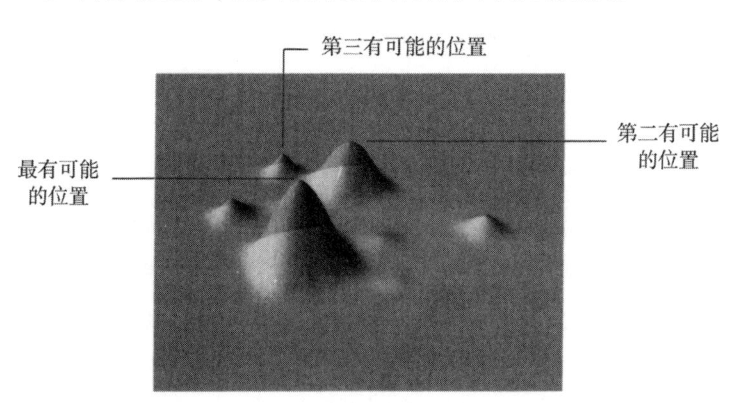

图4.5　粒子（比如说电子）的概率波告诉我们粒子出现在某个位置的可能性

图4.5显示了电子概率波的一小部分：根据量子力学，每个概率波都可以扩展到整个空间，整个宇宙。[6] 在许多情况下，一个粒子的概率波在某些小区域之外迅速衰减为零，表明该粒子出现在该区域内的可能性非常大。在这种情况下，概率波在图4.5外的部分（宇宙空间中的其他所有部分）看起来非常接近其在该图边缘部分的样子：相当平并且几乎接近零。然而，只要电子概率波的值在仙女座星系中的某处非零，不管该值有多小，我们总有一个微小但确实存在的——非零——机会在那里找到电子。

因此，量子力学的成功之处在于迫使我们接受这样的观念：作为物质组成成分的电子，按我们通常的理解，占据着空间中很小的、类似于点的那么一点区域，实际上却也具有波的性质，并且可以弥漫到整个宇宙。而且根据量子力学，这种粒子波的融合适用于大自然中的所有成分，而不仅仅限于电子：质子同时具有粒子的特性和波的特性，中子也是如此。而且，早在20世纪初期就有实验表明，光——看起来是一种波，如图4.1——也可以从微粒的角度加以描述，我们在前面提到过小小的“光束”叫作光子。[7] 打个比方来说，100瓦的灯泡所发出的一系列电磁光波，也可被描述成灯泡每秒发出一万亿亿个光子。在量子力学的世界里，每件事物都同时具有粒子属性和波的属性。

过去的80年中，量子力学的概率波在预言和解释实验结果上的普遍性和功用性已经得到了大家的信服。但量子力学的概率波究竟是什么，人们还没有达成一致的看法。我们应当说电子的概率波就是电子呢？还是只是说与电子有关呢？又或只是描述电子运动的数学工具呢？再或只是电子的某种具体表现形式呢？这一切都还在争论之中。

但可以肯定的是，通过这些波，量子力学以人们无法预料的方式给物理定律注入了概率。气象学家用概率来预言降水的可能性，赌场用概率来预言你赢钱的可能性，但概率之所以会在上述例子中起作用，只是因为我们还没有足够的信息来做出确切的预言。根据牛顿所言，如果我们清楚地知道外部环境的每一点具体细节（每一个微小的组成成分的位置和速度），我们就可以确切地预言出（假定我们有足够的计算能力）明天下午4：07是否降水；如果我们知道有关色子的所有物理细节（色子的精确形状和成分，当色子离开手时的速度和方向，桌子的成分和桌面情况等），我们将能准确预言出色子落下时的具体形式。但从实际操作上来看，我们不可能收集所有的信息（即便我们能，我们也不可能有如此强大的电脑综合分析这么多数据，最后做出预言），于是我们把眼光放低，在讨论有关天气方面或赌场方面的事情时，我们对我们所无法获得的数据做了一定合理的假设后，预言给定结果出现的概率。

量子力学中的概率完全是另一回事，在量子力学中，概率属于更为基本的特性。根据量子力学，不论我们的数据收集能力以及电脑运算力进步到何种地步，我们所能做的最好的事情就是预言这种或那种结果的概率。我们所能做的最好的就是预言电子、质子或中子，或其他物理学组成成分出现在这里或那里的概率。在微观领域里，概率至高无上。

再看图4.4的例子，量子力学关于单个电子逐个通过细缝形成图4.4所示的明暗相间的图样的解释，现在看来再清楚不过了。每个单独的电子都可以用其概率波加以描述。当一个电子射出时，它的概率波通过了两条缝隙。就像光波和水波那样，概率波通过这两条缝隙发散开来产生干涉。在接收屏的一些点上，两个概率波加强，使得强度变大。在另一些点上，两列波相互抵消，强度就低。在另外一些点上，概率波的波峰和波谷完全抵消，结果波的强度就为零。换句话说，电子落在探测屏上某些点处的概率较大，落在另外一些点处的概率较小，而有些点处则电子根本不会落在那里。经过一段时间，电子的落点就会按照概率图分布，因此我们就会在接收屏看到或明或暗乃至完全黑色的区域。详细的分析表明，这些亮区和暗区看起来正像图4.4所示的那样。

爱因斯坦和量子力学

由于固有的概率性质，量子力学完全不同于在其出现之前其他描述宇宙的理论，不论定性还是定量上都是如此。自其诞生之日起，物理学家们就在努力将这个奇怪的、出乎意料的理论体系融入普通的世界观中，这些努力到现在仍在进行中。问题在于如何协调日常生活的宏观经验与量子力学所展现的微观实在性。我们已经习惯于生活在这个物理性质至少看起来稳固而可靠的世界上，尽管有时不得不屈服于各种各样的经济或政治突发事件的反复无常。你不用担心你现在呼吸进去的空气的原子会因其量子性质而突然解体，然后出现在我们看不到的月球那一面并重新组合起来，只留下你气喘吁吁地尽力呼吸着。你不用为这种事情而感到烦恼，因为根据量子力学，这种事情发生的概率即便不是零，也是相当小的。但是究竟是什么使得概率如此之小呢？

简单地说，有两点原因。第一，从原子尺度看，月球无限远。而且，正如我们在上文所提到过的，在许多情况下（虽然绝不是所有），量子方程显示，概率波一般只在空间中的很小区域内才有可测量的值，一旦离开这个区域，概率波就会迅速衰减到几乎为零的程度（如图4.5所示）。因此和你出现在同一空间的单独一个电子——比如你刚刚呼出到空气中的一个电子——立刻出现在月球背面的可能性，即便不是零，也是非常小的。这个概率如此之小，以至于你娶到尼科尔·基德曼或嫁给安东尼奥·班德拉斯的概率都成了无比的大[1]。第二，在你房间的空气中，有许多电子、质子和中子。所有的粒子一起发生这种对一个粒子而言都是概率很小的事情的概率更是非常小，以至于都不值得我们思考。这就好比不仅要与令你心动的电影明星结婚，而且还要在相当长的一段时间内赢得每期的彩票，那么这个相当长的一段时间指的是多长呢？这个嘛，要长到能使现在的宇宙年龄看起来不过是宇宙眨了下眼。

这就使我们有点明白为什么在日常生活中我们不会直接遇到量子力学的概率方面的问题。然而，由于实验证实量子力学确实可以描述基础物理学，所以它对我们有关实在性的基本信念形成了威胁。比如爱因斯坦，就深受量子力学的概率性质的烦扰。他一再强调，物理学决定着什么已经发生，什么正在发生，以及我们周围的世界将会发生什么。物理学家不是赛马活动的下注者，物理学也不是用来计算概率的。但爱因斯坦不能否认量子力学在解释和预言微观世界的实验结果方面非常成功，尽管这只是从统计学数据来看。因此爱因斯坦并未试

---

1. 两者都是好莱坞著名影星。——译者注

图说明量子力学是错误的，因为考虑到它的成功之处，那样做简直就是傻瓜才犯的错误，但他付出了很大的努力试图说明量子力学并不是决定宇宙如何运作的终极理论。虽然不能说明到底是怎么回事，但爱因斯坦试图向大家证实，一定存在着一种更为深刻又不那么诡异的有关宇宙的理论体系有待人们去发现。

前后许多年，爱因斯坦提出了一系列更加复杂的挑战，旨在找出量子力学结构上的缺陷。其中之一，在1927年索尔维研究所举办的第5届物理学会议期间提出，[8] 基于这样一个事实：即使电子的概率波看起来如图4.5所示的那样，但不管何时，只要我们测量电子的位置，我们总是发现电子在或这或那的确切位置上。因此，爱因斯坦问道，这是否意味着概率波只是某种能够预言电子的确切位置的更为精妙的理论——只是尚未发现而已——的一个临时替身呢？毕竟，如果在X处发现了电子，那不就意味着，实际上电子在测量之前就在X处或非常接近X处？如果这样的话，爱因斯坦更进一步，量子力学所依赖的概率波——在本例中，表明电子距离X处有多远的概率的波——不正反映了理论在描述基础事实性方面的不充分性？

爱因斯坦的观点简单而又有说服力。认为粒子一直就在后来发现它的位置或邻近位置处岂不是非常自然的事情？如果是这样的话，物理学上更为深刻的理解需要我们能够给出那些信息，放弃粗糙的概率体系。但是丹麦物理学家尼尔斯·玻尔和量子力学的拥护者们不同意爱因斯坦的观点。他们认为，这样的推理源于传统的思维，即每个电子按照单独的、确定的路径往返。而图4.4强烈地挑战了这种思维，因为如果每个电子确实按照一个明确的路径——就像枪里发射出子弹这样的经典图像——那将很难解释观测到的干涉图样：是什么和什么发生干涉呢？正常情况下，从单独一支手枪一个接一个发射出来的子弹不可能与另一个子弹发生干涉，因此，如果电子像子弹一样运动的话，那图4.4的干涉图样又做何解释呢？

与之不同，根据玻尔和他力推的量子力学哥本哈根诠释，*在人们测量电子的位置之前，问它在哪儿毫无意义*，不会有一个明确的答案。概率波所记录的是，当适当地测量一个电子时，在或这或那的位置发现它的概率，而事实上这就已经是关于其位置所能讨论的全部了，没其他的了。只有当我们“看”电子的那一刻——我们测量其位置的时刻——并找到其具体位置时，它才具有通常意义上的确切的位置。但在我们测量之前（和之后），它所有的全部乃是概率波所描述的潜在位置，而概率波，就像其他任何波一样，具有干涉效应。这并不是说电子有一个位置，只是我们在测量之前不知道它的位置具体在哪儿。与你所想的恰好相反，在测量之前，电子根本就没有确切的位置。

这是一种从根本上来说非常奇怪的实在性。以这种观点看，当我们测量电子的位置时我们并不是在测量某种实体客观的、已经存在的性质。测量行为本身与创造出所要测量的实在性纠结在一起。将这种讨论从电子的尺度逐渐提升到日常生活，爱因斯坦讽刺道：“你真的认为，要是我们不看它，月亮根本就没挂在天上吗？”量子力学的支持者们回应他：如果没有人在看月亮——如果没有人“通过看见它来测量它的位置”——那么我们根本就不知道它是否在那儿，因而根本没有理由提出这样的问题。爱因斯坦认为这种说法令人非常不满意。这同他对于实在性的观点大相径庭；他坚定地认为，不管是否有人看见，月亮总是挂在天空。但量子力学坚定的支持者们并没有被说服。

爱因斯坦的第二次挑战紧随其后，在1930年的索尔维会议中提出。他描述了一套假想中的装置（巧妙地结合了天平、时钟、相机似的快门），该装置看起来能证明电子一类的粒子*必定*有明确的性质——在测到它之前，而量子力学认为这根本是不可能的。细节倒不太重要，但解决方式十分具有讽刺性。当玻尔听说了爱因斯坦的挑战后，他十分震惊——乍看之下，完全无法在爱因斯坦的论证中找出一点瑕疵。但是，几天之后，他卷土重来，完全驳倒了爱因斯坦的观点。令人惊奇的是，玻尔回应爱因斯坦的关键居然是广义相对论！玻尔意识到，爱因斯坦遗漏了他自己发现的引力扭曲时间——时钟运行的速度取决于它所感受到的引力场。当将这一复杂因素考虑进来后，爱因斯坦被迫承认他的结论与正统的量子理论完全一致。

即使他的异议被推翻，爱因斯坦仍然觉得量子力学令人非常不舒服。在后来的几年中，他一直盯着玻尔和他的同事们，不断提出一个又一个挑战。他最富成效及具有深远影响的攻击集中在所谓的*不确定原理*上，这是沃纳·海森伯于1927年发现的量子力学的直接推论。

海森伯和不确定性

不确定原理就概率与量子宇宙之间的联系的紧密程度做出了准确的定量估计。为了便于理解，想想某些中国餐馆的菜单。菜肴编排在A、B两列中，举个例子来说，如果你点了A列菜单里的第一种菜肴，你就不能再点B列里的第一种菜肴；如果你点了A列里的第二种菜肴，你就不能再点B列里的第二种菜肴，如此等等。这样一来，餐馆已经建立起了饮食之间的对应关系，烹调间的互补（特别是那种设计出来防止你一次点很多昂贵菜肴的互补关系）。在菜单上你能点北京烤鸭或广东龙虾，但不能两个都点。

海森伯的不确定原理就是这样。粗略地讲，微观世界（粒子的位置、速度、能量、角动量，等等）的物理学特性能被分成A、B两列，就像海森伯所发现的，对A列第一种性质的了解会妨碍你对B列第一种性质的了解，对A列第二种性质的了解会妨碍你对B列第二种性质的了解，如此等等。而且，就像餐馆也会允许你同时点北京烤鸭和广东龙虾，但是却要在使其配比到总和不超过同样的总价的前提下。你对一列中的某种性质了解得越精确，你对第二列中的对应性质的了解就只能越不精确。从根本上说，海森伯发现的不确定原理说的就是从根本上不可能同时确定两列中的所有性质，即弄清楚微观世界里的所有特性。

举个例子来说，你对一个粒子的位置知道得越精确，你对它的速度知道得就越少。同理，你对一个粒子的速度知道得越精确，你对该粒子的位置知道得就越少。量子力学有它自己的对偶性：你很精确地测定微观世界某种物理特性的同时，就失去了精确测定另一些互补特性的可能性。

为了更好地理解，我们来看看海森伯自己的粗略描述，虽然其在某些特殊方面还不完善，但能给我们有用的直觉图像。当我们测量物体的位置时，我们通常都会以某种方式与它发生相互作用。假如我们要在黑暗的房间里找到灯的开关，那么我们就得靠摸，摸到它就是找到了它的位置。如果一只蝙蝠在寻找一只田鼠，它就会发出声呐，并翻译出从目标身上反射回来的波。最为普通的定位方式就是看——物体上反射的光进入我们的眼睛。关键之处在于，这些相互作用不仅对我们有影响，也会影响我们要定位的物体。即使是光，从物体上反射回来时，也会对物体的位置有一个小小的影响。对于常见的物体——比如你手中的书或墙上的钟表——而言，反射光的轻微推力不会带来明显的影响。但当它撞击一个像电子一样的微小的粒子时就会产生巨大的影响：当光从电子表面反射回来时，它改变了电子的速度，就像你的速度会被一阵强烈的狂风影响一样。事实上，你越想精确地测定电子的位置，所使用到的光束的能量就得越强，对电子运动的影响也就会越剧烈。

这就意味着如果你高精度地测量电子的位置，就必然影响你的实验：精确定位这种行为本身就会影响电子的速度。因此你可以精确地定位电子，但是与此同时你却无法知道它的速度，因为那一刻它正在运动。相反，你能精确地测量出电子的运动快慢，但这样做的同时你会无法知道它的位置。大自然对确定这样的互补性质的精确度有一个内在的限制。虽然我们一直在讨论电子，但要知道不确定原理具有普适性：它适用于一切事物。

在日常生活中，我们常常会说些诸如一辆小汽车正以时速90千米（速度）经过某车站站牌（位置），轻易地定下两种物理性质。事实上，量子力学认为这种说法没有精确的意义，因为你不可能同时测量确定的位置和确定的速度。对物理世界的这样不精确的描述之所以对我们的生活没有影响，是因为相比于日常生活的尺度，与不确定原理相关的尺度非常之小，以至于可以完全忽略不计。你看，海森伯原理指出存在不确定性，还指出了——完全确定地指出了——在任何情况下不确定性的最小量。假如我们把他的公式应用于你的小汽车经过一个车站时的速度，若对汽车位置的测量精确到厘米量级，那么速度的不确定度将还不到万亿亿亿分之一千米每小时。如果一名州警完全遵守量子物理原理，那他将会断言你在经过车站时的速度在89.9999999999999999999999999999999999和90.0000000000000000000000000000000001千米每小时之间。但是，如果我们用一个位置需要精确到十亿分之一米的电子来代替你庞大的汽车的话，那么它速度上的不确定度将是160000千米每小时。不确定性总是存在的，但是它只有在微观世界里才有意义。

对测量过程中不可避免的干扰的不确定性解释为物理学家们提供了一种有用的直观导引以及某些特定情况下强有力的认知框架。然而，它也容易造成误导。很容易造成这样一种印象，我们笨拙的实验员乱碰器材导致了不确定性的产生。这种想法是不对的。不确定性植根于量子力学的波动体系本身，不论我们是否做了笨拙的测量，它都一直存在。举个例子来说，我们来看一个特别简单的粒子概率波，有点类似于轻柔翻滚的海浪，如图4.6所示。既然波峰全都一致地向右移动，你可能会认为这列波描述的是以波峰的速度移动的粒子。实验证实了这种猜想。但是粒子在哪儿呢？因为这列波是均一地弥漫于整个空间，所以我们没有理由说电子在*这儿*或*那儿*。测量的话，我们会发现它无所不在。因此，当我们精确地知道粒子的移动速度时，它位置上的不确定性就会变得极大。如你所见，这样的结论与我们是否干扰了这个粒子无关，我们从未触碰过它。换句话说，它取决于波的基本特征：波可以延展。

图4.6 具有均匀分布的波峰和波谷的概率波代表着粒子具有明确的速度，但由于波峰和波谷在空间中均匀分布，粒子的位置无法完全确定，它可能四处都在

虽然细节上更麻烦一些，但类似的推理适用于其他所有波形，因而一般性的规律很清楚了。在量子力学中，不确定性必然存在。

爱因斯坦，不确定性和实在性问题

你可能正在被一个重要的问题烦扰着，即，不确定原理究竟是关于我们能够了解多少实在性呢，还是关于实在性本身呢？虽然理论上讲，量子不确定性告诉我们，我们永远无法同时搞清楚实在性的所有性质，比如位置和速度。但是，构成宇宙的基本成分，是不是像我们从日常事物——高飞的棒球，甬道上慢跑的人，向着太阳慢慢生长的向日葵——中得到的经典印象那样，真的有位置和速度呢？量子不确定性完全破坏了经典模型吗？它告诉我们，经典直觉赋予实在性的一系列属性，以构成世界的物质成分的位置和速度为代表的这一系列属性，是否会是一种误导？量子的不确定性是否告诉我们，在任何时刻，粒子就是不能拥有确定的位置和速度？

对于玻尔而言，这个问题就像禅宗的以心传心一样，物理学家们只处理我们可以测量的事物。从物理的观点来看，这*就是*实在性。试图用物理学来分析“更深层”的实在性——那种远非我们可以通过测量来了解的实在性，就如同试图用物理学来研究孤掌鸣音一般。但在1935年，爱因斯坦和他的两位同事——鲍里斯·波多斯基和内森·罗森以一种有力而又巧妙的方式提出了这个问题，孤掌不再难鸣，他们3人抛出的问题对我们关于实在性的理解带来了连爱因斯坦也未曾预料到的冲击。

爱因斯坦–波多斯基–罗森论文是要证明，量子力学，尽管在做出预言及解释数据方面取得了巨大的成功，但并不能作为微观世界物理学的定论。他们的思路非常简单，基于刚刚提出的问题，他们想要证明，在任意给定的瞬间，每个粒子确实具有确定的位置和确定的速度；因而，他们想要得出不确定原理暴露了量子力学方法的根本局限性这样的结论。假如每个粒子确有位置和速度，而量子力学又不能处理这些实在的性质，那么量子力学就只不过是关于宇宙的部分描述。他们想要证明，量子力学只是一种不完善的物理实在性理论，或许，只是达到尚未发现的更深刻的理论框架的踏脚石而已。事实上，我们将会看到，他们的工作为某种更为奇妙的东西打好了基础，而这种东西就是：量子世界的非定域性。

爱因斯坦、波多斯基和罗森（EPR）的灵感部分是被海森伯对不确定原理的粗略解释激发的：当你测量物体的位置时你必然会扰动它，因而不可能同时测出它的速度。就像我们所看到的，虽然量子不确定性比“扰动”解释更具普适意义，爱因斯坦、波多斯基和罗森却从中发明了一套有说服力的巧妙办法避开任何不确定性的起源。他们提出，是否存在一种间接的测量方法可以同时测出粒子的位置和速度而不会影响粒子本身呢？举个例子，我们来看一个经典物理的类比，想象一下罗德和托德·弗兰德斯，他们决定在斯普林菲尔德新形成的核荒漠中独自闲逛。他们返回到沙漠中心，背对背站立，约定朝着各自的方向以同样的速度一直向前走。一段时间，比如9个小时后，他们的父亲——内德——从斯普林菲尔德山返回的时候看到了罗德，他飞快地跑了过去，着急地问罗德，托德跑哪去了。这时候，托德已经走很远了，但是通过询问罗德相关情况，内德了解了有关托德的很多情况。如果罗德从开始的位置向东走了恰好74千米，则托德从开始的位置向西也恰好走了74千米。如果罗德以8千米/时的速度向东走，托德也一定以8千米/时的速度向西走。因此即使托德在145千米开外的地方，内德也能间接知道他的位置和速度。

爱因斯坦和他的同事把类似的策略应用于量子领域。在很多众所周知的物理过程中，两个粒子可以从共同的位置分开向相反的方向运动，就像罗德和托德一样。举个例子来说，如果一个单独的粒子分解成两个质量相等的粒子，它们分别朝“相反”的方向飞出去（就像一颗炸弹爆炸成朝着相反方向运动的两块），这是亚原子粒子领域的常见现象，两部分的速度相等，方向相反。而且，这两个组分粒子的位置也是紧密联系的，简单起见，我们总可以认为这两个组分粒子距离初始位置的距离相等。

有关罗德和托德的经典例子与上文所述的两个粒子的量子描述之间存在着重要的区别，即虽然我们可以肯定地说这两个粒子的速度之间存在着一种明确的关系——假如测量时发现其中一个以给定速度向左运动，那么另一个必然以相同的速度向右运动——但我们却不能预言粒子运动速度的具体数值。相反，我们所能做的就是运用量子物理的原理去预测粒子以某个速度运动的概率。类似的，尽管我们可以肯定地说这两个粒子的位置之间存在着一种明确的关系——假如在某一特定时刻我们测得一个粒子出现在某一位置，那么另一个必然会在距离出发点相等距离的位置上，只是方向相反而已——但我们却不能预言任何一个粒子的确切位置。相反，我们所能做的就是预言粒子在某个特定位置的概率。因此，量子物理并没有给出粒子速度和位置的明确答案，它只是在某些特殊情况下，对粒子的速度和位置之间的关系做出明确的陈述。

爱因斯坦、波多斯基和罗森试图利用这些关系证明，每个粒子事实上在每个特定的时刻都有确定的位置和速度。这就是他们的想法。想象一下，你先测量了向右运动的粒子的速度，通过这种方式，就可以间接了解向左运动的粒子的速度。EPR认为，既然你没有对向左运动的粒子做任何事情，完全没有，那它就一定*在*那个位置上，你所做的只是确定它到底在哪儿，尽管只是间接的。然后，他们又巧妙地指出，你可以选择测量向右运动的粒子的速度。这样，你就可以完全不用打扰向左运动的粒子但间接地测量出了它的速度。EPR再次指出，既然你没有对向左运动的粒子做任何事情，完全没有，它就一定*以*那个速度运动，你所做的只是确定这个速度是多少。将两者——你所做过的测量以及你可能已经完成的测量——结合起来，EPR得出结论：

在任何给定的时刻，向左运动的粒子都有明确的位置和速度。

因为此处非常微妙且关键，所以我再说一遍。EPR的论证是，在你测量向右运动的粒子的过程中，你并没有对向左运动的粒子产生任何影响，因为它们是距离彼此很远的两个实体。向左运动的粒子完全不知道你对向右运动的粒子已经做的或可能做的测量。当你测量向右运动的粒子时，这两个粒子之间可能相距几米、几千米，或几光年远，因此，简而言之，向左运动的粒子不会在乎你究竟做了什么。因此，你通过研究向右运动的粒子的特性而了解的或者至少是理论上可以了解的有关向左运动的粒子的相应特性，一定是向左运动的粒子的*确定的、一直存在着的*特性，并且完全不会受你的测量影响。因此假如你测量了向右运动的粒子的位置，你将会知道向左运动的粒子的位置，同理，假如你测量了向右运动的粒子的速度，你将会知道向左运动的粒子的速度，这样，向左运动的粒子实际上有明确的位置和速度。当然，整个讨论将通过交换向左运动和向右运动的粒子角色而进行（而且，事实上，在做任何测量之前，我们根本没法说哪个粒子向左运动，哪个粒子向右运动），于是我们可以得出这样的结论：粒子具有确定的位置和速度。

就是这样，EPR认为量子力学只是对实在性的不完备描述。粒子有确定的位置和速度，但量子力学不确定性原理却表明，实在性的这些特性远远超出了这个理论的掌控范围。假设你与大多数物理学家一样，相信自然界的完美理论应当能描述客观实在的所有属性，那么量子力学的在同时描述粒子的位置和速度上的失败，就意味着它不能描述某些属性，因此并不是一个完善的理论；量子力学不是自然界最终理论。这就是爱因斯坦、波多斯基和罗森严格讨论的问题。

量子回应

EPR认为，在任意给定的时刻，每个粒子都有确定的位置和速度，如果你顺着他们的过程进行的话，你将会发现，真的要确定下来这些性质将是不可能的。你可以按照上文所说的选择测量向右运动的粒子的速度，你这样做时将会扰乱它的位置；从另一方面来看，你测量它的位置的同时会扰乱它的速度。如果你不可能有向右运动的粒子的这些属性，你也不可能得到向左运动的粒子的这些属性。因此，*不确定原理并没有矛盾*：爱因斯坦和他的同事完全知道他们不能同时确定任意给定粒子的位置和速度。但是，问题的关键来了，即便没有同时确定其中任何一个粒子的位置和速度，EPR的论证表明，每个粒子*都有*确定的位置和速度。对于他们而言，这是一个实在性的问题。在他们看来，如果一个理论不能描述实在性的所有元素的话，它就不能声称自己为一个完善的理论。

量子力学的支持者们对EPR出乎意料的评价进行一番积极的回应后，继续专心于他们日常的实际研究，著名的物理学家沃尔夫冈·泡利总结道："人们不愿意在那些你都不知道到底存不存在的事情上浪费脑力，就像没人愿意理那个古老的问题：针尖上究竟可以站多少个天使。"[9] 一般来说，物理学尤其是量子力学，只能处理宇宙的可观测性质，其他的东西显然不在物理学范畴内。如果你不能同时测量粒子的位置和速度，就没有必要讨论粒子是否同时有位置和速度。

EPR则不同意。他们坚持认为，实在性不只是探测屏上的读数，它的内涵远多于某一时刻所有观测现象的总和。没有人，绝对没有任何人，任何工具，任何仪器，任何物体一直在“看”月亮，但人们都相信，月亮挂在天空。他们仍然相信这只是实在性的一部分。

从某种意义上讲，这些讨论与牛顿和莱布尼茨之间对于空间实在性的争论遥相呼应。如果我们实际上没有办法摸到它，或看到它，或以其他的什么方式测量到它，我们应该认为这样的东西存在吗？在第2章中，我曾讲过牛顿的桶如何改变了有关空间的论战的性质，这个桶使人们突然意识到，空间的影响可以被直接观测到：桶中旋转的水会呈凹面。1964年，通过出人意料的突然一击——有评论者将其称为“最深刻的科学发现”[10]——爱尔兰物理学家约翰·贝尔也为量子实在性的论战做了同样的事情。

在后面的4节中，我们将讨论贝尔的发现。明智地避开了一点技术问题无疑是有好处的。尽管讨论所用的推理都不如计算掷色子中的概率复杂，但有一些我们必须讲述并将其前后串联起来的步骤。每个人对细节的要求不同，你可能读着读着就感到十分厌倦，那么没关系，请直接翻到本章最后，在那里可以找到有关贝尔的结论的讨论概要。

贝尔与自旋

约翰·贝尔把爱因斯坦-波多斯基-罗森论文的核心思想从哲学思考转化成了可以用具体的实验测量回答的问题。令人惊讶的是，达到这一点，他所需要的只是想出这样一种情形，在这里不只有两个由于量子不确定性原理而无法同时测定的性质——比如说位置和速度。贝尔证明，在不确定原理之下，如果同时有3个或更多的物理量——当你测量其中的一个量时，将会影响其他物理量的测量，因此不可能同时测定这3种或更多种性质——则*存在*着一个能提出实在性问题的实验。这类例子中最简单的一个与所谓的*自旋*有关。

20世纪20年代开始，物理学家们已经知道了粒子的自旋——类似于橄榄球飞向目标的过程中会绕着自身旋转，粒子自旋就是这样的旋转运动。不过，量子粒子的自旋在一些重要方面不同于经典物理图像，对于我们而言主要是以下两点。首先，粒子——比如电子和质子——只能绕着特殊的轴以不变的速率顺时针或逆时针旋转；粒子的旋转轴能改变方向但旋转的速度不能减慢或加快。第二，量子不确定性也适用于自旋，正如你不能同时确定粒子的位置和速度，你也不能同时确定绕不同轴的自旋。举例来说，假如一个橄榄球绕着东北指向的轴旋转，那么它的自旋可以分解成绕向北和向东的轴的旋转——通过适当的测量办法，你可以确定下来在每个轴的方向上自旋的分速度。但是，如果你测量绕任意轴旋转的电子，你将无法得出自旋的分量，永远都不会。似乎测量本身会迫使电子将其在各个方向上的自旋运动集合起来，并且绕着你选定的轴顺时针或逆时针旋转。而且，由于你的测量影响了电子的自旋，你将无法确定它是怎样绕着水平轴，或是前后方向的轴，或是你测量之前的任何其他轴旋转的。量子力学自旋的这些性质很难完整被刻画出来，而这种困难无疑凸显了经典物理图像在揭示量子世界真实性质方面的局限性。不管怎样，量子理论的数学结构以及几十年来的许多实验，都使我们确信，量子自旋的这些特性是毋庸置疑的。

在这里介绍自旋的原因并不是为了深究粒子物理的复杂性。我们马上就会看到，粒子自旋的例子为抽取有关实在性问题奇妙而又出人意料的答案提供了很好的实验场。也就是说，虽然由于量子力学的不确定性，我们无法同时知晓绕多个轴自旋的情况，但是，一个粒子可以同时有绕每个轴旋转的确定分量吗？又或者不确定性原理是否告诉了我们其他一些东西呢？它是否要告诉我们，不同于实在性的经典概念，一个粒子就是不会并且不能同时拥有这些性质呢？它是否要告诉我们，一个粒子处于被囚禁在量子监狱里的状态，没有绕着任何轴的确定自旋，除非有人或有某种东西测量它，引起它的注意，从而使其获得——取决于量子理论的概率——以或这或那的特定自旋值（顺时针或逆时针）绕着选定的轴旋转？通过研究这个问题，这个本质上与我们前面所探讨的粒子的位置和速度一样的问题，我们可以利用自旋来探索量子实在性的本质（寻找大大超越自旋这一特殊例子的准确答案）。我们现在来具体看一下。

就像物理学家戴维·玻姆明确证明的那样，[11] 爱因斯坦、波多斯基和罗森的推理很容易推广到粒子绕任意选定的轴能否有确定的自旋这一问题上。下面具体看看。假设有两台探测器，它们能够测量入射电子的自旋，一台被安置在实验室的左边，另一台则在实验室的右边。假设有两个电子背对背从两个探测器中间的光源射出，而其自旋——而不是先前例子中的位置和速度——彼此关联。如何做到这些细节并不重要，重要的是能够这么做，事实上，很容易做到这点。我们可以如此设定其关联性，如果左右两个探测器要测量的是绕着指向相同方向的轴的自旋，它们将得到相同的结果：如果探测器要分别测量它们各自这边的电子绕垂直轴的自旋，那结果将是左边的探测器发现电子是顺时针旋转的，右边的探测器也将发现同样的结果；如果探测器测量的是绕垂直方向顺时针旋转60度的轴的自旋，左边的探测器测量到逆时针方向的自旋，而右边的探测器也将得到一样的结果。如此等等。又一次，在量子力学中，我们所能做的最好的事情就是预言探测器发现粒子顺时针或逆时针自旋的概率，但我们可以100%肯定，不论一个探测器发现什么结果，另一个探测器也将会发现同样的结果。[1]

玻姆对EPR论证的改进之处在于，无论从哪个角度看，现在的讨论都与讨论位置和速度的原始版本一样。粒子自旋的关联性允许我们通过测量绕某轴向右运动的粒子来间接测量绕该轴向左运动的粒子的自旋。由于测量是在实验室的右边完成的，所以无论如何都不可能影响向左运动的粒子。因此后者自始至终都有刚刚确定下来的自旋值；我们所做的只是测量它，尽管只是间接测量。而且，既然我们选择的是绕*任意*轴进行这一测量，那么相同的结论也应该适用于任意轴：即使我们一次只能确定绕一个轴的自旋，向左运动的电子绕每一

---

1. 为避免语言上的复杂性，我把电子的自旋描述为关联，虽然更为正式的表述方式应为反关联：不管一个探测器发现什么样的结果，另一个都将发现相反的结果。为了与正式表述相比较，可以这样想象，我把其中一个探测器上的顺时针和逆时针的标签互换了。

个轴都有确定的自旋。当然，左边和右边电子的角色可以颠倒，从而使得每个粒子都有绕任意轴的确定大小的自旋。[12]

眼下看来，以自旋为例同以位置或速度为例没有明显的区别，你可能会和泡利的想法一样，认为没有必要思考这类问题。如果实际上你不能测量绕不同轴的自旋，那么去思考粒子是否绕每一个轴都有确定的自旋——顺时针或逆时针——有什么意义呢？量子力学，以及更广义上的物理，仅仅担负着解释可观测世界之性质的责任。而玻姆、爱因斯坦、波多斯基和罗森中，没有一个人认为测量是可行的。相反，他们所认为的是，粒子具有不确定原理所禁戒的性质，即使我们永远不能明确地知道这些性质的具体数值，粒子还是具有这些性质。这些性质是所谓的*隐性性质*，或者按更为普遍的说法则是*隐变量*。

这就是约翰·贝尔改变了一切的地方。贝尔发现，实际上你还是不能确定粒子绕多个轴的自旋，可如果绕所有轴真的都有确定的自旋的话，那么就存在着可检验的、可观测的自旋效应。

实在性检验

为了理解贝尔思想的要旨，让我们再来看看穆德和史考莉，想象一下，他们每人又收到了另外一个盒子，其中也有钛盒，但是有个重要的新特点，每个小钛盒不是仅有一扇门，而是有三扇门：一扇在顶面，一扇在侧面，另一扇在前面。[13] 附带的信上说当盒子的任意一扇门打开时，每个盒子内的小球就会随机选择是发红光还是蓝光，如果某个盒子的不同的门（顶面，侧面，前面）打开，小球随机选择的颜色也有可能不同，但是一旦一扇门打开，小球发出了某种颜色的光，那就再也没有办法确定另一扇门打开时将会发出什么颜色的光了。（在物理学的应用中，这些特点正符合量子力学的不确定性：一旦你测量了其中一个物理量，你就无法测量其他物理量了。）最后，这封信告诉他们：这两套钛盒之间还存在着一种神秘的联系：虽然这些盒子的门被打开时，盒子内的小球随机选择发出哪种光，但如果穆德和史考莉碰巧都打开了相同号码的盒子的同一扇门时，他们将会看到发出相同颜色的光。如果穆德打开了1号盒子的顶面的门看到发蓝光，信上预言史考莉打开她的1号盒子顶面的门时也会发现放出蓝光；如果穆德打开2号盒子的侧门时发出红光，那么史考莉打开她的2号盒子的侧门时也会看到红光，依此类推。确实，当穆德和史考莉打开前几个盒子时——通过电话商量每次打开哪个盒子上的哪扇门——他们证实了信上的预言。

虽然穆德和史考莉面对的是比先前更为复杂的情况，但乍看之下还是会发现，史考莉先前的推理还是适用。

“穆德，”史考莉说，“这和前些天的盒子是一个道理。只不过又来一遍，没有什么神秘的。每个盒子里的小球只是被预先设定好了程序。你不觉得吗？”

“但是现在有三扇门啊，”穆德用警告的口吻说，“这样的话，盒子里的小球是无法知道我们将要选择打开哪一扇门的，对吗？”

“它不需要知道我们打开的是哪扇门，”史考莉解释道，“那也是程序的一部分。我们来看个例子。拿着下一个还没打开的37号盒子，我也一样。现在，想象一下，为了便于讨论，假设我的37号盒子内的小球按这样的程序发光，比方说，如果顶门打开就会发红光，侧门打开就会发蓝光，前门打开就会发红光。我们把这个程序称作红、蓝、红。显然，如果送给我们盒子的人把相同的程序写进了你的37号盒子，那么，如果我们打开相同的门的话，我们就会看到发相同颜色的光，这就解释了'神秘的联系性'。如果我们俩相同号码的盒子都是按相同的指令运作，那么一旦我们打开相同的门的话，就会看到相同颜色的光。这实际上没有什么神秘的！"

但是穆德并不相信这些小球是按程序运行，他相信信上所说的。他相信当他们的盒子的门被打开时，盒子里的小球会随机选择红光或蓝光，因此他毫不怀疑地相信，他和史考莉的盒子间确实存在一些神秘的远程联系。

谁是对的呢？因为随机选择颜色过程中或之前没有办法检查盒子里的小球（记着，任何干扰都会造成盒子里的小球立即随机选择发出红光或蓝光，从而无法弄清楚它是如何工作的），看起来似乎没有办法确证史考莉和穆德中到底谁才是对的。

但是，神奇的是，片刻思考之后，穆德意识到有个实验可以彻底解决这个问题。穆德的推理非常直接，但是需要有点我们在讲其他很多东西时很少使用的明晰的数学论证。毫无疑问，这里的细节还是值得学习的——并没有多少——如果觉得稍有麻烦，也不用担心，我们很快就会总结关键性结论。

穆德意识到，迄今为止，他和史考莉只知道他们打开给定号码的盒子的相同的门时会发生什么。电话一接通，他就兴奋地告诉史考莉，如果他们不打开相同的门，而是随机且各自独立地打开每个盒子上的任意一扇小门，他们可能会了解得更多一些。

“穆德，拜托。请让我享受自己的假期吧。那样做我们又能知道什么呢？”

“喂，史考莉，我们能确定你的解释是正确的还是错误的。”

“好，我听着呢。”

“很简单，”穆德继续道，“如果你是对的，按我的认识我们就应该发现：如果对于给定盒子，我们单独随机选择打开某一扇门，并记录下它们发光的颜色，那么所有的盒子都打开后，我们就应该发现，我们俩看到相同颜色的光的概率在50%以上。如果不是这样的话，我们看到相同颜色的光的概率不足50%的话，那你的说法就是错误的。”

“是吗，怎么回事？”史考莉有点儿感兴趣了。

“好，”穆德继续道，“举个例子来说。假设你是对的，每个小球按照程序运作。具体一点，假设在某个盒子里小球的程序是蓝、蓝、红。因为我们都是从三扇门中选择，所以我们会有9种打开盒子门的组合方式。比如，我选择打开盒子顶上的门，而你选择打开侧门；或者我打开前门，你选择打开顶面的门；等等。”

“是的，当然，”史考莉高兴地说，“如果我们把顶门称作1，侧门称作2，前门称作3，那么9种可能的组合就是（1，1），（1，2），（1，3），（2，1），（2，2），（2，3），（3，1），（3，2），（3，3）。”

“嗯，是这样的，”穆德继续道，“现在这是关键：在这9种可能性中，注意其中的5种组合——（1，1），（2，2），（3，3），（1，2），（2，1）——将会使我们看到盒子里的小球发出相同颜色的光。对于前3种门的组合来说，是我们碰巧选择了相同的门，就我们所知，那会导致看到相同颜色的光。其他两种门的组合——（1，2），（2，1）也会发出同样颜色的光，因为，如果门1或门2被打开的话，程序就会指定这些小球发相同颜色的光——蓝色。因为5大于9的一半，这就意味着在多半——大于50%——的概率下，我们开门时会看到盒子里的小球发出同样颜色的光。”

“但是，等等，”史考莉抗议道，“这只是一个特殊程序的例子：蓝、蓝、红。在我的解释中，不同号码的盒子可能有不同的程序。”

“事实上，那没有关系。这个结论适合于所有可能的程序。你看，我对蓝、蓝、红程序的推理只依赖于这样一个事实，即程序中有两种颜色是相同的，相同的结论也适合于其他程序：红、红、蓝，或者是红、蓝、红，等等。任何程序中都至少有两种相同颜色；唯一不同于其他程序的是三种颜色都相同的程序——红、红、红和蓝、蓝、蓝。对于按这两种程序运作的盒子来说，不管我们碰巧打开的是哪扇门，我们都会看到同样颜色的光，这样我们俩看到相同颜色光的概率就会增加。因此，如果你的解释是对的，盒子按照程序运行——即使所有编号的盒子的程序都不相同——我们看到相同颜色的光的概率就应该大于50%。”

这就是他的论证。困难的部分已经结束了。最后，的确有一种验证史考莉的说法是否正确，每个小球是否按照程序——程序决定了打开哪一扇门时发出哪一种颜色的光——运行的办法。如果对每个盒子，她和穆德都各自独立又随机地打开三扇门中的一扇，然后对比他们各自看到的颜色——按照号码一个盒子接一个盒子地对比下去——他们一定会发现看到相同颜色的光的概率在50%以上。

正如在下一部分将要讨论的那样，用物理学语言说，穆德的发现正是约翰·贝尔的发现。

用角度来数天使

我们可以直接将这个结果翻译成物理语言。想象一下，我们有两个探测器，一个在实验室的左边，另一个在实验室的右边，这两个探测器可以测量诸如电子之类的粒子的自旋，就像上上小节所讨论过的实验一样。你需要为探测器选择测量哪根轴（垂直的、水平的、前后的，或者它们之间的无数其他轴）的自旋；为简化起见，可以这么想，出于预算的考虑，我们的探测器只能选择3种轴。不论实验如何运行，你都会发现电子只能绕着你选择的轴顺时针旋转或逆时针旋转。

根据爱因斯坦、波多斯基和罗森的想法，每个入射电子带给探测器的信息构成一个程序：即使自旋这样的信息隐藏起来了，即使你不能测量到自旋，EPR还是认为电子会以确定的自旋——顺时针或逆时针——绕每个轴。因此，当电子进入探测器时，电子无疑会确定下来其绕着你所随机选定的轴的自旋究竟是顺时针还是逆时针。举例说明，绕着3个轴都顺时针旋转的电子所构成的程序就是：顺时针，顺时针，顺时针；绕前两个轴顺时针旋转，第3个轴逆时针旋转的电子带来的程序为 顺时针，顺时针，逆时针，如此等等。爱因斯坦、波多斯基和罗森解释向左运动的电子和向右运动的电子之间的关联性的说法非常简单，他们认为，这些电子具有相同的自旋，因而带着相同的程序进入了探测器。因此，如果左边和右边的探测器选择了相同的轴，那么两台自旋探测器上得到的结果将会一模一样。

要知道这些自旋探测器完全等价于穆德和史考莉遇到的问题，只需做简单的替换即可：我们选择的不是钛盒上的门，而是选择轴；看到的不是发红光或蓝光，而是记录顺时针还是逆时针自旋。因此，正如打开一对相同号码的钛盒上的同一扇门时会看到相同颜色的光，两台选择了相同轴的探测器也将会得到同样的自旋结果。正如打开钛盒上的某一扇门会使我们无法知道若打开的是另一扇门的话会发出什么颜色的光一样，根据量子不确定性，测量电子绕某轴的自旋会使我们无法知道若选择另一根轴的话电子的自旋会如何。

上述讨论意味着穆德在判断谁才正确时所用的分析方法也同样适用于这里。如果EPR是正确的，如果每个电子绕3个轴都有确定的自旋——如果每个电子都自带“程序”，可以明确地定出3种可能的自旋测量的结果应该为何——那么我们就能做出下列预言。仔细审查从多次实验——每次实验中，探测器都各自独立地随机选择轴——中收集来的各种数据，我们应该会发现，两个电子的自旋一致，都是顺时针或都是逆时针的概率大于50%。如果两个电子自旋一致的概率并没有大于50%，那么爱因斯坦、波多斯基和罗森的观点就是错误的。

这就是贝尔的发现。他的实验表明，即使你不能实际测出电子绕多个轴的自旋——即使你没法明确地“读出”电子进入探测器时的程序——那也并不意味着试图弄清楚电子在每个轴上是否都有确定的自旋这样的问题，等同于搞清楚针尖上可以站多少个天使。远远不是这样。贝尔发现，粒子是否可以在每根轴上都有确定的自旋这个问题有一个真正的、可通过实验验证的结果。利用不同角度的3根轴，贝尔找到了一种数清泡利的天使的办法。

不期而至

即使你略过了许多细节也没有关系，我们来总结一下。根据海森伯的不确定性原理，量子力学宣称这个世界的一些性质——比如粒子的位置和速度，或粒子绕不同轴的自旋——不能同时有确定的值。根据量子理论，粒子不可能同时具有确定的位置和确定的速度；粒子不可能沿多根轴都有确定的自旋（顺时针或逆时针）；粒子不能同时拥有在不确定性下处于对立面两端的确定属性。相反，粒子处于不稳定的量子状态中，总是处于各种不同状态按概率的叠加中；只有在被测量的时候才会从众多状态中挑出一种确定的结果。显然，这与经典物理学所勾画的客观实在性大相径庭。

出于对量子力学的怀疑，爱因斯坦及其合作者波多斯基以及罗森，试图将量子力学的这个方面当成反对量子理论本身的武器。EPR认为，即使量子力学不允许同时测定所有这些性质，粒子却可以有确定的位置和速度，粒子在所有轴的方向上也可以有确定的自旋；对于所有的性质，粒子都可以具有量子不确定性所禁戒的确定值。因此，EPR认为，量子力学并不能处理物理上的客观实在的所有元素——它不能处理一个粒子的位置和速度，它不能处理一个粒子在多个轴上的自旋——因此量子力学不是一种完善的理论。

相当长的一段时间内，关于EPR是否正确的问题看起来更像是一个宇宙哲学问题而不是物理学问题。但正如泡利所言，如果你在实践中不能测量量子不确定性所禁戒的性质，如果这些性质隐藏在物理实在背后，那么这同它们根本就不存在又有什么不同呢？但是，令人惊奇的是，约翰·贝尔发现了爱因斯坦、玻尔以及20世纪其他理论物理学巨匠没有发现的事情。贝尔发现，尽管我们无法通过测量获知某些事物是否真的存在，但如果它们存在的话，那就真的会带来一些不同之处——而这些不同之处可以用实验来验证。贝尔认为，如果EPR是正确的，那两个间隔很远的探测器在测量某些粒子性质（在我们所用的方法中，就是要测量绕各种随机选择的轴的自旋）时所得到的结果，彼此相符的概率将在50%以上。

贝尔在1964年就有过这种设想，但当时的技术还不足以完成这样的实验。到了20世纪70年代早期，技术上的障碍消除了。先后有很多人都做过这个实验，最早的有伯克利的斯图尔特·弗里德曼和约翰·克罗萨，紧接着有得克萨斯州农工大学的爱德华·福莱和兰德尔·汤普森，这个实验在20世纪80年代早期通过法国的艾伦·埃斯拜科特和他的同事们的工作得以完善，后来又涌现出了很多更为精练及令人印象深刻的版本。我们以埃斯拜科特的实验为例，两个探测器间隔13米之远，装有高能量态的钙原子的容器放在它们之间。根据已经非常成熟的物理学知识，当钙原子回到正常状态，即较低能量状态时，将会射出两个背对背的光子，其自旋具有完美的关联性，就像我们先前讨论过的电子之间的自旋关联一样。确实，在埃斯拜科特的实验中，只要这两个探测器的设置一样，两个发射出的光子的自旋就会表现出完美的关联。如果我们还用发光来说明埃斯拜科特的实验，发红光对应顺时针的自旋，发蓝光对应逆时针的自旋，那么入射光子将会使探测器发出相同颜色的光。

但是，这正是关键之处，当埃斯拜科特查看多次运行之后所得出的大量实验数据时——左右探测器的设置并不总是一样的，而是随机且各自独立设置的——他发现两个探测器彼此符合的概率并没大于50%。

这个结果令人异常震惊，这就是那种令人惊讶到不能呼吸的结果。但为防止没说清楚，让我再来进一步解释一下。埃斯拜科特的实验结果表明，爱因斯坦、波多斯基和罗森等人的想法被实验——不是被理论，不是被思考，而是被自然——证明为错误的。而这就意味着，虽然EPR通过论证得出这样的结论：一个粒子可以具有哪些为不确定性原理所禁戒而不能有确定值的物理性质——像绕多个不同轴的自旋——的确定值。但是，在他们的论证过程中存在错误。

但是他们哪儿错了呢？这个嘛，别忘了爱因斯坦、波多斯基和罗森的论证中有一个核心假设：如果你想在某个给定时刻测量某一物体的性质，那么你可以测量空间上距离该物体很远的另一物体的性质，而前一物体总是具有这种性质。他们的这个假设非常简单且合乎道理。你的测量在*此地*进行，而前一物体在*彼处*。这两个物体在空间上相距很远，因此你的测量不可能对前一物体有任何影响。更准确地说，既然没有物体比光的速度更快，那么，即便你对某一物体的测量不知何故影响了另一个物体——比如说使另一个物体也做同样的绕选定轴的自旋运动——在这种影响发生之前也会有一个时间上的延迟，这个延迟时间至少得长到光可以穿越这两个物体之间的间隔。但无论是在我们的抽象论证还是在实际验证中，这两个粒子都是同时被探测器探测到。因此，我们通过测量第二个粒子所得到的关于第一个粒子的性质，一定就是第一个粒子实际具有的性质，这一点与我们如何进行测量毫无关系。简而言之，爱因斯坦、波多斯基和罗森的观点的核心是*彼地的物体不会在乎你对此地物体所做的事情*。

但正如我们刚刚看到的那样，这样的论证会带来如下的预言：两台探测器在多数情况下都会发现同样的结果，可这样的预言又被实验结果否定了。这样一来，我们就被迫得出如下结论，即，不管爱因斯坦、波多斯基和罗森所做的假设看起来多么合理，都不可能是量子宇宙的运行原理。因此，在经过这种间接却经得起推敲的思考之后，实验使我们得出这样的结论：*彼地的物体确实在意你对此地物体所做的事情*。

根据量子力学，粒子在被测量时会随机获得这种或那种性质，而这种随机性，我们现在知道，可以超越空间联系起来。恰当制备好的成对粒子——所谓的纠缠粒子对——不会各自独立地获得它们的测量性质。它们就像一对魔法色子，一个在大西洋，另一个在拉斯维加斯，每一个色子上的数字都随机出现，但这两个色子却不知为何总能保持一致。纠缠粒子对就是这样，只不过它们依靠的不是魔法。纠缠粒子对，即使空间上相隔很远，也不会自主运行。

爱因斯坦、波多斯基和罗森努力证明量子力学并不是有关宇宙的完备理论。半个世纪过去了，由他们的工作所引发的理论思考和实验结果却要求我们转回到他们全部论证的开端，我们最终发现他们的论证中最基本的、合乎直觉的、最有道理的那部分竟是错的：宇宙并不具有定域性。即使没有物体在这两个地点之间传播，即使没有足够的时间让物体在两个地点之间往来，你在一个地方做的事情还是会和另一个地方发生的事情有所关联。爱因斯坦、波多斯基和罗森那直观看来令人放心的想法——之所以有长程关联存在，只不过是因为粒子有确定的、先前就已存在的关联性质——被实验数据排除掉了。这就是为什么这一切如此令人吃惊。[14]

1997年，日内瓦大学的尼古拉斯·吉辛和他的研究组做了另一个版本的埃斯拜科特实验，两个探测器被置于间隔11千米远的两个地方，结果并未改变。相对于光子波长的微小尺度，11千米简直大到难以想象。对于光子而言，那简直是11000000千米，或是1100000000光年。我们有理由相信，不管探测器相距多远，光子之间的关联性总会存在。

这听起来非常奇怪。但现如今，所谓的量子纠缠早有了确凿的证据。如果两个光子处于纠缠状态，那么成功地测量其中一个光子绕轴的自旋将会“强迫”另一个远方的光子以同样的大小绕相同的轴自旋；测量一个光子会“迫使”另一个远方的光子挣脱概率的迷雾获得确定的自旋值——该值会与远方的光子自旋精确匹配。这真的让人困惑不已。[1]

纠缠与狭义相对论：标准观点

我之所以会在文章中使用“强迫”和“迫使”这两个词，一方面是因为这两个词传递出了我们那经典物理式的直觉所需要的情绪，另一方面更是因为其在这里的精确意思对我们是否能很好地接受更为猛烈的观念转变至关重要。这些词在日常生活中的定义使我们在脑海中勾勒出一幅有关意志的因果关系图：我们在此地做一些事情会*造成或迫使*彼地发生一件特殊的事情。如果这就是有关两个光子之间如何纠缠的正确描述，*狭义相对论就危险了*。实验表明，从实验者的角度看，一个光子的自旋被测定的一刹那，另一个光子就会立即获得相同的自旋性质。如果有什么东西从左边的光子飞到右边的光子，告诉右边的光子左边光子的自旋已经被测定，那么它必须得在两个物体之间瞬间移动，而这就会与狭义相对论的速度极限相矛盾。

物理学家们大都认为，此类与狭义相对论有明显冲突的说法是错

---

1. 许多研究者，包括我在内，都相信贝尔的论证和埃斯拜科特的实验令人信服地解释了空间上相隔很远的粒子之间的可观测的关联性不能由史考莉式的论证说明（在他们的论证中，粒子的关联性源于粒子以前在一起时就具有的明确的、彼此关联的性质）。有一些人则试图避免或削弱由此而带来的、令人吃惊的非定域性结论。我并不赞成他们的怀疑，但我还是在本书最后注释部分列出了适宜于普通读者阅读的有关这些想法的读物。[15]

误的。直观上的原因是，即使两个光子间隔很远，它们的共同起源也会在它们之间建立一种基本联系。虽然它们彼此相背而行，在空间中分离，但它们的历史使它们纠缠在一起；即使相隔很远，它们仍然是整个物理系统中的一部分。这样的话，对一个光子的测量确实不会强迫或迫使另一个遥远的光子具有相同的特性。更确切地说，由于这两个光子关系密切，我们因此可以合理地认为它们——即使空间上相隔——是整个物理实体的一部分。于是我们就可以说，对一个独立整体的测量——该整体包括两个光子——会影响整体；也就是说，它会同时影响两个光子。

虽然这种说法可以使两个光子之间的联系更便于理解，但表述上却不清不楚——把两个空间中相隔很远的物体看作一个整体究竟是什么意思？更准确的说法应该像下面这样。狭义相对论认为没有物体能比光传播得更快，"物体"指熟悉的物质和能量。但现在的情况非常微妙，因为似乎并没有物质和能量在两个光子之间飞行，因此也就没有必要测量速度了。不过，有一种方式可以让我们知道这是否与狭义相对论相冲突。物质和能量的一个特点是，从一个地方传播到另一个地方时会传递信息。光子从广播站传播到你的收音机是为了传递信息。电子从因特网电缆中传播到你的电脑是为了传递信息。因此，在任何情况下如果有某物体——即使是未命名的物体——声称比光传播得还快，最好的检验方法就是看它是否传递或至少能传递信息。如果答案是"不"的话，标准的论证就可以继续，没有物体的速度可以超越光速，狭义相对论仍然未被挑战。实际上，物理学家们经常用这个方法来检验某些微妙的过程是否违背了狭义相对论原理（还没有哪个过程能通过这个验证）。这里我们也来使用一下这个方法。

有没有这样一种方法，通过测量沿某轴向左和向右运动的电子的自旋，我们就可以在两个光子之间传递信息？答案是否定的。为什么呢？这个嘛，左边或右边探测器所得到的数据只不过是由顺时针或逆时针结果组成的随机序列，因为在任何一次实验运行中，粒子选择不同自旋的概率都是一样的。我们没有办法控制或预言某次测量的结果。因此，在这两个粒子随机选择的结果中，没有任何信息，没有隐藏的密码，什么都没有。唯一有趣的事就是这两列结果完全一样，不过，只有把它们放在一起，用传统的比光还慢（传真、电子邮件、电话，等等）的方法做比较时，我们才能看出这一点。因而，根据标准的观点我们可以得出这样的结论：虽然对一个光子自旋的测量貌似会立即影响另一个光子，但它们之间并没有信息传递，狭义相对论的速度极限仍然有效。物理学家们的确说了自旋具有关联性——因为探测器上所得到的两列结果是一样的——但这并不代表传统意义上的因果关系，因为在这两个相距很远的光子之间没有物体传播。

纠缠和狭义相对论：反方观点

真是这样吗？量子力学的非定域性和狭义相对论之间潜在的冲突完全解决了吗？或许吧。在上述思考的基础上，绝大多数物理学家认为狭义相对论和埃斯拜科特关于纠缠粒子对的实验可以和谐共存。简而言之，狭义相对论好不容易才过了这一关。许多物理学家觉得欢欣鼓舞，但有些人挑剔地认为还隐藏有更多的科学本质未被发掘出来。

在内心深处我总是持共存的观点，但并不否定这个问题非常棘手。到了最后，不管有人多么强调整体性，不管有人多么强调缺乏信息，两个相距很远的粒子，都是由量子力学的随机性主宰的，却总是能够保持“联系”，无论其中一个做什么，另一个都会立刻跟着做。所有的这些似乎都在暗示我们，有某种比光还快的物质操纵着它们。

那么我们应该持什么样的观点呢？这个问题没有严格的、被广为接受的答案。一些物理学家和哲学家们认为，要想有所进展，就得认识到迄今为止的讨论焦点有所偏差：他们正确地指出了狭义相对论的真正核心，并不在于光设定了一个速度极限，而是在于所有的观测者，不管是否处于运动状态，对于光速的认识完全一致。[16] 概括地讲，这些研究者们强调，狭义相对论的核心在于，没有哪个观测者处于超越其他观测者的优势地位。因此，他们提出（许多人也同意），如果平等对待所有匀速观测者与纠缠粒子对的实验结果不相矛盾，那么人们对于狭义相对论的疑虑将得到解决。[17] 但要达到这个目标并不是一项容易的工作。为了了解得更为具体，我们先来看看过时的量子力学课本怎样解释埃斯拜科特的实验。

根据标准的量子力学，当我们测量某个粒子，并发现它在这里时，会造成其概率波的改变：潜在的可能结果减为实际测量中看到的那一种，如图4.7所示。物理学家们认为测量会造成概率波坍缩，而且，初始概率波在某个位置处越大，概率波坍缩到该处的概率就越大——就是说，粒子出现在该点的概率就越大。在标准方法中，坍缩过程在整个宇宙中瞬间发生：一旦你在这里发现了粒子，在别处找到它的概率就立即减为零，这就是概率波瞬间坍缩的反应。

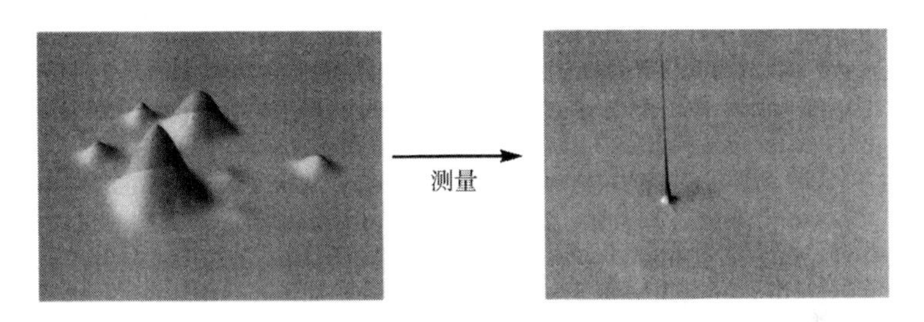

图4.7　当一个粒子在某个位置被观测到时，在其他位置发现它的概率将衰减为零，而在该位置观测到它的概率将变为100%

在埃斯拜科特的实验中，如果测到了向左运动的光子的自旋，比如说发现它绕某根轴顺时针自旋，那么它在整个空间内的概率波就会坍缩，而逆时针旋转的概率则会瞬间归零。既然坍缩无处不在，它也就有可能出现在向右运动的光子所在的位置。而且，向右运动的光子概率波的逆时针旋转部分也会受到影响，同样坍缩为零。因此，不论向右运动的光子距离向左运动的光子有多远，它的概率波都会瞬间受到向左运动的光子概率波变化的影响，进而保证它和向左运动的光子一样绕某特定的轴做自旋。于是，在标准的量子力学中，造成比光速还快的影响的就是概率波的这种瞬间改变。

量子力学的数学使得定性讨论精确起来。而且，实际上，来自于概率波坍缩的长程影响改变了埃斯拜科特实验中左右两个探测器（它们的轴是随机独立选择的）出现相同结果的概率的预言。借助于数学计算才能得到精确的答案（如果感兴趣的话请参考注释部分[18]），数学计算的结果预言，探测器刚好有50%的一致率（而不是以前预言的大于50%的一致率——这个结果，我们已经看到，正是利用EPR的定域宇宙假设才得到的）。难以相信的精确，这正是埃斯拜科特在他的实验中所得出的结果，50%的一致率。标准量子力学竟与实验数据如此的匹配！

这一成就引人注目。不过，还有一个问题。70多年过去了，无人能理解概率波的坍缩是如何发生的，甚至根本无人知道概率波的坍缩能否真正发生。这些年来，概率波坍缩假说把量子理论预言的概率同实验中得到的确定结果有力地联系起来了。但是，概率波坍缩假说本身就是个谜。首先，坍缩并不能由量子理论的数学推出，它是人为放进理论中的，而且也没有妥当的实验方法来验证。其次，我们在纽约的探测器中发现一个电子，结果造成了该电子在仙女座星系中的概率波瞬间归零，这怎么可能呢？当然，一旦你在纽约发现了某粒子，你就不可能再在仙女座星系找到它了。但是，究竟是什么不为人知的机制促使这样的奇迹成真呢？或者，更加形象地说，概率波在仙女座星系的部分，以及在其他任何地方的部分，究竟是怎样“知道”要同时衰减为零的呢？[19]

我们将在第7章中讨论这种量子力学的测量问题（我们将会看到，人们提出了其他一些避免概率波坍缩的观点），但在这儿，只要注意到下面的事情就足够了。正如我们在第3章中所讨论过的那样，从某个角度来看是同时发生的事情，从另一个运动着的视角来看就不是同时发生的了（想象一下傻猫和坏鼠在开动的火车上设置钟的例子）。因此，从某观测者的角度来看，概率波在整个空间同时坍缩，但从另一个运动着的观测者的角度看则不是同时发生的。事实上，由于观测者的运动，一部分观测者告诉我们左边的光子先被测量到，而其他观测者则告诉我们右边的光子先被测量到，他们全都值得信赖。因此，即使概率波坍缩的假说是正确的，我们也没有一个客观的标准用以断定到底是哪一边——左边或右边的光子——的测量影响另一边。因而，概率波的坍缩似乎挑出了一个特别的观测点，即能使波函数的坍缩在整个空间中同时发生的点，能使左边和右边的测量同时进行的点。但选取一个特殊的视角就与狭义相对论核心的平等主义相矛盾。人们已经提出一些方案来规避这一问题，但是，到底哪一种，或哪些观点才是正确的论战仍在继续。[20]

因而，虽然大多数人认为量子力学、纠缠粒子态和狭义相对论可以和谐共存，但也有一些物理学家和哲学家认为它们之间的确切关系仍是一个悬而未决的问题。有可能，在我看来甚至是极有可能，多数派的观点更有可能以某种确定的方式获得最终的胜利。但历史告诉我们，奥妙而基础的问题有时会播下未来解决的种子。关于这点，只有让时间来验证了。

我们将用什么来解释这一切

贝尔的推理和埃斯拜科特的实验表明，爱因斯坦脑中的那种宇宙只存在于思想中，而不是现实中。在爱因斯坦预言的宇宙中，你在彼地所做的事情只会立即影响彼地的事物。物理，在他看来，是纯定域性的。但我们看到，从实验中得到的数据排除了这种想法，进而排除了这种宇宙。

在爱因斯坦预言的宇宙中，物体所有可能的物理性质都具有确定的值。物理性质并非空中楼阁，需要实验家们的测量才能变得实在。大多数物理学家可能会说爱因斯坦在这一点上也是错误的。在大多数人看来，粒子的性质只有在测量的驱使下才会实在起来——我们将会在第7章中进一步探究这一思想。当粒子未被观测或与环境没有相互作用时，粒子特性将会处于一种模糊、混乱的状态，该状态只能用这样或那样的可能成真的概率来描述。持该观点的最极端的那些人甚至声称，当没有人或没有物体“看”月球或与月球以某种方式相互作用时，它根本就不在那儿。

关于这个问题，现在仍有很多争议。爱因斯坦、波多斯基和罗森认为，关于测量竟能够发现空间上相隔的粒子具有相同性质的唯一合理解释是，粒子一直就具有那些确定的性质（并且，由于它们共同的过去，它们的性质彼此关联）。几十年过去了，贝尔的分析和埃斯拜科特的实验数据表明，这种建立在粒子总是有确定性质的基础上的直观上令人满意的说法，无法解释实验上观测到的非定域性关联。但无法解释非定域性的神秘性，并不意味着粒子总有确定的性质的说法本身是错误的。实验数据虽然排除了定域性宇宙，但并未排除粒子具有这样的隐性质。

事实上，在20世纪50年代，玻姆创立了个人版本的量子力学，其中包含了非定域性和隐变量。按玻姆的理论，即便我们不能同时测量，粒子也总是有确定的位置和速度。玻姆的理论所做出的预言与传统量子力学的预言完全一致，但他的理论引进了一种更为明显的非定域性元素——作用于某一位置的粒子的力瞬时依赖于遥远的另一位置处的物理条件。从某种意义上来讲，玻姆版本的量子力学告诉我们的是，向着爱因斯坦恢复被量子革命所摒弃但直观上合理的某些经典物理性质——粒子有确定的性质——这一目标可以前进多远，但它也同时告诉我们，这样做的代价是接受更为夸张的非定域性。付出了这样沉重的代价，恐怕爱因斯坦很难找到一点安慰了。

我们从爱因斯坦、波多斯基、罗森、玻姆、贝尔和埃斯拜科特，以及在该研究方向上曾起过重要作用的其他许多人的工作中所学到的最令人惊讶的一课，就是需要摒弃定域性。由于它们的过去，现在遍布于宇宙不同区域的物体可能是量子力学纠缠整体的一部分。即便空间上相隔很远，这些物体仍然以随机而协调的方式演化。

我们曾经认为空间的基本性质在于分离、区分物体，但我们现在看到，量子力学强烈地挑战了这个观点。*两个物体可以在空间上相隔很远，却并不是完全独立存在*。量子关联可以把它们统一为一个整体，使其中一个的性质取决于另一个的性质。空间并不能阻碍它们之间的相互联系。空间，即使是巨大的空间，也不能削弱它们之间量子力学导致的相互依赖性。

有些人把这解释为“每件事物总是与其他事物相关联”或“量子力学使我们生活在一个整体中”。毕竟，继续思考的话，所有物体在宇宙大爆炸时都来源于一个地方，我们相信，所有我们现在认为不同的位置都可追溯到一个起源。因此，像源于同一钙原子的两个光子一样，每个物体从起源上都源于一个物体，每个事物从量子力学上看都与其他物体纠缠在一起。

虽然我偏爱这种观点，但这样富于感情色彩的说法不严密而且有些言过其实。源于钙原子的两个光子之间的量子关联确实存在，但异常精巧。埃斯拜科特和其他人做他们的实验时，很关键的一点就是光子必须从发射源毫无阻碍地到达探测器。要是光子在到达探测器前与乱溅的粒子碰撞或与仪器的各部分相撞，则光子之间的量子关联将变得难以确定。那样一来，我们需要做的就不仅是找到两个光子性质之间的关联性，而且还要找到光子和它可能碰撞的其他物体之间的复杂关联模式。随着这些粒子又与其他粒子碰撞并且发生纠缠，量子纠缠扩散出去，通过与环境的相互作用而遍布于整个空间，从而变得不可测量。由于这样的原因，光子之间的原始纠缠被擦去了。

然而，令人惊奇的是这些关联确实存在，在恰当调控的实验室条件下，人们可以在很远的距离直接观测到这种关联性。这就告诉我们，从根本上来说，空间并不像我们所认为的那样。

那么时间又是怎样的呢？

2

时间与经验

第 5 章 冰封之河

时间是流动的吗

在人们所接触过的各种概念中，时间是人们最熟悉但最难以理解的一个。我们常说时光飞逝，我们也说时间就是金钱，我们总是试图节约时间，虚度光阴便感伤不已。但是，时间究竟是什么呢？按圣奥古斯丁和波特·斯图尔特大法官[1]的说法，我们看一眼就知道时间是怎么回事。但是，在这新千年破晓之际，我们对时间的理解势必要深刻一些。事实上在某些方面，我们的确理解得深刻了一些，但在另一些方面，却不是这样。经过几个世纪的困惑和思考，我们已经洞悉了时间的一些神秘之处，但留给我们的还有许多未解之谜。时间到底来自何方？一个没有时间的宇宙意味着什么呢？时间能像空间那样不只有一个维度吗？我们能够到过去“旅行”吗？如果能的话，我们可以改变某些事情的结局吗？时间有没有绝对意义上最小的量呢？时间是宇宙组成中真正的基本要素呢，还是单单为了协调人类感知而生的一种有用但无法在写有宇宙的最基本原理的字典中找到的概念呢？时间是不是由某些尚未发现的更基本的概念派生出来的呢？

---

1. 圣奥古斯丁（Saint Augustinus，354 — 430），古罗马基督教主要作家之一，他认为时间是主观的，“存在于我们心中”。他对时间的哲学研究可参见其著作《忏悔录》。美国已故大法官波特·斯图尔特（Potter Stewart）曾这样描述色情业：“我无法给它下定义，但是我看一眼就知道是怎么回事（I know it when I see it）。”本书作者在这里只是借用一下这句名言。—— 译者注

完备且令人信服地回答这些问题可算是当代科学家最雄心勃勃的目标。但科学家们要回答的并不仅仅是这些大问题，有些最棘手的宇宙学难题甚至来自于日常生活中的时间体验。

时间与体验

狭义相对论与广义相对论粉碎了时间的普适性和唯一性。根据相对论，我们每个人都拥有旧的牛顿体系中的普适时间的一块碎片。它成为我们个人的时钟，无情地把我们从一个时刻推到下一个时刻。相对论令我们震惊，因为当我们每个人的时钟滴滴答答地均匀地前进时，我们大家对时间的直觉感受没问题，但把我们的时钟与其他人的时钟相比时却会发现不同之处。你的时间没必要与我的时间一样。

我们可以把这种思想看作一种给定条件。但对我而言，时间的真正本质*究竟是*什么呢？如果一开始就不与其他人的时间体验做比较，那么个人体验和构想的时间的全部特点是什么呢？这些体验有没有准确地反映时间之本性呢？关于实在性的本质，它们又会告诉我们什么呢？

我们的经验告诉我们，显而易见，过去不同于未来。未来代表了许多可能性，而过去则只有一种可能，就是实际发生的情形。我们有能力在一定程度上去影响、去塑造未来，而过去是不可改变的。在*过去*和*未来*之间的是*现在*的概念——每时每刻都在变化的短暂瞬间，就像电影中的画面，当放映机的强光扫过画面时就成为瞬间的现在。时间看起来以一种无休止的、完美又均匀的节奏不断前进，一次次地抵达每个一闪即逝的*现在*。

我们的体验也告诉我们时间具有很明显的方向性。比如我们没有必要为牛奶洒出而大惊小怪，因为它一旦溢出来就不可能再回去了：我们从未见过洒出的牛奶自己汇聚起来，从地板上一跃而起，然后汇集到厨房柜台直立的玻璃杯里。我们的世界就像一支单向的时间之箭，从未偏离固定的模式：事物开始于*此*而终止于*彼*，但不能反过来，开始于*彼*而终止于*此*。

因此，我们的经验告诉我们时间的两个特点。第一，*时间看起来是可以流动的*。这就像我们站在时间之河的岸旁，看着汹涌澎湃的急流奔腾而去，每一朵未来的浪花经过我们的那一刻就成为现在，当急流远去奔向下游时就是过去。如果你觉得这种理解太过被动的话，可以把这个比喻颠倒一下：时间之河载着我们毫不停歇地向前驶去，从现在到下一刻，经过的景色远远退去之时就成为过去，未来总在下游等待着我们（经验告诉我们，时间这个概念常常激发一些让人多愁善感的比喻）。*第二，时间是有方向的*。时间之流看起来朝向一个方向而且只能朝一个方向，这就意味着事情的发生只能有一种时间上的顺序。如果某人给你一盒关于牛奶溢出的胶卷，但胶卷被切割成了单独的几部分，通过查看这堆图像，你可以按正确的顺序重组这些图片，而完全不用胶片制作人给你任何指示或帮助。时间看起来有内在的方向性，从我们所谓的过去指向未来，事物总在变化 —— 牛奶洒出，鸡蛋破碎，蜡烛燃烧，人会变老 —— 普遍来说总是按照这个方向。

时间的这些最易于为人所感受的特点最使人困惑。时间真的会流动吗？如果答案是肯定的话，那么什么才是实际意义上的流动呢？时间这家伙流动得究竟有多快呢？时间真的有方向吗？举个例子来看，空间看起来就没有内在的方向——对于处在宇宙黑暗中的宇航员而言，左右、前后以及上下，都是一样的——那么时间的方向性是从何而来的呢？如果时间有方向的话，它是绝对的吗？或者说事情可以向时间之箭反向演化吗？

让我们先在经典物理学的背景下，来看看我们对这些问题的理解。在本章其他部分和下一章（我们将会分别讨论时间的流动性和时间之箭）中我们将忽略量子概率和量子的不确定性。不过我们的讨论所得可以直接推广到量子领域，而在第7章中，我们就将从量子的角度来看看这个问题。

时间会流动吗

从有意识的人的角度来看，答案是显然的。当我打出这些字时，清晰地感觉到了时间在流动。每一次按键，都意味着现在将让位于下一刻的到来。当你读这些字，当眼睛从一个字扫到下一个字时，你也一定感觉到了时间的流动。但是，虽然物理学家们努力尝试过，可没有人在物理定律中找到任何令人信服的证据，支持时间可以流动这种直观感受。实际上，对爱因斯坦狭义相对论思想的一些再思考却为时间不会流动提供了证据。

为了便于理解，我们来回忆一下第3章中介绍过的时空的面包片描述。面包条的每一切片是某个观测者的现在；每一片都代表着他或她眼中某一时刻的空间。这些切片一片接一片地按照观测者的体验排列起来的整体，就是一片时空区域。如果我们将这种设想推向极端，将每一片都想象成可以描述观测者眼中某一时刻的全部空间，如果我们再将从古老的过去到遥远的未来间所有可能的切片都考虑进来，这块面包就将代表所有时间内的整个宇宙——整个时空。每一个事件，无论何时何地发生，都可以用面包中的某个点来代表。

如图5.1所示，但这种描述法可能会令你抓狂。站在该图“外面”，我们可以看到整个宇宙，每一时刻的整个空间，这种图在外人的角度是一种虚构的有利位置，没有人有过这种体验。我们都处在时空中。你或我曾经拥有的每一次体验都在某一时刻发生于空间的某个位置。因为图5.1描绘了整个时空，它包含了类似的所有体验——你的，我的，以及每个人和每一件事情。如果你能把镜头推近并密切关注地球上所发生的一切，你将会看到亚历山大大帝正在上亚里士多德的课，列奥纳多·达·芬奇在为蒙娜丽莎画上最后的一笔，乔治·华盛顿横渡特拉华河；[1] 你从左到右继续观看，就将看到你的祖母正在跟一个小女孩玩，你父亲在庆祝他的第10个生日以及你在学校的第一天；再往右边远一点的图像看去，你会看到自己正在看这本书，你的曾孙女出生了，再远一点，有她成为总统的就职典礼。图5.1的分辨率太过粗糙，实际上你不会看到这些，但你能看到太阳和地球的构造史（图解），从它们诞生于气体凝合到太阳变成了红巨星时的地球灭亡。所有发生的事情都可以看到。

---

1. 亚历山大大帝的老师是著名的亚里士多德。美国独立战争期间，1776年12月25日，华盛顿带领军队横渡特拉华河，这次针对黑森雇佣兵的突袭行动是特伦顿战役的第一步。——译者注

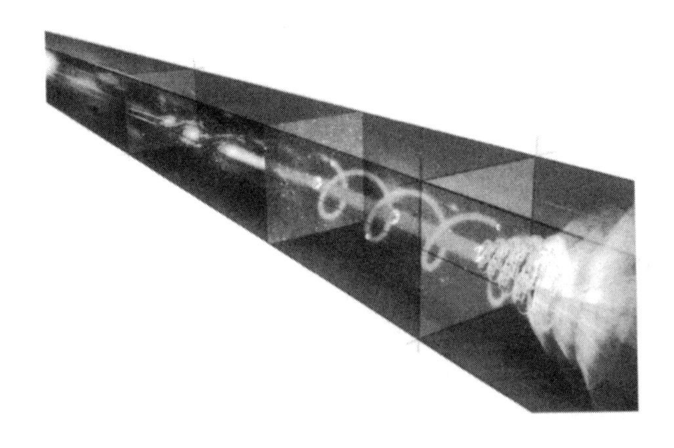

图5.1 所有时间中的全部空间的示意图（当然，图上画的只是一段时间中的部分空间）。图中画出了某些早期星系的形成、太阳和地球的形成，还画出了当太阳终于燃烧殆尽最终成为红巨星时地球的终极命运。我们的未来就在这张图中

毫无疑问，图5.1是想象出来的，它位于空间和时间之外，没有哪个地方，也没有哪个时刻能提供这样的视角。虽然如此——虽然我们实际上无法摆脱时空的限制，遍览宇宙的全貌——图5.1的描述还是为我们提供了一种分析和弄清楚空间和时间基本特性的有力方法。作为主要的例子，在这一框架下，时间流动性的直观感受可以用电影放映机比喻的变体生动地勾画出来。想象有一束光，一片接一片地的照亮时间片，使每一时间片短暂地亮一下——使时间片成为瞬间的*现在*——当光照射到下一个时间片时，作为现在的时间片即刻熄灭。现在，按照这种直观方式思考时间，光照亮了某一切片，而时间片中的你在地球上，正在读*这些*字；光又照亮了另一切片，而另一时间片中的你还在地球上，正在读*这些*字。但是，又一次，虽然这种图像看起来与日常经验相一致，科学家们却无法找到适合的物理原理来描述这样一种活动的光。他们仍未找到这样一种物理机制，当其朝着未来

不断演化时，能够使某一时刻瞬间变得真实——变成瞬间的现在。

正相反。尽管图5.1的视角是想象出来的，却有令人信服的证据表明，时空条——整个时空，而不是单个的时空片——是真实的。爱因斯坦的工作中尚未引起普遍重视的一点是，在狭义相对论中，所有的时刻都具有同等的地位。虽然现在的概念在我们的世界观中起着重要的作用，但相对性却要再一次颠覆我们的直觉，它声称我们的宇宙是一个平等的宇宙，每一时刻都是同样真实的。第3章中在狭义相对论的框架下讨论旋转的桶的问题时，我们就曾遇到过这个问题。在那里，通过类似于牛顿式的间接推理，我们得出结论，时空足可以作为加速运动的基准。在这里，我们从另一个角度再来考虑这个问题并进一步深入。我们认为图5.1中的时空条的每一部分与其他部分具有同等地位，这正表明，就像爱因斯坦所相信的那样，过去、现在和未来具有同样的实在性，我们所想象出来的时间之流——时空片一片接一片地变得光亮或黯淡——只是一种幻觉。

过去、现在和未来的持续幻象

为了便于理解爱因斯坦的观点，我们需要实在性的有效定义，如你愿意的话叫作算法也行，以便明确某一给定时刻都存在着哪些事情。现在给出一种通用的办法。当我考虑实在性——在这一时刻存在哪些东西——时，我在头脑中立刻勾画出了一幅快照：此时此刻整个宇宙的静止图像。当我打下这些字时，我对此时此刻存在什么的感觉，对实在性的感觉，可以列很长一张目录——午夜时分厨房时钟的滴答声；我家的猫在地板和窗沿之间攀爬；照亮都柏林清晨的第一缕阳光；东京股票交易所的喧闹声；太阳中两个特殊氢原子的融合；猎户座星云所发射出的光子；垂死的恒星衰变为黑洞的最后一刻——这些就是此刻我头脑中所出现的静止图像。这些就是此时此刻正在发生的事情，因此，它们就是我所宣称的存在于此刻的事物。查理曼大帝现在还在吗？不。尼禄现在还在吗？不。林肯现在还在吗？不。埃尔维斯[1]现在还在吗？不。他们当中没有一个出现在我现在的目录中。现在有人在2300年或3500年或57000年出生吗？不。他们中没有一个出现在我头脑中的静止画面里，没有一个在我现在的时间片中，因此，也没有任何一个在我目前的现在列表中。因此，我毫不犹豫地说，他们现在不存在。我就是这样定义任一给定时刻的实在性，这是我们当中大多数人思考存在性时，虽然常常是不知不觉中，但常用的一种直观的方法。

在下面的讨论中，我将会用到这样的概念，但仍然要警醒棘手的一点。一张关于现在的目录——用这种方法来思考实在性——是一件很有意思的东西。你此刻所看见的一切事物都不会出现在你的现在的目录里，因为光需要花一段时间才能到达你的眼睛。任何你看到的事情都是已经发生过的了。你现在读到的该页中的文字这事并不是现在发生的；实际上，如果书离你有1英尺（1英尺≈0.3048米）远，你所看到的字是它们十亿分之一秒之前的样子。如果你在房间中四处看看，你所看到的一切都是它们十亿分之一秒或二十亿分之一秒之前的样子；如果你的目光贯穿整个大峡谷[2]，你所看到的是它万分之一秒之

1. 埃尔维斯·普莱斯利（Elvis Presley，1935—1977），猫王，是20世纪美国最有影响的歌手之一。——译者注
2. 大峡谷（Grand Canyon），美国亚利桑那州西北部高原由科罗拉多河切成的巨大峡谷，最宽的地方有29千米。光速30万千米/秒，所以差不多需万分之一秒才能穿过大峡谷。——译者注

前的样子；当你看月亮时，你看到的是它一秒半之前的情形；当你看太阳时，你看到的是它8分钟之前的情形；对于裸眼可见的恒星，你看到的是几十年乃至1万年之前的情形。令人惊奇的是，虽然头脑中的静止图像描述了我们对于实在性的感觉，我们对“那儿有什么”的直观感觉，但它所包括的却是我们此刻不能去体验，或者影响，甚至不能现在就记录的事件。事实上，一张现在的目录只能事后编辑。如果你知道某物距离你有多远，你就能决定*现在*所看到的光是何时发出的，因而你就能决定它到底属于哪个时间片——上面应当记录着已经过去的时刻的现在目录。不过，这点正是关键，当我们用这些信息去编辑任意给定时刻的现在目录时，我们得根据从更远的源头收集到的光信号不断更新这张目录，上面记录的事情正是我们直觉上相信发生于那一刻的事情。

奇怪的是，这种直截了当的思考方式将会出人意料地扩展实在性的概念。你想，根据牛顿的绝对空间和绝对时间概念，在任一个给定时刻，每个人头脑中的宇宙静态画面都应该包含相同的东西；每个人的*现在*都是同样的*现在*，因此所有人在某一时刻的现在目录都是一样的。如果某人或某物在你的某一时刻的现在目录上，那它必然也在我的同一时刻的现在目录上。大多数人的直觉仍然是这种思维方式，但是相对论却告诉我们不应当如此。再看一下图3.4。处于相对运动中的两个观测者都有*现在*——从每一个人的角度来看，都只是某个时间点——但两者的现在却是不同的：两者在时空中按不同的角度切割他们各自的*现在*时间片。不同的现在意味着不同的现在目录。*相对于彼此运动的观测者对于某一时刻存在什么有不同的概念，因而他们对于实在性有不同的概念。*

在日常生活的速度水平下，两个观测者的现在时间片之间的角度差异是十分微小的，而这就是为什么我们在日常生活中感受不到我们所定义的*现在*和别人所定义的*现在*有什么区别。由于这个原因，大多数狭义相对论的探讨都集中在如果我们以非常大的速度——接近于光速的速度——运动时将会发生什么上，因为这样的运动将会显著地放大相对论的效应。不过，将两个观测者对*现在*的定义之间的差别放大，还有另外一种方法，在我看来，这种方法会对解决关于实在性的问题有独到的启迪。这种方法建立在下列的简单事实上：假如你我以略微不同的角度切开一块普通的面包，则剩下的面包片将不会受到多大影响。但如果面包非常*巨大*，结果就全然不同了。就像一把巨大的剪刀，只要稍稍张开一点，它所展现的刀锋的角度就将极其巨大；要是面包条足够巨大的话，两个切片的角度只要差一点点，它们彼此之间的差别就将极其巨大。参见图5.2。

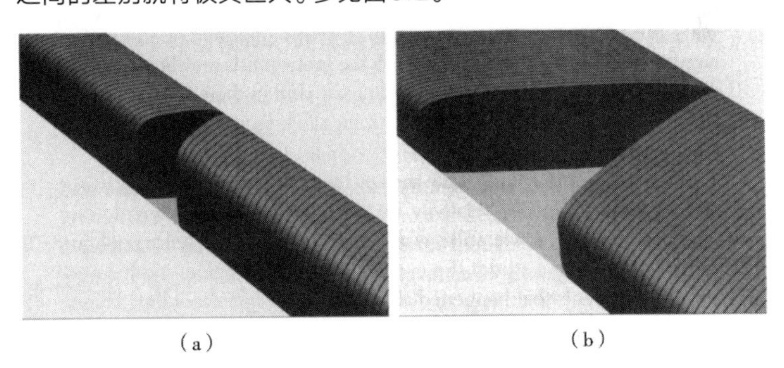

(a) (b)

图5.2 (a)以略微不同的角度切开一块普通的面包，切片之间将不会分离多少。
(b)对于大面包而言就不一样了，虽然还是以相同的角度切开，但面包越大，切片之间的偏离就越大

对于时空而言也是一样的。在日常速度下，对于处于相对运动状态的两个观测者而言，描述*现在*的时间片的方向之间只有一个微小的

角度。如果两个观测者距离很近，几乎不会产生什么影响。但是，就像长条面包一样，即便角度很小，可如果要探讨的是非常大的距离的话，切片之间也会产生巨大的差距。对于时空片而言，不同片之间的巨大偏离就意味着不同观测者对现在发生的事件的认识存在着巨大的差异。如图5.3和图5.4所示，这就意味着相对于彼此运动的个人，即使是以普通的日常速度运动，但只要空间上相隔很远，也会有不同的*现在*概念。

为了使讨论更加具体，想象一下丘巴卡[1]。他在一个非常非常遥远的行星上——距离地球大概有100亿光年——他正懒散地坐在他的卧室里。再进一步假设你（只是静静地坐着在读这本书）和丘巴卡相对于彼此静止（简单起见，忽略行星的运动、宇宙的膨胀、引力效应，等等）。由于你和丘巴卡相对于彼此静止，因此在时间和空间问题上，你们将达成一致：你们两人将以类似的方式切割时空条，也就是说你们的现在目录将会彼此吻合。过一小会儿，丘巴卡站起来去散步——非常放松地漫步——但朝着远离你的方向。丘巴卡运动状态的变化意味着他的*现在*概念、他的时空切片，都将发生轻微的旋转（参见图5.3）。这种角度上的微小变化在丘巴卡附近不会产生什么明显的效应：他新定义的*现在*概念，同在他的卧室里的其他人的*现在*概念之间的差异非常小。但是如果相距100亿光年的话，丘巴卡的*现在*概念上的这种微小变化将会被放大［如图5.3（a）和图5.3（b）所述，但是如果所要讨论的两个点距离很远，则这两个点现在的微小改变将被清楚地放大］。*虽然在丘巴卡静坐时，他的现在和你的现在是一样的，但由于丘巴卡的轻度运动，你们两人的现在变得完全不一样了。*

1. 丘巴卡，Chewbacca，昵称Chewie，电影《星球大战》中的人物。——译者注

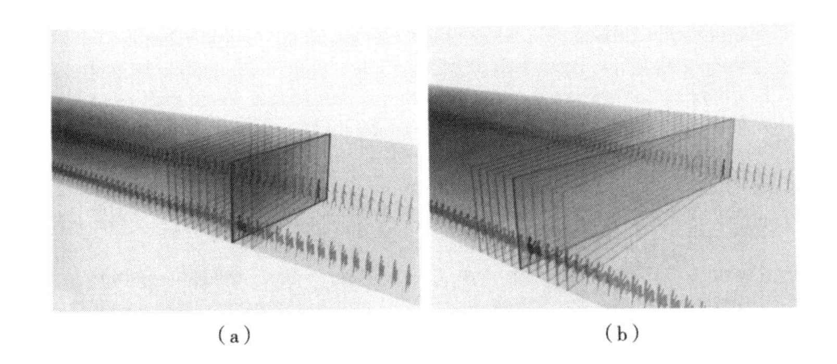

(a)　(b)

图5.3　(a) 两个相对于彼此静止的人对于现在有*相同的概念*，因此就会有相同的时间片。如果一个观察者远离他们的时间片——每个观察者眼中的*现在*，则时间片相对于彼此发生了旋转。如图所示，对于运动的观察者而言，变黑的*现在*的时间片旋转到静止的观察者的过去的时间片中。

(b) 观察者之间偏离得越远，时间片产生的偏离就越大——他们对于*现在*的概念的偏离就越大

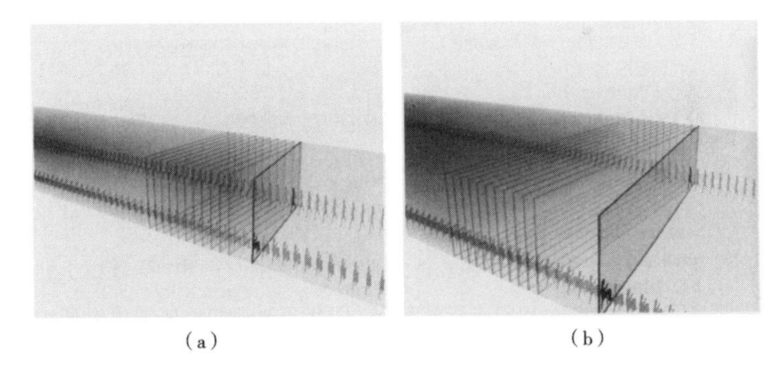

(a)　(b)

图5.4　(a) 和图5.3 (a) 的唯一区别在于，当一个观察者朝另一个观察者运动时，他或她的*现在*时间片会转到另一个观测者的未来，而非过去。

(b) 同图5.3 (a) 一样——在同样的相对速度下，更大的间隔意味着 *现在*概念上更大的分歧——只不过转动指向未来而不是过去

图5.3和图5.4用图示的方法阐释了关键思想，但运用狭义相对论的方程，我们可以计算出你们的*现在*差别到底有多大。[1] 如果丘巴卡以每小时16千米的速度远离你而去（是的，丘巴卡大步流星地

走着)，那么在他的新的现在目录里地球上所发生的事情，对你而言，其实是150年前发生的。依照他的*现在*概念——他的概念与你的概念同样有效，并且就在刚才你们俩对于现在的概念还完全一致——你还没有出生。如果他以相同的速度朝你走来，如图5.4所示的那样，角度变化的方向相反，那么他所谓的*现在*对你而言，将是未来150年后！这样看来，按照他所谓的*现在*，你不再是这个世界的一部分。假如，丘巴卡不是走，而是跳进了千年帝国之鹰飞船[1]以1600千米每小时的速度(比协和式超音速客机[2]的速度慢一点)飞行，如果他的方向是离你而去，那么他所谓的*现在*对你而言，将是15000年前地球上发生的事情，反之则是未来15000年后所发生的事情。如果方向、运动速度合适的话，猫王、尼禄、查理曼大帝、林肯或某个未来才出生的人，都有可能出现在他的现在目录上。

尽管令人惊讶，但不会产生任何矛盾，就像我们前面所解释的，某物距离你越远，接受它所发散出的光就需要越长的时间，从而决定它应该属于哪个现在目录也需要花更长的时间。举个例子来说，即便正在前往福特大剧院总统包厢的约翰·维尔克斯·布思[3]在丘巴卡新的现在目录上(此时丘巴卡正站起来，以15千米每小时的速度远离地球而去[2])，丘巴卡也无法采取任何行动来拯救总统林肯。这么遥远的距离，将需要许多时间来接收和交换信息，因此，实际上只有丘巴卡几十亿年后的后裔，才会接收到有关那一夜的华盛顿的光。问题在于，当他的后裔用这个信息来更新过去的现在目录时，他们将会发现

1. 动漫游戏《剑风传奇》中的名字。——译者注
2. 协和式超音速客机，Concord aircraft，英国和法国联合研制的一种超音速客机，这种飞机一共只建造了20架。它的最大飞行速度可达2.04马赫。——译者注
3. 1865年4月14日，约翰·维尔克斯·布思在福特大剧院刺杀了当时的美国总统林肯。——译者注

林肯的被暗杀与丘巴卡站起来远离地球而去都在相同的现在目录上。而且，他们也将发现在丘巴卡站起来前一瞬间，他的现在目录也包含了21世纪的你正坐在那儿读这段话。[3]

类似的，有一些关于未来的事情，比如谁将赢得2100年的美国总统大选，看起来是完全开放的：此次竞选的候选人很有可能还没有出生，更不用说决定竞选了。但是如果丘巴卡从椅子上站起来以10千米每小时的速度朝地球走来，他的现在目录——他对于现在存在什么，发生了什么的认识——将包括22世纪第一届总统的选举。对于我们而言还未决定的一些事情，在他看来却已经发生了。又一次，丘巴卡再过很多亿年才能知道选举结果，因为得花那么长时间，我们才能把信号传递给他。但是当丘巴卡的后裔收到选举结果用来更新丘巴卡的历史册页，更新他过去的现在目录时，他们发现选举结果居然和丘巴卡站起来开始走向地球的时刻记录在同一张现在目录上，丘巴卡的后裔注意到，比这张现在目录早了一点点的现在目录中，记录着你在21世纪的某一天看完这段文字的事件。

这个例子有两点非常重要。第一，虽然对于接近光速时相对论效应会变得非常明显这一事实，我们已经习以为常；但还需要知道，对于低速运动，如果空间上能够相距很远，那么相对论效应也会得以放大。第二，这个例子对下面的问题很有启发性，即时空（面包条）究竟是真的实体还是只是一种抽象的概念，一种空间的现在和它的历史以及所谓未来所组成的抽象整体。

你看，丘巴卡关于实在性的观点，他头脑中定格的画面，他对于

*现在*存在何物的概念与我们的实在性观念是一样真实的。因此，在评价实在性的构成时，如果我们不考虑他的观点，那就未免太狭隘了。对于牛顿而言，这样一种平等主义的做法并不会有多大的不同，因为，在一个有绝对空间和绝对时间的宇宙里，所有人的现在时间片都是一致的。但在相对论的宇宙里，也就是我们的宇宙里，这样的平等主义就会带来很大的不同。尽管我们熟悉的关于现在存在何物的概念只相当于单独的一片现在时间片——我们通常把过去看作已经逝去的，未来是还没有发生的——我们却不得不将丘巴卡的现在切片一起考虑来扩大我们的认识，就如上文中所讨论的，他的现在切片与我们的有很大的不同。此外，由于丘巴卡最初的位置和他移动的速度是任意的，我们必须得将与所有可能性有关的现在时间片都包括进来。这些现在时间片，正如我们上文中所讨论的，将以丘巴卡——或者其他或真实或假设的观测者——在空间中的初始位置为中心，根据给定速度的不同而旋转一定的角度。（唯一的限制是光速的限制，在尾注中将进一步解释，根据图示，光速的限制相当于旋转角度最大为45度，顺时针或逆时针均可。）正如你在图5.5中所看到的，所有的现在时间片充斥于整个时空条。事实上，如果空间是无限的——如果现在时间片能向无限远处扩展——那么旋转的现在时间片可以任意远为中心，因此它们的集合可以遍布于时空中的*每一点*。[1]

因此，如果你认为实在性由你现在头脑中定格的事情组成，如果你同意你的现在概念与位于远方空间中可以自由移动的某人的现在

---

1. 在面包条上任选一点。取一片包含了该点的切片，使其与我们的现在时间片相交的角度小于45度。这个切片将代表一位远方的观测者的现在时间片——他对实在性的认识。开始时他相对于我们静止，就像丘巴卡，但现在以小于光速的速度相对于我们运动。而且我们可以使该切片包含你碰巧选取的面包中的那点（可以为任意的点）。[4]

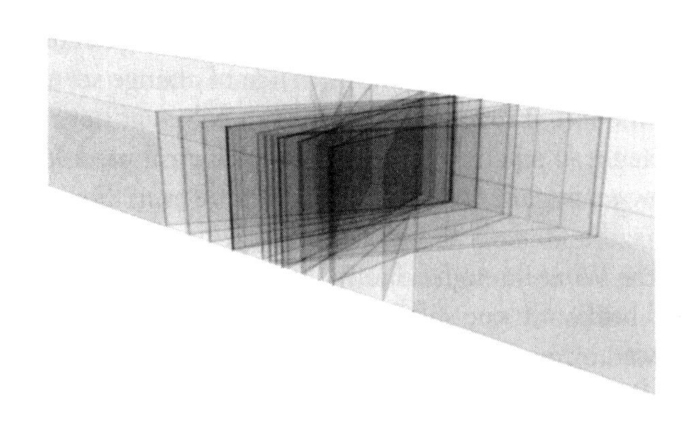

图5.5 一个不同观测者（不管是真实的还是假想中的）的现在片的例子，这些观测者距离地球远近不同，速度也各异。

概念一样有效，那么实在性将涵盖时空中所有事件。整个面包都存在。就像我们视所有空间都是真实的存在一样，我们也把所有时间（包括过去、现在和未来）视为真实的存在。过去、现在和未来显然是有区别的。但是，就像爱因斯坦曾经说的，“对于我们这些充满信心的物理学家而言，过去、现在和未来之间的区别只是一种幻觉，虽然它总是存在的”，[5] 唯一真实的事物就是整个时空。

体验和时间的流动

以这种方式来思考问题的话，虽然从不同的视角来看，事件发生的时间不同，但它们总是*存在的*。它们永远占据了时空中的某一点。它们并没有流动。如果你在1999年新年除夕的午夜度过了非常愉快的时光，你一直都会拥有它们，因为那是时空中不可变的一个点。接受这种说法有些困难，因为我们的世界观对过去、未来和现在有着截然不同的看法。如果我们固执于熟悉的时间观念，就会发现它将在现代物理冷酷的事实面前碰壁，它所能有的唯一的安身之处就是人类的意识。

不可否认，我们的意识体验似乎遍布整个时空切片。打个比方来说，我们的思想就好比先前提到过的放映机的光，当时间的某时刻被意识的力量照亮时，它们就成为鲜活的画面了。从某一刻到下一刻的流动感源于我们的思想、感觉和认知在意识上的改变。改变的结果将会导致持续的运动，它会发展成前后一致的故事。但是——不依靠任何心理学或神经生物学的借口——我们可以想象一下我们是如何感受时间的流动，即使实际上并没有这样的事情发生也没关系。为了便于理解我的意思，想象一下现在有一台有点毛病的DVD播放器，它会随意地前进或后退，我们用它来播放电影《飘》：屏幕上刚才还放映某一刻的画面，但下一刻立刻就切换成了完全无关的画面。当你观看这种跳跃性的画面时，你可能很难弄清楚到底在演什么。但对于郝思嘉和白瑞德来说没有问题，在每一帧画面中，他们做他们在那一帧画面中总会做的事情。如果你把DVD停在某个特殊的画面，问他们相关的想法和记忆，他们给你的答案将与DVD功能正常时他们会给你的答案一模一样。如果你问他们是否因南北战争的混乱顺序而迷惑，他们将会疑惑地看着你，认为你一定是喝了太多的冰镇薄荷酒。在任意给定的画面里，他们将会有画面那一刻的思想和回忆——特别是，那些想法和记忆给他们的感觉是时间像平常一样平稳而连贯地逝去。

类似的，时空中的每个时刻——每个时间片——就好比一部电影中的某一帧静止画面，画面的存在与否取决于是否有光照亮它。就像郝思嘉和白瑞德一样，对于正处于任何这样时刻的你来说，这就是

现在，“现在”*就是*你当时感受到的*那一刻*，并且“现在”永远都是你正在感受到的那一刻。而且，在每一个独立的时间片里，你的思想和记忆都足以使你产生时间在不断地流向下一刻的感觉。这种感觉，这种时间正在流动的意识并不需要之前的时刻——之前的画面——来“连续放映”。[6]

稍稍想一下，你就会意识到这是一件非常好的事情。由于另外的更为基本层面的原因，放映机所发出的光有序地将时间激活的概念有非常严重的问题。假如放映机正常地放映着某一瞬间的画面——比如说1999年新年夜的午夜敲钟场面，突然画面暗了下来，意味着什么呢？如果某一时刻已被点亮，那么处于照亮状态就是那一时刻的特性之一，该特性也应该像发生在那一时刻的其他事情一样永恒而无变化。历经照亮——“活”起来，成为此时，成为*现在*，然后再回归黑暗——“休眠”，变成过去，就是经历变化。*但变化的概念与单独的时刻无关*。变化将不得不通过时间来发生，变化标志着时间的流逝，但时间的概念究竟是什么呢？从定义上看，时刻*并*不包括时间的流逝——至少不是我们所说的时间——因为时刻是时间的原材料，并*不*会变化。某个特殊时刻不再变化就像空间中某个特殊位置一样，如果某位置变化，它就是空间中的另一个位置了；同理，如果某时刻变化，它就是另一个时刻了。放映机的光激活每一个新的*现在*这样的直观图像经不起仔细地推敲。换句话说，每一时刻都被照亮，每一时刻都会保持其被照亮的状态。每一时刻都是这样。仔细想来，时间的河流更像是一块巨大的冰块，每一时刻都永远地冰冻在它自己的位置上。[7]

这样的时间概念与我们的内在感受非常不同。虽然这种概念源于爱因斯坦的洞察力，可他本人也很难完全接受这种观念上的深刻转变。鲁道夫·卡那夫[8]叙述了他和爱因斯坦之间就这个问题展开的精彩对话："爱因斯坦说有关现在的问题困扰着他。他解释说有关现在的体验对人类来说意味着某种特殊的东西，一种从本质上不同于过去和未来的东西，但这种重要的不同却不会也不能出现在物理中。这种无法被科学理解的体验似乎让他很头疼却不得不顺从。"

这种顺从就给我们提出了一个关键问题：究竟是科学不能像解释肺可以吸入空气那样，轻易地解释存在于人们意识中的时间的基本特性呢？还是人类意识强加给时间一种人为的特性，因而无法用物理定律来解释呢？如果你在工作日问我这个问题，我将赞成后一种观点，但夜幕降临，当重要的思想都变为日常生活惯例时，就很难完全抵制前一种观点了。时间是一门深奥的科目，我们还远远没有理解它。很可能未来的某一天，某个聪明的人发现了一种新的看待时间的方式，揭示了流动的时间的真正物理学基础。以上建立在逻辑和相对性基础上的讨论，可能就是故事的全部。当然，时间流动的感觉在我们的生活体验里根深蒂固，并且遍布于我们的思想和语言中，我们已经而且将继续误入用习惯性的口语描述时间的流动这样的歧途。但不要把语言和实在性搞混淆了。比起深刻的物理定律，人类语言更善于描述人们的体验。

第 6 章 偶然和箭头

时间有方向吗

即使时间并不流动，探究时间是否有方向——事物在时间中的发展演变是否有一个可以用物理原理来辨认的方向——仍然自有其意义。这个问题等于是在问，事件在时空中的分布是否存在某种固有的顺序？事件按时间顺序发生与逆着时间顺序发生会有什么不同？就像我们每个人所知道的那样，两者之间一定存在着巨大的不同；正是由于这种不同，生活才会既充满希望，又令人痛苦不堪。但是，我们将会看到，解释过去和未来之间的不同之处比你想象的还要困难。而更令人惊讶的则是，我们将要解答的问题与宇宙起源时的具体条件有着密切的联系。

谜团

每一天中，我们都有成百上千次的机会看出顺着时间方向发生的事件和逆着时间方向发生的事件之间的巨大区别。滚烫的比萨在从烤箱中拿出的过程中会冷却下来，但我们从未看到过比萨从烤箱中拿出后会变得比以前更热。放进咖啡中的奶油搅匀后会变成均质的棕褐色液体，但我们却从未看到一杯淡咖啡不经搅拌，自己会分离出白色奶油和黑色咖啡。鸡蛋坠落、打碎并破碎，但我们却从未看到破碎的鸡蛋和鸡蛋壳自己聚集起来，形成未破碎的鸡蛋。当我们拧开可乐瓶时，压缩的二氧化碳气体会跑出来，但我们却从未看见过分散的二氧化碳聚集起来并“嗖”的一声返回瓶中。室温环境中的杯子里的冰块会融化，但我们却从未看到杯子里的水珠会在室温下凝结成冰。这些习以为常的事件，连同数不胜数的其他事件，只沿一个时间方向发生。它们从不会逆着时间方向发生，因此它们为我们带来了先和后的概念——它们给我们带来了稳定可靠且具有普适性的过去和未来的概念。这些现象使我们确信，从外部（如图5.1所示）观测整个时空的话，我们将看到时间轴具有明显的不对称性。鸡蛋已经破碎的那个世界在时间轴的一端——传统上我们将其称为未来——而对应着的另一端就是鸡蛋尚未破碎的世界。

或许最显而易见的例子是，我们的意识可以存储被我们称为过去的许多事情——这就是所谓的记忆——却没人能够记住被我们称为未来的事情。因此，很显然，过去和未来之间存在着很大的不同。各种各样的事情在时间的长河中总是沿着确定的方向发生。我们能回忆起的事情（过去）和不能回忆起的事情（未来）之间有着明显的区别。这就是为什么我们会说时间具有方向性或有一个箭头。[1]

物理学和广义上的科学，都以规律为基础。科学家们研究自然，发现规律，并用自然定律来解密这些规律。因而，你可能会认为，使我们清楚地感受到时间之箭的各种各样难以计数的规律性，意味着存在这样一条基本的自然定律。构建这样一条定律最笨的办法就是引进溢出牛奶定律或破碎鸡蛋定律，前者说的是牛奶溢出来就不会自己再汇聚起来，后者则是鸡蛋破碎就不可能再自己聚集起来形成一个完整的鸡蛋。但这样的定律对我们毫无用处：它只是描述性的，只是简单地说明观测到发生了什么，而无法提供任何解释。但我们期盼着物理学最深奥的领域中存在着某种不这么傻的定律，我们可以用它来描述组成比萨、牛奶、鸡蛋、咖啡、人和星球的粒子——组成一切事物的基本成分——的运动和性质，这个定律将会告诉我们事物为什么会按照某种特定的顺序演化而不能反过来。该定律将给予我们所观测到的时间之箭一个基本解释。

但令人头疼的是没有人发现这样的定律。而且，从牛顿到麦克斯韦，到爱因斯坦，他们所发现的物理定律，以及今天的所有物理定律，都显示出*过去和未来之间存在着一种完美的对称性*[1]。我们并未在这些定律中发现只可沿着时间轴的某个方向应用该定律的限制条款。这些定律应用于时间轴的不同方向时不会有什么区别，过去和未来在这些定律下看来都是一样的。即使我们的经验一次又一次告诉我们，事件如何随时间发展存在一定的方向性，但这样的时间之箭却不存在于基本的物理定律中。

过去、未来和基本物理定律

怎么会这样？物理定律没有提供用以区分过去和未来的基础吗？为什么会没有物理定律能够解释事件只能按*这种*顺序发展而不能逆过来呢？

---

1. 也有不同于此处表述的例外，该例外与一些奇特的粒子有关。这与本章中讨论的问题可能没有多大关系，因此就不再进一步探讨了。如果你感兴趣，在注释2中有简要的讨论。

这种情况更令人迷惑。众所周知的物理定律实际上声明——与我们的生活经验相反——奶油咖啡可以分离成黑色的咖啡和白色的奶油；破碎的蛋黄和破碎的蛋壳能自己聚集起来形成一个完美光滑的鸡蛋；室温下水杯中已融化的冰可以重新形成冰；你打开苏打水时放出来的气体可以自己返回瓶中。我们现今所知的所有物理定律都完全支持所谓的时间*反演对称性*。这种对称性说的是，如果事件可以按照某种时间顺序发展（奶油和咖啡混合，鸡蛋打碎，气体溢出），那么这些事件也可以按照相反的方向发展（奶油和咖啡分离，鸡蛋完好如初，溢出的气体回到瓶子里）。简短地用一句话来总结就是，物理定律不仅没有告诉我们事件只能按某种方向发展，而且还从理论上告诉我们事件可以向相反的方向发展。[1]

但重要的问题是，*为什么我们从没有看到这样的事情发生呢？*我敢打赌一定没有人亲眼看见打碎的鸡蛋聚集起来恢复成原样。但是如果物理定律允许这种情况存在，而且这些定律平等地对待打碎的鸡蛋和未打碎的鸡蛋的话，为什么一种情况从未发生而另一种情况总是发生呢？

时间反演对称性

解决上述谜团的第一步需要我们更为扎实地理解已知物理定律为什么满足时间反演对称性。为了这个目的，这样想象一下：现在是

---

1. 注意时间反演对称性并不是指时间本身可以反过来或逆向“奔跑”。相反，正如我们所描述的，时间反演对称性是指按某种特殊的时间顺序发生的事件也可以按相反的顺序发生。更确切的描述可能是，*事件反演或过程反演*，*又或事件顺序反演*，但我们仍然沿用传统的说法。

25世纪，你与你的搭档库斯托克 · 威廉姆斯在新的星际联盟打网球。由于不太习惯金星上较小的引力，库斯托克用力过猛，一个反手将球打到了深不可测的漆黑星空中。一架正在经过的太空飞船拍摄到了飞驰而过的球，并把胶片送到了CNN（星际新闻网）[1]播出。这儿有一个问题：如果CNN的技术人员犯了错误，把这段网球的片段反过来放映，人们是否能看出来呢？如果你知道拍摄时摄像机的朝向，你可能会指出他们的错误。但是，如果没有任何其他信息，只看底片的话，你能挑出他们的错误吗？答案是否定的。如果顺着时间方向，底片将显示球从右飞向左，如果反过来就会变成球从左飞向右。当然，从经典物理学定律的角度来看，网球朝左或朝右运动都是可以的。因此无论片子是顺着时间的方向还是逆着时间的方向放映，你所看到的运动与物理定律完全一致。

上文中，我们一直在使用这样一个假设，即，没有力作用于网球，因而网球是匀速运动的。现在我们把力加进去考虑一些更普遍的情况。根据牛顿定律，力的作用将会改变物体的速度：力意味着加速度。做了上述的假设后，我们再来看看网球的情况：网球在空中飞行时，由于受到木星引力的作用，向下加速运动，朝着木星表面向右划出一段美丽的弧线，如图6.1（a）和图6.1（b）所示。如果你逆着放这段运动的底片的话，网球将向上加速运动，因而会朝远离木星的方向划出一道弧线，如图6.1（c）所示。现在有了个新问题：底片所描述的逆向打网球的运动——实际上所拍摄到的运动的时间反演运动——是经典物理学定律所允许的吗？这种运动会在真实的世界中发生吗？乍

1. CNN原指美国有线电视新闻网。作者这里自编了一个Celestial News Network。——译者注

看之下，答案显然是肯定的：网球的运动轨迹既可以是向右下的弧线，又可以是向左上的弧线，或者是数不清的其他轨迹。那么，困难之处到底在哪？这个嘛，虽然答案确实是肯定的，但推演过于草率而忽略了问题的真正内涵。

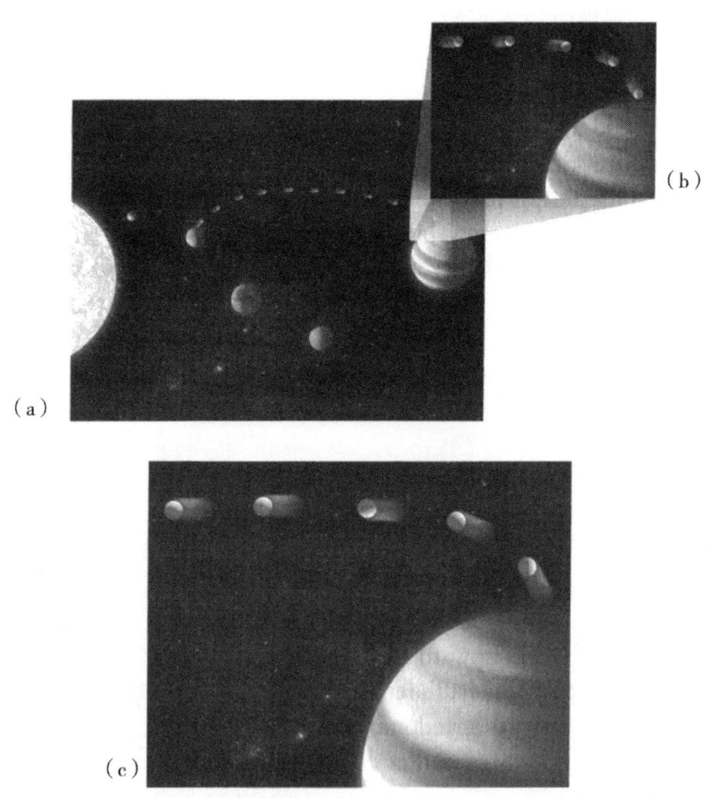

图6.1 (a)从金星飞到木星的一个网球。(b)特写。(c)在撞到木星之前，网球的速度反向，形成新的运动轨迹

当逆向放映片子时，你会看到当网球撞击到木星时，会以相同的速度(但以完全相反的方向)远离木星，朝左上的方向运动。片子的

最初部分显然与物理定律相一致：举个例子来说，我们想象一下，某人在木星表面以该速度击出网球就符合这种情形。关键的问题在于，逆向运动的其余部分是否与物理定律相一致。以该初速度击出的网球——在受到木星向下的引力的作用下——实际上会沿着片子其余部分中所描述的逆向运动的轨迹运动吗？运动反过来之后，它会顺着原始的向下的轨迹运动吗？

这些更为精练的问题的答案是*肯定*的。为了避免混淆，我们先把它讲清楚。图6.1（a）中，在木星的引力产生有效作用之前，网球是纯向右运动的。图6.1（b）中木星的引力有效地作用于网球，产生一个将它拉向地心的力——正如你在图中所看到的，引力的方向大部分是竖直向下的，不过也有一部分是向右的。这就意味着，当网球接近于木星表面时，它向右的速度将会略微有所增加，而它向下的速度将会增加得非常多。因此，在逆向放映的片子中，从木星表面击出的网球会略微向*左*主要向*上*运动，如图6.1（c）所示。木星的引力将对网球向上的速度产生重要影响，使它越来越慢，同时也会减慢球向左的速度，只是没有那么夸张而已。随着球向上的速度的迅速减少，它速度的方向将主要向左，进而使得向上的弧线的运动轨迹偏左。接近弧线的末端，网球向上的速度和在下降过程中因木星引力而产生的额外的向右的分速度，将在引力作用下变为零，此时球以原始大小的速度向左运动。

上述论证都可以定量研究，但值得注意的关键之处在于，该运动轨迹恰与网球初始的运动轨迹相反。如图6.1（c）所示，简单地逆转球的速度——速度相等，但方向完全相反——我们可以使它完全沿着原来的轨迹运动，只是方向相反而已。我们再回到片子的讨论上，我们所看到的向上偏左的弧形轨迹——我们用以计算轨迹的是牛顿的运动定律——正是我们将片子逆过来放映所看到的。因此，逆向放映的片子所描述的网球的时间反演运动，和时间上正向运动一样，都遵守物理学定律。逆向放映电影时我们所看到的运动，在真实世界中可以实际发生。

虽然上述讨论中有一些细节被我放到了注释里，但其结论仍然具有普适性。[2] 所有已知和广为接受的有关运动的定律——从刚才讨论过的牛顿的经典力学，到麦克斯韦的电磁理论，再到爱因斯坦的狭义和广义相对论（记住，我们将在下一章讨论量子力学）——都具有时间反演对称性：按时间轴正向发生的运动同样也可以逆着时间轴发生。由于术语有点混乱，我再来强调一下，不是把时间反过来。时间仍然保持原样。我们的结论是，*要想使一个物体的运动轨迹逆转，只要在其路径上任意一点逆转其速度即可*。同样的，相同的程序——在其路径上任意一点逆转其速度——将使物体按我们在反向放映的片子中所看到的方式运动。

网球和破碎的鸡蛋

观察网球在金星和木星之间运动——无论朝向哪个方向——并非十分有趣。但既然我们所得出的结论可以广泛应用，我们现在就来看一些更加有趣的地方吧，比如说你的厨房。把一个鸡蛋放在厨房的餐桌上，让它沿着桌边滚动，然后掉到地上摔碎。可以肯定的是，在这一系列事件中存在许多运动。鸡蛋掉下来，蛋壳摔碎了，蛋黄溅得到处都是，地板震颤，周围的空气中形成漩涡；摩擦产生热量，使鸡蛋、地板以及空气中的原子和分子运动得更快。但是，正如物理定律告诉我们的，如何才能使网球丝毫不差地逆着原来的轨迹运动，同样的定律也会告诉我们如何才能使每一片蛋壳碎片、每一滴蛋黄、每一块地板、每一团空气精确地逆着原来的轨迹运动。我们所需做的"全部"只是将碎鸡蛋每一块碎片的速度反过来。更准确地说，我们在网球问题上的分析告诉我们，只要我们能把与鸡蛋破碎直接或间接相关的每一个分子和原子的速度都同时逆转过来，那么整个鸡蛋破碎的运动就会反过来进行。

再强调一次，就像网球运动一样，如果我们能成功逆转所有的速度，我们所看到的就像一部反向放映的电影。但是，不同于网球之处在于，鸡蛋破碎的逆运动将给人留下极其深刻的印象。厨房各处空气分子碰撞和微小的地板震动所产生的波汇集在碰撞的位置，造成每一片碎蛋壳和每一滴蛋黄都朝着发生碰撞的位置运动。每一种成分都以最初鸡蛋破碎过程中的速度运动，只是方向都相反而已。无数滴蛋黄都飞回形成一个球，就像无数片碎蛋壳完美地排列在一起形成一个光滑的卵形容器。空气和地板的震动与结合在一起的蛋黄和蛋壳碎片的运动配合得非常完美，形成一个重新组合的鸡蛋，恰好反弹离开地板，向上飞到厨房的餐桌上，轻巧地落在餐桌边缘，然后滚动几厘米，优雅地回到原处。如果我们逆转全程中每一样东西的速度，就将发生上述的事情。[3]

因此，不管一件事情是简单，比如网球的运动弧线，还是更为复杂，比如一颗鸡蛋的破碎，物理定律都告诉我们，在一个时间方向上发生的事情，至少从理论上来看，是可以反过来发生的。

原理和实践

网球运动和鸡蛋的故事告诉我们的不只是自然定律具有时间反演对称性，这些故事还告诉我们，为什么我们在真实的经验世界里看到的许多事情只能朝一个方向发生，反过来则不行。让网球逆着其轨迹运动并不难。拿着它，并以相同大小的速度朝相反方向将其掷出，就这样即可。但使鸡蛋所有的混乱碎片逆着原来的轨迹运动就要困难到不可想象了。我们需要抓住每一片鸡蛋碎片，以相同速度但朝相反的方向同时发送回去。很显然，那远非我们（或者聚齐所有人力物力）所能做到的。

我们找到了我们一直寻求的答案了吗？鸡蛋打碎却无法重新复原（即便两种运动都是物理定律所认可的）的原因是因为其中一种可实现而另一种无法实现吗？答案就是那么简单，就是因为鸡蛋打碎容易——使鸡蛋从桌上滚下去——而使鸡蛋复原难吗？

如果答案是这样的，相信我，我将不会在这里大费周折地讲这么半天了。困难与否确实也是答案的一个重要部分，但整个答案更加奥妙和令人惊奇。在以后的章节中我们将解释这个问题，但这里我们首先需要对这一小节进行更加深入的讨论和了解。为了达到这一目的，我们不得不引进熵的概念。

熵

在维也纳中央公墓，贝多芬、勃拉姆斯、舒伯特和施特劳斯的墓穴旁树立着一个刻有“$S = k\log W$”方程的墓碑，这一方程就是熵这个强有力的概念的数学公式。这个墓碑的主人就是生活在19世纪、20世纪之交的路德维格·玻尔兹曼——最具洞察力的物理学家之一。1906年，由于糟糕的健康状况和低沉的心情，玻尔兹曼在和妻女在意大利度假时自杀了。具有讽刺意味的是，就在他离世的几个月之后，有实验证实了玻尔兹曼为之毕生热烈维护的思想是正确的。

熵的概念最初是由工业革命时期的科学家们在考虑锅炉和蒸汽机时所提出的，熵的概念促进了热力学领域的发展。通过多年的研究，尤其是在玻尔兹曼的辛勤钻研之后，熵的基本观点被进一步完善起来。玻尔兹曼版本的熵，可用其墓碑上的方程准确地表述，利用统计学原理将构成物理系统的单独组分的数目与系统的整体性质之间联系起来了。[4]

为了感受一下他的思想，想象拆开一本《战争与和平》，将其693页双面纸都高高抛向空中，然后把所有的纸页收集到一堆。[5] 当你检查那一堆纸时，你会发现页码混乱的纸张远远比整齐排序的要多。原因是显而易见的。纸张混乱的方式有许多种，而按序排列的方式只有一种。要整齐有序，页码就必须精确排列成1、2、3、4、5、6……一直到1385、1386。其他的排列方式都是无序的。一个简单而又基本的事实是，所有排列方式都是平等的，某件事情发生的方式越多，它发生的可能性就越大。如果某件事情有无数多种发生方式，就像落地页码的错误排列一样，该事情发生的可能性就极其大。直观上，我们都可以很好地理解这个问题。如果你买一张彩票，你中奖的方式就只有一种。如果你买了一百万张不同号码的彩票，你就有一百万种中奖的方式，这样你走运的机会就提高了一百万倍。

熵这个概念其实就是该观点的一种具体表述，可以通过数清在物理定律制约下，实现任意给定物理条件的方式的数目来确定相应物理系统的熵的大小。*熵越高就意味着实现该物理条件的方式越多，熵越少就意味着方式越少*。如果《战争与和平》的页码是按照正确的数字顺序来排列的，则是低熵组合，因为满足标准的只有一种排列方式。如果页码是无序排列，那就是一个高熵组合，很简单的计算就可以告诉我们共有12455219845377834336600293537049882916336110124638904513688769126468689559185298450437739406929474395079418933875187652765671405928662715136707473912957138235380001610812646530182342056205714732061720293829029125021317022782119134735826558815410713601431193221575341597338554284672986913981515992511908586726099348105614303413438305637713671511057047869413339129341924409610514288798477908536095089540140125932850632906034109513149466389839052676761042780416673015494552281886102502463386626036015088866470101429708545848151415983925468762312952933478295186812370774596522432148887351679284483403000787170636684623843536242451673622861091985393918150307604689046649129789406250332651868583732271363702473904018910940649881398380265451114876864895816491403

4264441108719118441642809027571377380906725870843021579
5015899162320458130129508343865379081918237777385214375
3631225316415985892681059765281448013877486970265254626
4393718939273059217967471691669781551985697692692494673
8364227827733457767180733162404336369527711836741042844
9347223477922340272256307211938539124728809290720342 71
6923779362076501904571097887744535443586803319160959 24
9877443194986997700333249463073243755353229067448176 57
9539562184032951681442710422276081242890487164286648724
0307036486493483250999667289734464253103493006266220
1460431205110109328239624925119689782833061921508282708
1439365998732684904799416683965774789021245627961956 00
1870608057687789478700986106922659448726934100008726 9
9876339900302559168582063973485103562967646116002251 59
2001137227412733180748295472481928076532664070230832754
2863126466715013559059664297733371318346547485476070124
2330128721353212373287327218748252640399110497001721 4756
4700499292264586435226501199999999999999999999999999999
9999999999999999999999999999999999999999999999999999999
9999999999999999999999999999999999999999999999999999999
99999999999999999999999999999999999999999999999——约为
10^{1878}——种不同的无序排列方式。[6] 如果你把这些纸张扔向空中，然后再收集成一叠，可以肯定它们将处于无序排列的状态，因为这种排列方式比唯一的有序排列拥有更高的熵——达到无序排列的方式有很多种。

理论上讲，我们可以运用经典物理学定律来计算将整沓纸扔向空中后每一页所将降落的位置。[7] 而且，理论上讲，我们也可以精确预测这些页码的最终排列方式，因而（在量子力学中，情况将有所不同，而那是我们在下一章要讨论的内容）看似没必要依靠诸如哪种结果更有可能出现的概率概念。但是统计学确实是强有力且非常有用的工具。如果《战争与和平》只是一本只有几页的小册子的话，我们很快就能成功地完成计算，但是对于真正的《战争与和平》[8] 这么做就不可能了。这693张纸随着温和的风飘荡，相互摩擦、滑落、碰撞，最后落到地上，想要追踪这693张纸的精确运动将是一项非常艰辛的工作，远远超出了当今世上最强有力的超级计算机的运算能力。

而且——这点非常关键——即使得出确切的答案也没有什么用处。当你查看这叠纸时，你不会在乎每一页碰巧在哪儿，你感兴趣的是整体效果——它们是否正确排列。如果它们是，那非常好，你可以坐下来像往常一样继续阅读安娜·帕夫洛夫娜和尼古拉·罗斯托夫。但是如果你发现书页的排列乱七八糟，那么你不会在乎这种错误排列具体是怎样的。如果你看到了一种错误的排序方式，你就相当于看到了所有的错误排序方式。除非出于某种古怪的原因，你需要追究每一页的具体下落，否则你甚至都不会注意到是否有人把你那已经混乱的页码搞得更乱。最初的一堆纸就是混乱排列的，即便进一步弄乱也还是混乱的。因此，并不仅仅因为统计学讨论比较容易进行，还因为利用统计学所能得到的结果——混乱或者不混乱——更与我们真正关心的和需要记下来的事情有关。

这种全局式的思考方式是利用熵来考虑问题的统计学基础的核

心。就像任何一张彩票都有中奖的机会一样，《战争与和平》被多次颠倒顺序后，任何一种排列方式都有可能发生。使统计学变得有用武之地的原因在于，我们感兴趣的页码排列方式只是两类：有序和无序。前一类只有一种（页码正确的排列为1，2，3，4……），而后一类则有多种（除正确顺序之外的每一种可能的排列方式）。这两种分类是便于应用的合理分类，因为，就像上文所述，利用这种分类，你可以对任何一种页码的排列方式做出全局性的评价。

即便如此，你仍然可能建议对这两种分类进行进一步的区分，比如，只有少数几十页的排列是混乱的，只有第1章的页码排列无序，等等。事实上，考虑这些中间状态的分类有时是很有用的。然而，每一种亚分类中的可能的页码排列方式总数与所有的混乱排列方式总数相比是非常小的。比如说，《战争与和平》第一部分排列混乱的方式总数只不过是所有混乱排列方式总数的百分之一的10^{-178}。所以，尽管开始的时候，未装订书所导致的无序页码排列方式可能只属于某种中间状态，而非完全混乱状态，但可以肯定，如果你再三颠倒页码，页码排列顺序最终将展现不出一点规律性。页码排列总是趋向于演变为完全混乱排列的状态，因为这类型的排列方式确实太多了。

《战争与和平》这个例子点出了熵的两个最显著特征。首先，熵*是物理系统中无序度的量度*。高熵意味着构成系统的组分的许多排列方式毫不起眼，这就相当于说系统处于高度无序状态（当《战争与和平》的页码处于混乱状态时，进一步颠倒页码顺序几乎不会被大家注意到，因为页码本身就已经处于混乱状态，再颠倒页码也不会产生什么重要影响）。低熵就意味着只有少数一些排列方式显得不起眼，也就相当于说系统处于高度有序状态（当《战争与和平》的页码排列有序时，你很容易就注意到对其顺序所做的任何改动）。第二，由许多组分构成的物理系统（比如说，很多页处于混乱状态的书）有自然演化成更为无序状态的趋向，因为相比于达到有序状态，达到无序状态的方式更多。用熵的语言来说，物理系统倾向于向着高熵状态演化。

当然，要想使熵的概念准确且具有普适性，其物理定义就不能是在使其不变的情况下数清这本或那本书页码的重新排列数目。事实上，熵的物理定义需要在保持物理系统整体上、大局上不变的情况下，数清其基本组成成分——原子，亚原子粒子，等等——的可能有的排列组合数目。比如在《战争与和平》的例子中，低熵就意味着几乎没有哪次重新排列会不被注意到，因此该系统就处于高度有序状态；而高熵就意味着大量的重排都会显得不起眼，换句话说，整个系统处于无序状态。[1]

让我们来看一个不错的便于说明问题的物理例子，想想先前提到的可口可乐瓶。当气体，比如最初被密封进瓶子里的二氧化碳，传播到房间的每一个角落时，单个分子可能有许多种重排方式，但是这些重排没有什么显著区别。比如说，当你挥动胳膊时，二氧化碳分子将会来回穿梭，迅速改变位置和速度。但从整体上看，分子的调整不会带来整体性质上的变化。在你挥动胳膊之前，分子是均匀分布的，挥动胳膊之后仍然是均匀分布的。气体的这种均匀分布状态对于分子的

---

1. 熵是另一个术语使思想复杂化的例子。要是你把低熵意味着高度有序和高熵意味着低度有序（或者说高度无序）不停地弄混的话，那么别担心，我也常弄混。

大量重排方式是不敏感的，这正是所谓的高熵状态。相比而言，如果气体分布在较小的空间内，比如说瓶子内，或被障碍物密封在房间墙角，就会出现有意义的低熵状态。原因很简单。正如一本薄薄的书的页码只可能有几种排列方式，小地方也只能为分子的排列提供一点点空间，因而也就只会产生很少的排列方式。

但当你拧开瓶盖或是挪开障碍物时，你就为气体分子打开了一个全新的世界，它们开始运动、碰撞，很快播散到房间的各个角落。为什么呢？这和《战争与和平》问题中的统计学推演是一样的。毫无疑问，一些分子经过碰撞将会离开最初的气体团或一些刚刚离开的气体分子又被撞回来。但因为房间的体积远远超过了最初的气体团，如果它们分散开来，分子将会有更多种排列方式。因此，气体从最初的低熵状态——气体聚集在一个小区域内，自然演化到高熵状态——气体均匀地分布在更大的空间内。一旦气体达到这种均匀状态，将一直维持高熵状态：运动和碰撞会使分子四处移动，从而造成一种又一种的重排方式。但大部分重排方式都不会影响气体的全局性、整体性质，而这就意味着此时处于高熵状态。[9]

理论上，就像《战争与和平》的页码一样，我们能用经典物理学定律来精确确定在某一特定时刻每一个二氧化碳分子的位置。但由于二氧化碳的分子数目太大了——一个可乐瓶里大约有10^{24}个，进行这样的计算事实上是根本不可能的。但不管通过什么方式，即使我们做到了，手里拿着一张记有亿亿亿个粒子的速度和位置的单子，对于我们了解分子是如何分布的并没有多大的意义。把焦点集中在全局性的统计特点上——气体四散分布或集中在一起，也就是说，气体处于高熵状态还是低熵状态——才更富有启发性。

熵——第二定律和时间之箭

物理系统趋向于高熵状态就是所谓的*热力学第二定律*（第一定律就是熟悉的能量守恒定律）。如上文所说，该定律的基础是简单的统计学推演：系统有更多的方式达到高熵状态，“更多的方式”就意味着系统更有可能演化为某种高熵状态。注意，尽管从传统的意义上看，这并不是一条定律；这是因为，尽管极为罕见并且几乎不可能发生，但是诸如某物从高熵状态演化到低熵状态的事件是有可能会发生的。当你把一堆混乱的纸扔向空中，然后收集成一小摞时，它们有可能按完美的页码顺序排放。你大概不会想在这种结果上下大赌注，但它的确是可能发生的。运动和碰撞也有可能碰巧使所有分散的二氧化碳分子一起移动，“嗖”的一下全都返回到了打开的可乐瓶中。你当然不会凝神静气睁大双眼等待着这种结果的发生，但它的确是可能发生的。[10]

《战争与和平》庞大的页数以及房间里气体分子的巨大数目使得有序和无序排列之间的熵的差别如此之大，而这使得低熵结果很难发生。如果你把两张双面纸一次次扔向空中，你将会发现它们落地时按正确顺序排列的次数为所扔次数的12.5%。3页纸的话这个概率将减小为2%，4页纸将是0.3%，5页纸将是0.03%，6页纸将是0.002%，10页纸将是0.000000027%，693页纸扔向空中而落回地面时正确排列的概率就更小了——小数点后包含了许许多多的零——我确信出版商不想浪费一页纸来把它详尽地列出来。类似的，如果你只把两个气体分子肩并肩地放进空可乐瓶里，你将会发现在室温下，平均每隔几秒钟，随机运动就会把它们弄到一起（相距1毫米之内）一次。但如果是3个分子，你就不得不等好几天，如果是4个分子就得好几年，如果是最初气体团里有亿亿亿个分子，那就不得不花比现在宇宙年龄还长的时间来等待随机运动使它们同时聚集到一个小而有序的气体团中。比死亡和纳税还要可靠的是，我们可以相信，一个具有很多组分的系统倾向于向无序状态演化。

虽然不会马上看清，但是我得说我们现在遇到了一个有趣的问题。热力学第二定律似乎为我们带来了时间之箭，这根时间之箭只有当物理系统拥有相当多的组分时才会出现。如果你看到一部片子正在放映两个二氧化碳分子被放置在一个小盒子里（示踪计显示了每个分子的运动轨迹），你将很难辨别片子到底是在正着放还是反着放。两个分子飞来飞去，一会儿一起运动，一会儿分开运动，但它们不会展现出任何整体的迹象，可以使我们辨别出时间的方向。然而，如果你看到一部片子正在放映10^{24}个分子聚集在盒子里（就像一团小的高密度分子云），你很容易就能辨别出片子是正着放还是反着放：几乎不用怀疑，时间前进的方向就是气体分子变得越来越均匀，从而达到越来越高的熵的方向。相反，如果电影正在播放均匀分布的分子“嗖”的一声集中到一小团的场景，你立刻就会意识到片子放反了。

这种推演适用于我们在日常生活中遇到的所有事情——即由很多成分组成的事物：时间之箭的箭头指向熵增长的方向。如果你在片子中看到吧台上有一杯冰水混合物，你就可以通过查看冰是否在融化来判断时间之箭的方向——水分子扩散到整个杯中，因此达到了更高熵的状态。如果你在片子中看到一个破碎的鸡蛋，通过检查鸡蛋的成分是否越来越处于无序状态——鸡蛋破碎就是向着高熵状态——来确定时间的方向是否向前。

正如你所见，熵的概念为我们先前发现的"难易"结论提供了一个精确的版本。《战争与和平》页码容易弄乱是因为有如此多种无序排列方式。这些页码很难按恰好的顺序降落，因为这需要上百张纸降落时恰好按照托尔斯泰的意愿。一个鸡蛋很容易破碎，因为有如此多的破碎方式。一个破碎的鸡蛋很难汇集起来，因为无数个破碎的鸡蛋成分必须以和谐的步调移动才能形成放在桌上的一个独立完整的鸡蛋。对于由多种成分构成的物质而言，从低熵状态达到高熵状态——从有序到无序——是容易的，因此它总在发生。从高熵状态到低熵状态——从无序到有序——是非常难的，因此很少发生。

请注意，这里所说的熵的方向并不是完全严格的，而且也没有声明时间方向的定义就是100%正确的。相反，也有不少方法可以允许这样或那样的过程反向发生。因为热力学第二定律声明熵的增长只是一种统计学的可能性，而不是大自然中不可避免的事实，它允许存在一点这样的可能性：页码落下时能恰好按顺序排列，气体分子能聚合起来并重新回到瓶子里，碎鸡蛋能汇聚起来。通过熵的数学公式，热力学第二定律精确说明了这些事件在统计学上的不可能性是多大（注意，前一小节中那长达一页的巨大数字反映了这些书页无序降落的可能性有多大），但同时这也意味着它们可能发生，只是概率非常小而已。

看起来这个故事很有说服力。统计学和概率论证为我们带来了热力学第二定律。接着，第二定律为我们所谓的过去和未来提供了直观上的区别。熵也为我们日常生活中的现象提供了一种实用的解释，那些由大量组分构成的事物，以*这种*方式开头而以*那种*方式结尾，而我们从未看到它们以*那种*方式开头而以*这种*方式结尾。经过许多年的努力——也多亏了像开尔文勋爵、约瑟夫·洛施密特、亨利·庞加莱、S. H. 勃柏利、欧内斯特·切梅罗以及威拉德·吉布斯等物理学家的重要贡献——路德维格·玻尔兹曼开始意识到，有关时间之箭的整个故事更加令人惊奇。玻尔兹曼意识到，虽然熵阐明了这个谜团的重要方面，但并*没有*回答为什么过去和未来看起来如此不同。正相反，熵以一种重要的方式精炼了这一问题，而这为我们带来了一个出乎意料的结论。

熵——过去和未来

在前文中，通过将我们日常生活中的事实与经典物理中牛顿定律的性质相比较，我们提出了有关过去和未来的难题。我们发现，我们每天所不断经历的事情在时间上具有很明显的方向性，但物理定律却平等地对待时间上的所谓将来和过去。由于物理定律没有表明时间具有方向性，也没有明确声明“只能沿着时间方向上运用这些定律，不可逆向使用”，于是我们不得不追问：如果以经验为基础的定律认为时间在方向上是对称的，为什么这些经验本身却具有时间上的倾向性，总是在一个方向上发生而不会在其他方向上发生呢？我们所观测到和体验到的时间的方向性来自哪里呢？

在上一小节中，我们看似已经通过热力学第二定律取得了一定进展，该定律清楚地将未来定为熵增多的方向。但进一步思考后，我们发现事情并不是这么简单。值得注意的是，我们在关于熵和第二定律的讨论中，并未以任何方式修改经典物理学定律。相反，我们所做的一切，只是在“全局性的”统计框架中运用这些定律：我们忽略了微妙的细节（《战争与和平》未装订页码的准确顺序，鸡蛋组分的精确位置和速度，可乐瓶中二氧化碳分子的精确位置和速度），而把焦点集中在全局性的整体特点上（页码的有序排列和无序排列，鸡蛋的破碎和汇集，气体分子的广布和聚集）。我们发现当物理系统足够复杂（由许多页码组成的书，会破碎成很多片的易碎物品，由许多分子组成的气体）时，其组分处于有序还是无序状态，熵的区别是很大的。这也就意味着，系统很有可能会从低熵状态演变到高熵状态，这正是热力学第二定律的粗略描述。但需要注意的是，第二定律是*派生出来*的：它只是将概率推演应用于牛顿运动定律时得到的结果。

这就导致一个简单而又令人惊奇的问题：*既然牛顿定律没有内在的时间方向，我们用以论证物理系统会沿着未来的方向从低熵向高熵状态演化的全部推演，也同样适用于过去。*又一次，由于深层次的基本物理定律具有时间反演对称性，因而它们无法区分所谓的过去和未来。就像在漆黑的外太空中没有标牌指示哪个方向是上，哪个方向是下一样，经典物理学中没有任何定律说明时间上哪个方向是未来，哪个方向是过去。定律并未提供时间方向，它们对时间方向上的区别完全不敏感。因为运动定律着眼点在于事物的改变——既可以朝向所谓的未来，也可以朝向所谓的过去——热力学第二定律背后的统计或概率推演同时适用于两个时间方向。因此，*一个物理系统的熵*，不仅存在很大的概率在所谓的未来会变高，也有很大的概率在所谓的过去曾非常高。如图6.2所示。

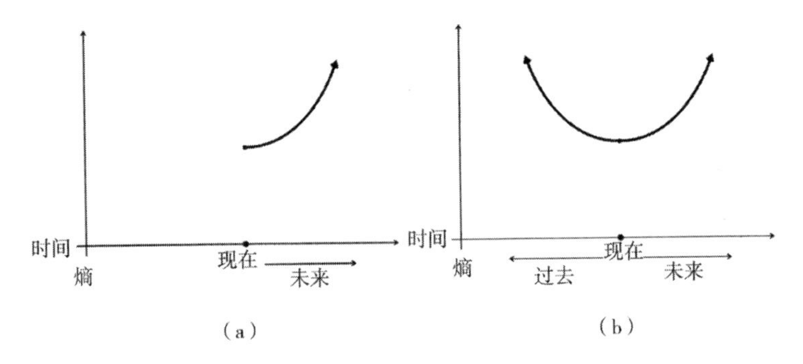

图6.2 (a)如通常所言，热力学第二定律告诉我们熵在未来会随着时间流逝而增加。(b)已知的自然定律并未对未来和过去区别对待，因而，热力学第二定律实际上告诉我们，熵在向着未来和过去这两个方向上都是增加的

这一点对下面的讨论非常关键，但也是富有欺骗性的微妙之处。通常的误解是，根据热力学第二定律，如果熵会在朝向未来的方向增加，那么熵当然就会在朝向过去的方向上降低。但这正是微妙之处。第二定律实际上是说，在任一给定时刻，如果物理系统碰巧没有拥有最大的熵，那它很可能在下一刻会拥有且在前一刻曾拥有更高的熵。这正是图6.2(b)的内容。由于定律并不区分过去和未来，时间上的对称性是不可避免的。

这是重要的一课，它告诉我们熵所带来的时间之箭是双向的。从任一明确时刻起，熵增的箭头既会朝向未来也会朝向过去，这就使得很难把熵作为对经验时间具有单向性的解释了。

想象一下熵的双向性在具体例子中的含义。比如在暖和的某一天，你看到一杯水中有一块部分融化的冰块，那么你就可以确信半小时之后冰块会融化得更厉害，因为只有它们融化得更厉害，熵才会变得更高。[11] 但是，你也应同样确信，这块冰半小时之前融化得更厉害，因为完全一样的统计推演告诉我们熵会朝着过去的方向增加。同样的结论也适用于每天我们遇到的无数例子。既然你确信熵会朝着未来的方向增加——四散的气体分子在未来会继续扩散，页码部分混乱的书页会变得更加混乱——那你也应当同样相信熵在过去应该更高。

问题在于，这些结论中的一半，看起来明显是错误的。当熵的推演用于一个时间方向，朝向我们所谓的未来时，就会产生准确而合理的结论；但当应用于我们所谓的过去方向时，就会明显产生不准确而且看起来非常荒谬的结论。杯中带有冰块的水通常不可能一开始就是一杯完全没有冰块的水，然后水分子聚集起来冻成冰块，然后再一次融化。《战争与和平》未装订的书页通常不会开始于无序排列，继而被扔向空中后就变得没有以前混乱了，它只能越来越混乱。再返回厨房，鸡蛋通常不会一开始就是破碎的，然后再集合起来形成一个完整的鸡蛋，它只能由完整的鸡蛋打碎。

难道，它们竟可以这样吗？

跟着数学走

几个世纪的科学研究表明，数学为分析宇宙提供了有力而敏锐的语言。确实，现代科学的历史中，满是数学做出貌似与直觉和经验相违背的预测（比如宇宙存在黑洞以及反物质，间隔很远的粒子可以发生纠缠，等等），但实验与观测却最终证实数学预言的例子。这样的发展历程在理论物理文化中留下了深深的烙印。物理学家们开始意识到，数学，如果使用得足够小心，将是通向真理的可靠路径。

因此，当自然定律的数学分析表明，某一时刻的熵既会朝着未来增加，也会朝着过去增加时，物理学家们并不会立即驳回它。相反，一些类似于物理学家的希波克拉底誓言的信条激励着研究者们对人类体验的明显事实保持深刻而健康的怀疑态度，带着这样的怀疑态度，孜孜不倦地跟着数学走，看看它将把我们带到哪里。只有那时，我们才能正确评价和诠释物理定律和常识之间的不匹配之处。

为了达到这个目标，想象一下现在是晚上10：30，半小时以来你一直盯着一杯冰水（这是酒吧里一个悠闲的夜晚）观测冰块慢慢融化成小块，最后乃至不见。你毫不怀疑半小时之前男服务员往你杯子里放了几个完整的冰块，你毫不怀疑是因为你相信你的记忆力。即使偶尔你对于半小时之内所发生事情的信心动摇了，你可以问问过道里的小伙子，他们看见了冰块的融化（这确实是酒吧里一个悠闲的夜晚），或者看看酒吧监视器摄的录像，它们都可以使你相信你的记忆没有问题。如果你问自己，接下来的半小时内，冰块将会怎样，你可能会想到它们将继续融化。如果你非常熟悉熵的概念，你将把你的预测解释为从你看到冰块的那一刻起，那时刚好是10：30，向着未来的方向，熵将不断增长。所有这些都很合理，并且与你的直觉和经验相符。

但正像我们所看到的，有关熵的这样的推演——简单地认为事物更有可能达到无序的状态是因为有更多种方式可以达到无序状态，这种推演在解释事物是如何向未来发展时无疑是强有力的——告诉我们，熵在过去也有可能更高。这就意味着你在晚上10：30看到的部分融化的冰实际上在早些时候融化得更加厉害；这也就是说，在晚上10：00时，它们还不是固体冰块，而是从那时到晚上10：30这段时间，它们在室温下的水中慢慢地集合起来形成冰块；正如10：30到11：00这段时间它们会慢慢融化成室温下的水一样。

毫无疑问，这听起来非常古怪——或者你会说这太荒谬了。如果是真的，不仅需要杯子里室温下的水分子会自发集合起来形成部分融化的冰块，而且监视器上的数码和你大脑中的神经元，以及过道里小伙子的神经元，都需要在晚上10：30以前有所调整，以便证明水曾形成完整的冰块，即便它实际上从不存在。但是，这种古怪的结论却是在物理定律所展现的时间对称性背景下，应用值得信赖的有关熵的思考——你曾毫不犹豫地用这种思想解释你在晚上10：30看到的部分融化的冰到11：00的这段时间里继续融化——而得出的结论。这就是基本运动定律不能区分过去和未来而造成的麻烦，这些定律的数学以完全相同的方式处理某一给定时刻的过去和未来。[12]

放心好了，我们很快就能找到方向，逃出由于运用熵来思考问题时平等地看待过去和未来而陷入的窘境。我不会试图让你相信存在于你的记忆和记录中的过去从未真的发生过（对《黑客帝国》迷们我只能说抱歉了），但是，我们将会发现，弄清直觉和数学定律之间的不同之处是极为有益的。因此，我们继续抓着这条线索。

一片沼泽地

直觉让你觉得高熵的过去不够满意，因为当用通常的事件向前发展的方式来看时，高熵的过去意味着有序度会自发增加：水分子自发地冷到0摄氏度然后变成冰，大脑自发地获得不曾发生过的事情的记忆，录像机自发地产生从未发生过的事情的图像，等等，所有的这些都极不可能发生——一种连奥利弗·斯通[1]都会嘲笑的解释过去的方式。在这一点上，物理定律和熵的数学公式与你的直觉完全一致。事件的这种发生顺序，当按晚上10：00到10：30的时间方向来看时，与热力学第二定律相违背——熵会减少——因此，虽然不是不可能，却极其不可能发生。

通过对比，你的直觉和经验告诉你，更有可能的事件顺序是，晚上10：00，冰块很完整，到了现在，晚上10：30，你盯着的玻璃杯中的冰块部分融化了。但在这一点上，物理定律和熵的数学公式只与你的期望部分相符。数学公式和你的直觉相一致的是，*如果*晚上10：00时真的存在完整的冰块，则最有可能的事件顺序是，到了晚上10：30，你一直盯着的杯中的冰部分融化了：这一熵增的结果既与热力学第二定律相符，又与你的经验相符。但数学和直觉有所区别之处在于，我们的直觉，不像数学，没法考虑也不会考虑这样的可能性，即*在假定你在晚上10：30时看到冰块部分融化——被我们视为无可辩驳的、可靠的事实——的确发生了的情况下*，晚上10：00时真的存在完整的冰块。

1. 美国著名电影导演。——译者注

这一点非常重要，我们来解释一下。热力学第二定律的核心内容在于，物理学系统强烈地倾向于处于高熵状态，因为这种状态可以通过多种方式实现。并且一旦物体处于高熵状态时，就有很大的倾向继续保持在该状态。高熵是自然形成的状态，你不需要惊讶或感到有必要解释为什么物理系统会处于高熵状态，这样的状态是正常的。相反，需要解释的是为什么给定的物理系统处于有序状态，一种低熵状态，这种状态是不正常的。它们当然会发生。但从熵的角度来看，这种有序状态属于违背常规的少数情况，需要有所解释。因此，上一节中我们毫不怀疑就相信的一个事实——你会在晚上10：30时看到处于低熵状态的部分融化的冰块——实际是需要解释的。

从概率的角度看，借助*更低熵*的状态来解释低熵状态是十分荒唐的；更低熵的状态指的是，晚上10：00时在*更为原始、有序*的环境里你所观测到的*更加有序、更为完整*的冰块。与之不同的是，事情更有可能开始于毫无奇特之处的、十分平常的、高熵的状态：一杯完全没有冰块的纯净水。然后，通过一种可能性不高但偶尔会发生的统计涨落，这杯水背离了热力学第二定律，演化为含有部分融化冰块的相对低熵状态。这种演化，尽管需要少见且不熟悉的物理过程，但完全规避了更低熵、更不可能发生、更为少见的、拥有完整冰块的状态。在晚上10：00到10：30这段时间的每一时刻，这种听起来有点奇怪的演化过程比正常的冰融化过程拥有*更高*的熵，就像你在图6.3中所看到的，这样，它就以一种比完整冰块融化的可能性更大的方式——更有可能发生——实现了晚上10：30时所观测到的现象。[13] 这才是关键之所在。[1]

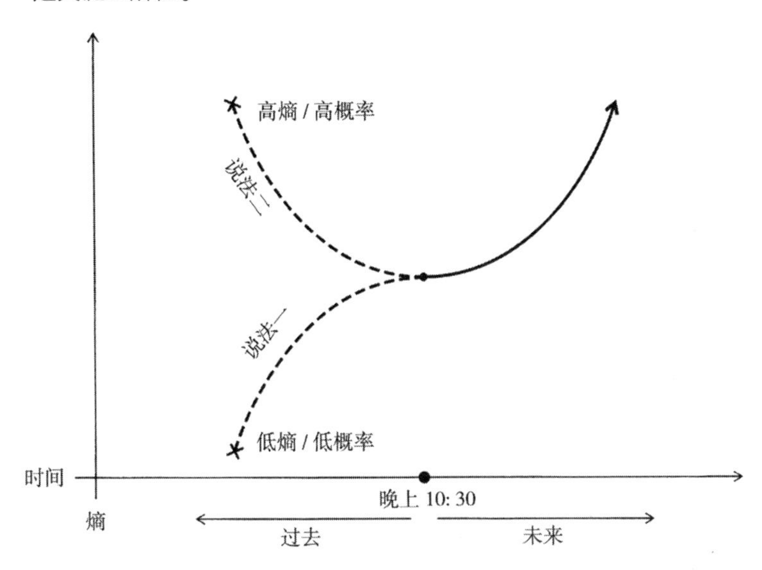

图6.3 关于冰块如何变成现在（晚上10:30）这种部分消融状态有两种说法，这里对比一下这两种说法。说法一与你记忆中的冰融化过程一致，但是需要冰块在晚上10:00开始融化的时候处于熵相对低些的状态；说法二则要挑战你的记忆了，晚上10:30你看到的冰处于部分融化状态，但这种状态却开始于晚上10:00时一个高熵、高度无序的状态。在向着晚上10:30时的状态演化的过程中，说法二的可能性更大一些——因为，如你在图中看到的那样，其熵更高一些——说法二更符合统计要求

---

1. 还记得吗？在前面的小节中，我们展示了一本仅有693页的双面印刷的书所能有的有序状态和无序状态在数目上的巨大差别。而我们现在要讨论的是差不多10^{24}个H_2O分子的情形，毫无疑问，其有序状态和无序状态在数目上的差别将是难以估量的。而且，对你以及环境（大脑、安全摄像机、气体分子，等等）中的所有原子和分子来说，同样的论证一样适用。也就是说，按照标准解释——靠着这个解释你可以相信自己的记忆——晚上10：30时，不但部分融化的冰块会处于更为有序——也就是更不可能——的状态，周围的一切也会如此：摄像机记录下一系列事件时，熵会净增长（记录过程会释放出热及噪声）；类似的，事情在大脑中留下记忆时，尽管我们还没办法清楚地知道细节，但是，熵肯定会净增长（大脑的确会获得某种有序度的增加，但就像任何会产生有序的过程一样，如果我们将所产生的热量也考虑进去，则熵会净增加）。因而，如果我们比较两套方案——一种是你相信自己的记忆，另一种则是，事物会自发地调整自己，使之从初始时的无序态自然地过渡到你现在，即晚上10：30，所看到的情形——之下，晚上10：00和10：30这段时间内酒吧中总的熵，我们就会发现，两种方案里的熵，差别非常之大。后一种方案，其方方面面都比前一种方案有更多的熵，而且是非常的多，因而，从概率的角度看，后一种方案更不可能发生。

对于玻尔兹曼而言，意识到整个宇宙可归结为同样的分析只是迈进了一小步。当你环顾宇宙时，你所看到的会是大量的生物组织、化学结构和物理序列。虽然整个宇宙可以处于一种完全无组织的混乱状态，但它不是这样。这是为什么呢？这种有序来自哪里呢？就像冰块一样，从概率的立场看，我们今天所看到的宇宙不可能从遥远的过去更加有序的状态（这种可能性就更小了）慢慢地演化成今天的样子。实际上，由于宇宙的组成部分如此之多，有序和无序状态的规模就被放大了。因此酒吧里的真实状况就是整个宇宙状况的真实写照：*更有*可能的是——毫无疑问极有可能——我们今天所见的整个宇宙来自于一种正常的、毫不出奇的、高熵的、完全混乱的状态的统计学涨落。

尝试着用这种方式来思考一下整个问题：如果你将一把硬币一次又一次地抛向空中，它们迟早都会正面落地。如果你有足够多的耐心一次又一次地把《战争与和平》的混乱的页面扔向空中，它们迟早都会以正确的顺序落地。如果你拿一瓶跑了气的可乐等待，随机运动的二氧化碳分子迟早都会重新回到瓶子里的。对于玻尔兹曼的批判者而言，如果宇宙等待足够长的时间——几乎是永恒的等待——其普通的、高熵的、高概率的、完全混乱的状态将通过粒子的移动、碰撞、随机运动和辐射，最终碰巧融合形成我们现在所看到的结构。我们的身体和大脑——储存着记忆、知识和技能——完全形成于混沌，甚至记忆中的过去也可能从未真的发生过。我们所了解的每一件事物，我们所看重的每一件东西，不过是稀有但意料之内会偶尔发生的统计涨落，这种涨落会暂时打破近似永恒的无序状态。如图6.4所示。

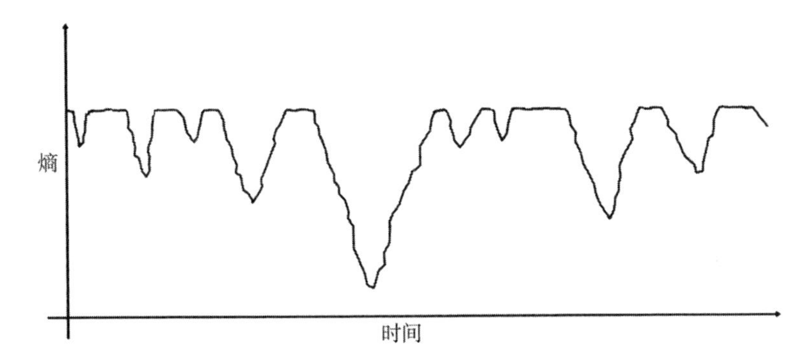

图6.4　宇宙总的熵随时间变化的示意图。从图中我们可以看到，宇宙在大多数时间里都处于完全无序的状态——高熵态。状态上的起伏很频繁，有序度变化很大，也会频繁地变到低熵态。熵上变化越大的涨落越不可能发生。熵上显著的变化——到今天宇宙这种有序度的变化——极其不可能，发生的次数很少

回头看看

许多年前当我第一次了解到这种想法时，我很是震惊。在那之前，我曾经认为我对熵的概念理解得还不错，但事实是，按照我学习的教科书的思路，我只能想到将熵应用于未来。而且，正如我们刚刚看到的那样，若我们将熵的概念用于关于未来的讨论，则一切都和我们的直觉和经验相符，而一旦将熵的概念用于讨论过去，则一切又与我们的直觉和经验相矛盾。这种感觉或许还没差到突然得知自己被相交多年的老朋友出卖了那么糟糕，但是对我来说，其实也差不多。

然而，有时候我们的结论最好不要下得太早，熵的表现未如预期恰恰为我们带来了一个很重要的例子。你或许正在想，我们所熟悉的各种思想突然变得面目全非，这种事情一时真难消化。而且，关于宇宙的这种解释并不“仅仅”动摇了那些我们认为真实又重要的东西，

它还留下了一些尚未有答案的重要问题。比如说，今天宇宙有序度越高——图6.4中的凹陷越深——使其发生的统计涨落就越让人觉得不可思议且不可能。因此，如果宇宙有什么捷径可走，在不需要实际上的那么高有序度的情况下，使事物多少看起来像是我们现在所看到的这样，那么概率上的原因就会使我们相信它真的会那么做。但当我们研究宇宙时，发现错失的机会实在太多了，因为很多事物的有序度都比其本来需要的多。如果迈克尔·杰克逊从没有灌制过《战栗》这张唱片，这张唱片分布在世界各地的数百万份拷贝的存在只不过是朝向低熵的反常涨落，那么相对来说，拷贝只有100万份或50万份甚至只有几份的话，这种反常涨落就显得没那么严重。如果进化从未发生，人类的存在只不过是朝向低熵的反常涨落，那么，根本就不存在证明进化的化石的话就会使涨落没那么严重。如果大爆炸从未发生，我们所看到的数千亿之多的星系只不过是朝向低熵的反常涨落，那么，星系的数目只有500亿，5000，或是更少，甚至只有一个的话就会使反常涨落没那么严重。所以，如果有人认为我们的宇宙只不过是统计学涨落这样的想法——一次幸运的偶然事件——正确的话，那他就需要解释清楚宇宙怎样以及为什么会走得如此之远，以至于达到了今天这种极低熵的状态。

更进一步，如果你真的不能相信记忆和记录，那么你也没办法相信物理定律。它们的正确性取决于数不清的大量实验，而这些实验的结果却又需要记忆和记录的证明。因此，所有基于公认物理定律的时间反演对称性的思考都会有问题，从而干扰我们对熵的理解，破坏当前讨论的整个基础。如果我们相信我们所认识的宇宙只不过是完全无序状态的罕有但偶尔也会发生的统计涨落，那么，我们很快就会陷入困境，我们会发现我们将丧失所有的思维结果，包括一开始为我们带来这种古怪解释的一系列思考。[1]

因此，将怀疑放在一边，努力跟着物理定律和熵的数学公式走——这些概念结合起来会告诉我们，从任意给定时刻开始，无序度很有可能既会朝着未来也会朝着过去的方向增长——我们很快就会掉入陷阱。虽然听起来不怎么美妙，但这件事的确不错，原因有两点。第一，它准确地说明了为什么怀疑记忆和记录——直觉上我们会鄙视的东西——不合理。第二，当我们发现整个分析框架处于崩溃的边缘时，我们被迫认识到，在我们的推理过程中，某些重要的东西必定被漏掉了。

因此，为了避开思维上的深渊，我们问自己：除了熵和自然定律的时间对称性外，我们还需要有哪些思想或概念，才能使我们重新相信自己的记忆和记录——室温下的冰块会融化而不是不融化，奶油和咖啡会混到一起而不会自然分开，鸡蛋会破碎而不会重新组合起来？简而言之，如果我们用熵在未来方向不断增长而在过去方向降低的说法来解释时空中事件发展的不对称性，我们将会得到什么样的结果呢？有这种可能性吗？

有。但除非初始时事物非常特殊。[14]

---

1. 与之密切相关的一点是，要是我们使自己相信，我们此刻看到的世界刚刚从总的混沌中脱身出来，那么，完全相同的理由——需要使用之后的时刻——就会要求我们放弃我们所相信的当下的一切，转而将有序的世界归结为更为晚近的涨落。因而，按这种方式思考的话，每个下一时刻都会使在相应的上一时刻时所相信的一切变得无效，这显然不是什么令人信服的解释宇宙之道。

鸡蛋、鸡和大爆炸

为了弄清楚这是什么意思，我们来看看前面提到的，低熵的、完整的鸡蛋。这种低熵的物理系统是如何形成的呢？如果我们能信任记忆和记录的话，我们就知道答案了。鸡蛋来源于一只鸡，鸡来源于鸡蛋，而鸡蛋又来源于鸡，鸡又来源于鸡蛋，如此反复。但是，正如英国数学家罗杰·彭罗斯特别强调的那样，[15] 这个鸡和鸡蛋的故事实际上教会了我们一些更为深刻的东西并使一些问题更为明确。

鸡，或其他生物，是一种令人惊讶的高度有序的物理系统。这种组织性来自哪里并且又是如何维持的呢？鸡仍然存在，并且可以靠不断生蛋、吃食以及呼吸继续存在下去。食物和氧气为生物提取所需的能量提供了原材料。如果我们要真正理解究竟是怎么回事的话，这种能量的一个重要特点就不得不强调一下。在鸡的一生当中，鸡通过摄取食物获得能量，然后又将能量以新陈代谢和日常活动所产生的热量和废物的形式排放到周围的环境中。如果没有这种能量摄取和释放的平衡，鸡将越来越笨重。

问题的关键在于，各种形式的能量并不一样。鸡以热量释放到环境中的能量是高度无序的——这些热量常常导致周围的空气分子的震动碰撞变得比先前剧烈。这种能量的熵很高——这些能量不断散发，并与环境混合在一起——因此不能轻易利用。相反，鸡从食物中摄取的能量的熵则很低，因而很容易用于重要的维持生命的活动。因此鸡，事实上也包括每一种形式的生命，都在摄取低熵能量释放高熵能量。

认识到这一点又会发现另一些问题。鸡蛋的低熵源自哪里？鸡的能源食物又是如何拥有如此低的熵的？我们应如何解释这种反常的有序？如果食物来源是动物的话，我们又回到了最初的问题：动物是如何拥有低熵的？但如果我们追踪食物链，我们最终将发现动物（比如我）只吃植物。植物和果蔬产品又是如何维持低熵的？在光的作用下，植物通过光合作用将周围空气中的二氧化碳转化成氧气和碳水化合物，氧气被释放到空气中，而碳水化合物被植物吸收利用以生长繁殖。因此我们能将低熵的、非动物性的能源追踪到太阳那里。

这又进一步引起了解释低熵的另一问题：高度有序的太阳来自哪里？太阳形成于50亿年前，它最初是由弥漫的气体团在其组成成分相互之间的引力作用下不断地旋转、聚集而形成的。当气体团密度变大时，一个部分施加于另一个部分的引力就会增强，从而造成气体团进一步向自身塌陷。当引力将气体团挤压得越来越紧时，气体团就会变得越来越热。最终，气体团的温度如此之高以至于引发了核反应，从而不断向外辐射热量以阻止引力对气体团的引力压缩作用。这样，一个高温、稳定、明亮燃烧着的恒星就诞生了。

那么，分散的气体团又来自哪里呢？它可能来源于较老恒星的残余物，当恒星的生命走向尽头时，会爆发变成超新星，并将其物质喷向太空。那么，形成早期恒星的分散气体又来自哪里呢？我们相信这些气体是在大爆炸之后形成的。我们有关宇宙起源的最精确理论——我们最为精妙的宇宙学理论——告诉我们，当宇宙的年龄只有几分钟时，宇宙间充满了由约75%的氢，23%的氦，少量的氘和锂组成的近乎均匀的高温气体。最关键的一点是，充满宇宙的这些气体的熵是非常低的。诞生于大爆炸的宇宙始于低熵状态，这种状态正是我们现在看到的有序态的起源。换句话说，*现在的有序态是宇宙的遗迹*。让我们更为详尽地讨论一下这一重要的思想吧。

熵与引力

理论和观测都表明在大爆炸后的几分钟内，原初气体均匀地分布在年轻的宇宙中，你可能会想，考虑到先前讨论过的可乐和二氧化碳分子，原始气体会处于高熵的无序状态。但事实并非如此。早前我们讨论熵的时候完全忽略了引力的影响，当时这样做是十分明智的，因为当少量的气体从可乐瓶里跑出来时引力几乎不起什么作用。在这一假设下，我们发现均匀分布的气体会有很高的熵。但当引力起作用时，情况就不一样了。引力是一种无所不在的吸引力；因此，如果有很大质量的气体，那么每一部分的气体对其他部分的气体有吸引力，而这会使得气体聚集成团，就像蜡纸上的表面张力会使其上的水凝结成小水滴。当引力起作用时，在早期宇宙的高密度状态下，团状结构——而不是均匀分布——才是常态，气体会倾向朝这种状态演化，如图6.5所示。

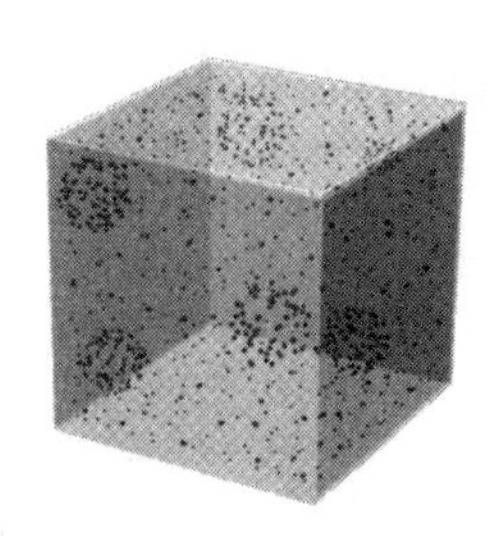
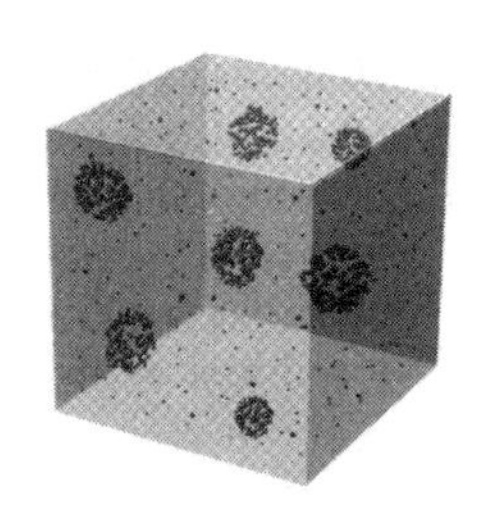

图6.5　对于巨大体积的气体来说，当引力起作用时，原子和分子会从一种平滑均匀的分布演化到具有较大较密团状结构的分布

虽然气体成团比最初的四散状态更为有序——就像玩具整齐地放在游戏室的箱子里，总比玩具扔得到处都是更为有序——但在计算熵的时候你还是需要将所有源头的贡献都考虑进去。在游戏室的例子中，将被扔得四处都是的玩具堆放到箱子和抽屉里，会使熵减少；而家长花了几个小时收拾房间、整理玩具又会消耗脂肪产生热量，这个过程又会造成熵增；不过，后者的熵增足以补偿前者的熵减。类似的，对于最初四散的气体而言，你会发现气体在有序聚集的过程中熵会减少，而气体在压缩过程中所产生的热量以及核反应过程发生时释放的大量热量和光会导致熵的增加，这里的熵增也同样大过熵减。

这一点非常重要，但时常会被人们忽略。朝无序状态的演化虽然不可抗拒，但这并非意味着像恒星和行星那样的有序结构，或者像植物和动物那样的有序生命形式，不能在这个过程中形成。它们可以形成，而且显而易见，的确就是这样。热力学第二定律带来的结果是，在形成有序结构的过程中会生成更多的无序。即使某些成分变得更加有序，熵的账本上仍在不断赢利。在自然界的基本力中，引力对熵的这个特点利用得最为充分。因为引力不仅在长距离上起作用，还无所不在，它引发了有序团块结构——恒星——的形成，而恒星又会发出我们在晴朗的夜空中可以看到的光，所有这一切的净效果就是造成了熵的增加。

气体团压缩得越厉害、密度越大、质量越重，其整体的熵就越大。黑洞——在引力的团聚和压缩作用下宇宙中所能有的最极端形态——将这一点发挥到极致。黑洞的引力如此之强，以至于没有任何东西，即便是光，可以从中逃逸，这就是黑洞黑的原因。因此，不同于普通的恒星，黑洞顽守着其所产生的所有熵：没有任何东西能逃脱黑洞强大引力的吸引。[16] 事实上，正如我们将在第16章中所讨论的那样，宇宙中没有任何东西能比黑洞[1]包含的无序还多，也就是说没有任何东西能有比黑洞更多的熵。这倒与我们的直觉相符：高熵意味着在物体形态不发生改变的情况下，其组成成分的重排数目更多。既然我们不可能看见黑洞内部，我们也就不可能探测到其组分——不管那些成分是什么——的任何重排，所以黑洞的熵必然最大。当引力将其肌肉收缩到极限时，它就成了已知宇宙中最有效的熵生成器。

现在，我们的猎物终于要停下来了。*有序和低熵的终极起源一定是大爆炸本身*。在宇宙的最初时刻，还没有像黑洞这样超大的熵容器存在，我们只能从概率的角度考虑，由于某些原因，新生的宇宙充满了热而均匀的氢气和氦气混合物。尽管这种结构本身熵很高，但由于密度很低，所以我们可以忽略引力，而引力不能被忽略时情况就全然不同了；因此，这种均匀气体的熵非常低。与黑洞相比，这些分散而近乎均匀的气体处于非同寻常的低熵状态。从那时起，根据热力学第二定律，宇宙的总熵渐渐变得越来越高，总的净无序度也在渐渐增长。大约过了10亿年后，在引力的作用下，原初气体不断聚集，最终形成了恒星、星系，其中较轻的形成了行星。于是，至少有一颗这样的行星，它的附近有一颗恒星，这颗恒星提供了相对低熵的能源，这些低熵的能源使得低熵的生命形式得以演化，在这些低熵的生命形式中最终有一只鸡下了一个蛋，而这只蛋几经周折现在摆放在你厨房的餐桌

1. 也就是说，给定大小的黑洞中所包含的熵比任何其他同等大小的物体中的熵都要多。

上，令你气愤的是鸡蛋继续进行着向高熵状态演化的状态，它从桌上掉下来，在地上摔碎了。鸡蛋之所以摔碎而不是聚集起来，是因为它在朝着高熵状态前进，而高熵状态是由宇宙诞生时的低熵状态引起的。宇宙诞生时令人难以置信的有序态正是一切的开始，从那时起我们一直都生活在这种渐渐向高熵状态演变的宇宙中。

这就是串联起整个这一章的神奇线索。*摔碎的鸡蛋告诉了我们一些有关大爆炸的深刻东西*。它告诉我们大爆炸带来了一个高度有序的新生宇宙。

同样的思想也可用于许多其他例子。把一本未装订的《战争与和平》扔向空中会导致高熵状态，是因为这本书*开始*于一种高度有序的低熵形态，其初始的有序形态为熵的增加做好了准备。相反，如果一开始这些页码并没有按顺序排好，则将其扔向空中时，熵不会发生多大变化。又一次，我们不得不提出这个问题：这些书页是怎样变得如此有序的呢？托尔斯泰按一定的顺序写作，印刷工和装订工按照他的原意进行印刷装订。托尔斯泰和这本书的生产者那高度有序的身体和意识允许他们创造出这样一本高度有序的书，而其身体和意识的高度有序则可以用我们解释鸡蛋时的思维来解释，这就又一次使我们回到了大爆炸。你在晚上10：30看到的部分融化的冰块又怎样呢？现在我们姑且相信记忆和记录，你印象中晚上10：00时服务员曾把完整的冰块放进了你的杯子里。他从冰箱里取出了冰块，冰箱是由聪明的工程师设计，天才的机械师制造出来的，他们之所以能创造出如此高度有序的东西是因为他们本身就是高度有序的生命。又一次，我们发现无序态可以追溯到高度有序的宇宙起源。

关键输入

我们所能得到的启示是，我们可以相信记忆中的过去处于低熵而不是高熵状态，只要大爆炸——创造宇宙的过程或事件——所创造的宇宙一开始处于极不寻常的低熵高度有序状态。如果没有关键输入，我们较早前的认识——在任意给定时刻，熵都会既朝未来的方向又朝过去的方向增长——将使我们得出这样一个结论，即我们所见的所有有序态都源于普通的高熵无序态的偶然涨落，我们已经看到，这样一个结论恰恰破坏了推出该结论的基础。但是，通过将看似不太可能的、低熵的宇宙起源纳入我们的分析中，我们现在明白正确结论应该是：熵会朝着未来的方向增长，因为概率论证完全有效并且在该方向上没有限制；但熵不会朝过去的方向增长，因为这样运用概率将与我们新的附加条件——宇宙开始于低熵而非高熵状态——相冲突。[17] 因此，宇宙诞生时条件对时间之箭的方向非常重要。未来就是熵不断增长的方向。*时间之箭——事物这样开始那样结束，而不会那样开始这样结束这个事实——在新生宇宙那高度有序的低熵状态中开始了自己的旅程。*[18]

未解之谜

早期宇宙为时间之箭设定了方向这个结论美妙而令人满意，但故事还没有结束。重大的谜题仍然没有解开。宇宙开始于高度有序的形态，在接下来的几十亿年间，世间万物慢慢地向着有序度低的方向演化，熵一点点地增加，那么，宇宙是怎样做到这些事的呢？千万别忽略这个问题的重要性。我们曾强调过，从概率的观点来看，你之所以会在晚上10:30 看到部分融化的冰，更为可能的原因是杯中水发生了统计学上的偶然事件，而不是之前有一块完整的冰块。对于冰块而言正确的东西，对于宇宙而言也总是正确的。从概率的角度来说，现在我们在宇宙中所看到的每一样东西，更有可能源于虽然少见但偶尔会发生的整体无序度的统计偏差；相比之下，从大爆炸所要求的不可思议的高度有序的低熵起点开始，慢慢地演化到现在的高熵状态这种说法，正确的可能性更低。[19]

但是，当我们用概率来考虑问题，将世间万物都想象成由于统计学上的偶然事件才存在于这个世界时，我们会发现自己深陷困境：这种思路让我们开始怀疑物理定律本身。因此我们倾向于反对用统计学上的偶然事件，而更愿意用低熵的大爆炸来解释时间之箭。这样一来，问题就变成了弄清楚宇宙是怎样从这样一种看似不太可能的、高度有序的形态开始一切的。这才是时间之箭所需要的问题。所有一切最后都归结到宇宙学上。[20]

我们将在第8章到第11章中仔细地讨论宇宙学。首先要注意的是，在我们有关时间的讨论中存在着一系列的缺点：我们讨论过的一切都只基于经典物理。现在我们要来看一下，量子物理会对我们理解时间、追索时间之箭产生哪些影响。

第 7 章 时间与量子

从量子角度洞悉时间的奥秘

当我们思考一些事物，比如时间，比如那些我们置身于其中的事物，比如那些完全融入我们日常生活的事物，比如那些四处弥漫的事物时，其实我们很难——哪怕暂时一下——做到不受通俗语言的影响，我们的思考很难摆脱经验的影响。这些日常经验只能算是经典体系中的经验，会在很高的精确度上符合300多年前牛顿所创立的物理定律体系。但是，在过去的100年间所有的物理学发现中，量子力学无疑是最令人吃惊的，因为它破坏了经典物理学的整个概念体系。

因此，我们很有必要将我们的经典物理经验推广到量子领域，看看那些能够展现量子过程随时间演变时出现奇异特性的实验。在这个背景下，我们将继续上一章的讨论，探寻量子力学描述下的自然界中是否存在时间之箭。我们将得到一个结论，虽然该结论在物理学家中还存在着争议。我们将再一次回到宇宙起源的问题上。

量子论中的过去

在上一章中，概率扮演着核心的角色。但是，正如我一再强调的，概率之所以如此重要完全在于它在实际应用上的便捷以及它所提供的信息的有用性。精确地计算一杯水中的10^{24}个H_2O分子的运动远远超越了我们的计算能力；而且，就算我们有这个计算能力，我们又能拿堆积如山的数据怎么办？从10^{24}组位置和速度的数据中看出杯中是否出现冰块绝对是一项艰巨的任务。所以我们还不如干脆寻求概率的帮助呢，概率的好处并不仅仅在于我们能够对付得了其中的计算，还在于使用概率方法时我们讨论的是宏观性质——有序还是无序，比如说，是冰还是水——而这正是我们感兴趣之处。但别忘了，我们还没有办法将概率整合进经典物理学的框架中。原则上讲，如果我们准确地知道了事物现在的状况——构成宇宙的每个单独粒子的位置和速度——经典物理学告诉我们可以利用这些信息来预测事物在未来或过去某一特定时刻的状况。理论上，你是否能弄清事物每时每刻的情况——根据经典物理你可以将其称为过去和未来——取决于你对现在所做观测的精细度。[1]

在本章中，概率将继续扮演着重要角色。但是，因为概率是量子力学中一个不可或缺的因素，它从根本上改变了我们对过去和未来的概念。我们都知道，量子力学的不确定性使我们无法同时知道物体的精确位置和速度。相应地，量子力学预言的只是这样或那样的未来成真的概率。我们当然对这些概率有信心，但它们也只是概率而已，因而预测未来时总是存在不可避免的偶然因素。

在描述过去方面，经典物理和量子力学之间也存在很大的不同。在经典物理学中，为了平等对待所有时刻，我们在描述导致我们所观测到的事物的事件时所用的语言，完全等同于我们在描述观测本身时所用的语言。如果我们在漆黑的夜空看到一颗流星飞过，我们可以讨论它的位置和速度；如果我们想弄明白它是怎样到达这儿的，我们也得搞清楚当它穿过太空飞向地球时的一系列位置和速度。而在量子力学中，一旦我们观测到某物，我们就到了一片净土，在这里，我们对所知道的事情有100%的把握（与该问题有关的仪器精确性及其他类似的问题暂时忽略）。但是，过去——特别是那些“没有被观测到”的过去，在我们，或任何其他人，任何事物进行某一观测之前——存在于量子不确定所带来的概率王国中。即使我们于此时此刻此地碰巧测量到了一个电子的位置，但在此之前，我们所知道的一切不过是这个电子在这儿或在那儿或在其他任意位置的概率。

而且，正如我们所看到的，并非电子（或者是其他粒子）位于这些可能位置中的一个，只是我们不知道到底是哪个这么简单。[2] 实际情况是，所有的位置对电子而言都是有一定意义的，因为每一种可能性——每一种可能的历史——都对我们现在所观测到的结果有贡献。别忘了，在第4章中，我们已经知道可在实验中看到相关证据——电子被迫通过两条缝隙。经典物理学使人们普遍存有这样的信念：任何事物都有其独一无二的固有历史，所以人们会认为任何一个电子要么从左边的缝隙穿过，要么从右边的缝隙穿过，然后才能到达接收屏。然而，有关过去的这种观点会使我们误入歧途：它预测的结果［如图4.3（a）所示］与实际所发生的情况［如图4.3（b）所示］并不相符。只能借助于通过这两条缝隙的某物的叠加才能解释观测到的干涉图样。

量子力学提供了这样一种解释，但这样做戏剧性地改变了我们对过去——我们对自己观测到的某种事物的由来的描述——的认识。

根据量子力学，每个电子的概率波*确实*穿过了这两条缝隙，正是由于来自每个缝隙的波相互混合，才使得最后的概率波呈现出干涉图样，从而使得电子所落的位置呈现出干涉图样。

与日常经验相比，我们完全不熟悉这种用概率波的混杂来描述电子历史的方式。但是，管他呢，你可能会认为进一步采用这种量子力学描述，会被带到某种更为怪异的可能性前。或许每个单独的电子在到达屏幕之前都会经过两个缝隙，所得到的实验数据不过是两种历史的干涉。也就是说，我们可能会忍不住这样想，来自双缝的波实际代表的是单个电子的两种可能历史——通过左边的缝隙或右边的缝隙，而且，既然这两列波都对我们从屏幕上观测到的结果有贡献，那么量子力学或许是在告诉我们，每个电子的两种可能历史都对结果有贡献。

令人惊奇的是，这种奇妙的想法——20世纪最富有创造性的物理学家之一、诺贝尔桂冠获得者理查德·费恩曼的脑力结晶——提供了一种思考量子力学的完美又可行的方法。根据费恩曼的想法，如果达到某一给定结果的方式有很多种——比如说，一个电子既可通过左边的缝隙到达探测屏的某一点，又可通过右边的缝隙到达探测屏上的同一点——那么我们就可以认为每一种历史都可以发生，而且是同时发生。费恩曼证明，每一种情况都对它们共同实现的结果的概率有贡献，如果将这些贡献正确地加起来，结果将与量子力学所预测的总概率一致。

费恩曼把这种想法称为量子力学的*历史求和方法*，它告诉我们概率波蕴藏着观测之前的所有过去，而且还告诉我们，量子力学要想沿着经典力学失败之处继续前行，就不得不拓展历史的概念。[3]

去往奥兹国[1]

在另一个版本的双缝实验中，不同历史的干涉更加明显，因为到达探测屏的两种路线被分得更开。用光子来做这个实验比用电子更容易一些，因此，我们改用光子源——激光——来做这个实验，我们将激光射入*分束器*。分束器由半镶银的镜子制成，就像监视器上用的那种，可以使一半光反射回去而使另一半光通过。初始的单束光分裂成两束——左边的光束和右边的光束，就像双缝实验一样，一束光分成了两束。如图7.1那样，合理地放置完全反射的镜子，两束光被一起反射到下面的探测器上。把光看成一种波，就如麦克斯韦描述的那样，我们期望在探测屏上找到干涉图样。左边和右边的光束距离探测屏上除了中心点以外的所有点的光程都略有不同，因此当左边光束在探测屏上某点形成波峰时，右边光束在该点形成的则可能是波谷、波峰或波峰波谷之间的部分。探测屏会记录下两列波合起来的高度，因此会有独特的干涉图样。

当我们显著地减弱激光的强度，使其发射出单个光子，比如说每隔几秒发射一个光子时，经典物理和量子物理之间的区别就变得非常明显了。当单独一个光子进入分束器时，经典物理学会告诉我们，它要么穿过去要么被反射回来。经典物理不允许存在一点干涉，因为没有什么可干涉的：从光源射出到达探测屏的只是一个个独立、特殊的

1. 奥兹国，美国童话小说《绿野仙踪》中的国名，下面的多萝西和稻草人是其中的人物。——译者注

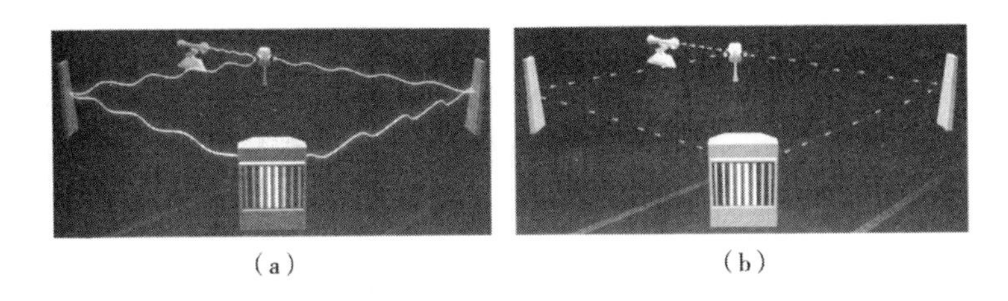

（a）　（b）

图7.1 （a）在双缝干涉实验中，激光束分成两股，沿两条路径分别进入探测屏。（b）将激光调小，使得光子一个一个地出来；一段时间以后，我们还是会看到干涉图样

光子，一个接一个，有的从左侧过去，有的从右侧过去。但真正实验时（图4.4），记录下来的一个个光子确实产生了如图7.1（b）所示的干涉图样。按照量子力学，这是因为每个探测到的光子可能通过左边或右边的路径到达探测器。因此，我们不得不综合考虑两种历史以确定光子撞击在屏上这点或那点的概率。当每个光子的左边概率波和右边概率波按这种方式组合到一起时，就会通过波的干涉产生概率图样。所以，不像多萝西——当稻草人给她指路去奥兹国时既指左又指右，令她很迷惑——我们所得数据可以完美地被解释为每个光子可以同时通过左右路径到达探测器。

选择

虽然我们在上文只通过几个特殊例子来说明可能历史的组合，但这种思考量子力学的思维方式却具有一般性。经典物理学所描述的现在有一个独一无二的过去，而量子力学的概率波扩大了历史的含义：在费恩曼的体系里，我们所观测到的现在代表了一种混合——一种特殊的平均——与我们现在所看到的一切相符的所有可能的过去的混合。

在双缝实验和分束器实验中，电子或光子从光源到探测器有两种选择——左边或右边的路径——只有把所有可能的历史组合起来，我们才能解释观测到的一切。如果障碍物有3条缝，我们将不得不考虑3种可能的历史；如果有300条缝隙，我们就需要考虑所有可能历史的贡献。现在我们来考虑一种极限情况，如果障碍物上有无数条缝隙——缝隙如此之多以至于障碍物都可以当作不存在了——则根据量子力学，每个电子会踏遍*每一条*可能的路径以到达探测器上的某一点，只有把与每一种可能历史相关的概率都考虑进去，我们才能解释得到的数据。听起来这或许有点奇怪（确实很奇怪），但正是这种奇怪的处理过去时间的方法解释了图4.4、图7.1（b），以及每一个探索微观世界的其他实验中的数据。

你可能想知道历史求和这种说法的准确含义到底是什么。电子*真的*是踏遍了所有可能的路径才撞到探测器上的吗？还是说费恩曼的说法只是一种能够得到正确答案的巧妙数学设计？这是评价量子实在性本质的关键问题之一，因此我希望我能给出一个明确的答案。但是我做不到。物理学家们常常发现这种把历史求和综合起来考虑的方法非常有用；我在我自己的研究工作中经常使用这种思想，因此我当然觉得它是对的。但是那和说它*就是*真的还不是一回事。关键在于，量子计算明确地告诉我们电子落在屏幕上这一点或那一点的概率，而这些预测又与数据相符。一旦我们考虑到了理论在预言上的有效性，电子究竟是如何到达屏幕上某点的就不再那么重要了。

当然，你可能会进一步想到，我们也可以解决到底发生了什么这个问题，只要我们改变实验条件，我们也能看到带来了所观测到的现在的各种可能过去的大杂烩。这是一个好建议，但我们也知道还存在另外一个问题。在第4章中，我们知道概率波并不能直接观测到；而费恩曼把各种历史结合起来的想法也只不过是一种思考概率波的特殊方式，因而它们也没法被直接观测。确实如此。观测不能区分各种历史；相反，观测反映的是所有可能历史的平均。因此，如果你改变了实验条件，再观测飞行中的电子时，你将会看到每个电子在或这或那的位置穿过额外的探测器，你永远不会看到任何的多重历史。当你用量子力学来解释为什么你会在或这或那的位置看到电子时，答案将与导致中间观测现象出现的所有可能历史的平均有关。但是观测本身只能针对已经求和的历史。观测飞行中的电子时，你已经将你所谓历史的概念推后了。量子力学极其狡猾：它解释了你所看到的东西，但又不让你看到解释。

你可能会进一步追问：那么为什么用单独的历史和轨迹描述运动的经典物理学——常识物理学——竟可以解释宇宙？为什么经典物理学在解释和预测每一样物体（从棒球到行星到彗星）的运动时都如此有效？为什么日常生活中就没有证据说明过去会以这种奇特的方式发展到现在？正如我们在第4章中简要介绍并要在稍后更为详尽地探讨的那样，这里的原因在于，与电子之类的粒子相比，棒球、行星和彗星都比较大。在量子力学中，某物越大，就越会偏离平均：所有可能的轨迹确实都对棒球的飞行有贡献，但我们通常看到的棒球轨迹——牛顿定律所预测的那条——比其他路径合起来的贡献还要大很多。对于大个物体而言，经典路径的贡献是平均过程中的主导贡献，而且远大于其他贡献之和，因此经典路径才是我们最熟悉的路径。但是，当物体非常小时，像电子、夸克和光子，各种历史不分伯仲，都对平均过程的形成起重要作用。

最后你可能会问：为什么观测和测量的作用如此特别，以至于会迫使所有可能的历史结合到一起，导致单独的一个结果？我们的观测行为又是如何告诉粒子该什么时候将历史求和起来，平均一下并得出一个明确结果的呢？为什么我们人类和我们制作出的机器有这种特殊的力量呢？这特殊吗？又或者，人类的观测行为只不过是更为广义的环境影响的一个子集，我们根本就不特殊？在本章的后半部分，我们将着手讨论这些令人迷惑而又富于争议的问题，因为它们不仅对于量子实在性的本质非常重要，还能为探讨量子力学和时间之箭提供一个重要的理论框架。

计算量子力学的平均值需要严格的技术训练。彻底理解平均值是何时何地如何求和起来的，则需借助于物理学家们仍然在努力探索的概念。但关键的一点可以简单地表述为：量子力学是终极的选择舞台，每一种可能的“选择”（从这里到那里时需要做出的抉择）都被包括在与这样或那样的可能结果相关的量子力学概率中。

经典物理和量子物理对待过去的方式完全不同。

修剪历史

以我们所受的经典物理教育去想象一个不可分的物体——电子或光子——同时沿着多条路径运动，是极为不可思议的。即使是我们当中最有自制力的人，也难以抵制偷偷观测一下的诱惑：当电子或光子通过双缝屏幕或分束器时，为什么不偷看一下它们究竟是通过哪条路径到达探测器的呢？在双缝实验中，为什么不把一个小探测器放在每个缝隙前面，以辨别电子到底通过这条缝隙、那条缝隙，还是同时通过这两条缝隙（然后继续前进进入主探测器）？在分束器实验中，为什么不在每条发射路径中放置一个小小的探测器以鉴别光子通过哪条路径？左边的？右边的？还是同时通过这两条路径（继续朝探测器前进）？

答案是你可以插入额外的探测器，但如果你这样做了，你会发现两件事情。第一，你将发现每个电子和每个光子总是会通过一个探测器并且只能通过一个探测器，也就是说，你能确定电子或光子通过了哪条路径，你将发现它总是通过其中一条路径，而不能两条都通过。第二，你将发现主探测器记录的最终数据发生了改变。你看到的不是图3.4（b）和图7.1（b）的干涉图样，而是如图4.3（a）中经典物理学所预测的结果。通过引进新元素——新探测器——你已经在不经意间改变了实验。这种改变规避了你之前要探讨的矛盾——现在你已知道了每个粒子将通过哪一条路径，这样一来又怎么能和它明显没通过的路径发生干涉呢？之所以会这样，可以用上一节中的讨论来解释。你的新观测会挑选出那些你的最新观测可以探明的历史。这些观测确定了光子会通过哪一条路径，这样我们就只需考虑那些通过这条路径的历史，从而排除了干涉的可能性。

尼尔斯·玻尔喜欢用他的*互补原理*来总结类似的事情。每个电子，每个光子，事实上所有的事物，都同时具有波动性的一面和粒子性的一面。这些性质具有互补性。只按传统的粒子观点——粒子按独一无二的轨迹移动——来考虑问题并不完备，因为它忽略了干涉图样所展现的波动性一面。[1]但只从波动性的一面来考虑问题也是不完备的，因为这样就忽略了定位电子之类的测量——比如说，通过记录屏幕上的点来定位电子——所展现出来的粒子性特点（图4.4）。完整的描述应当同时把互补性的特点都考虑进来。在任意给定的情况下，你可以通过选择相互作用的方式来使其中一个特点更加明显。如果你让电子从光源发射到未观测的屏幕，其波动性的特点将显现出来，产生干涉。但如果你观测到了电子的路径，你知道它走的是哪条路，你就很难解释干涉性。这时实在性会伸出援手。你的观测直接排除了各种可能的量子历史，它使电子表现得像一个粒子，因为粒子总走这条路或那条路，没有干涉图样，所以没有什么需要解释的。

大自然会做出很奇怪的事情。它总爱打擦边球，但又总是很小心地在致命的逻辑陷阱边迂回而过。

历史的不可期

这些实验非常著名，它们提供了简单而有力的证据证明，掌控着我们世界的定律是物理学家在20世纪所发现的量子定律，而不是牛顿、麦克斯韦和爱因斯坦所发现的经典定律——这些定律在描述大尺度上的事件时可作为极为有力的近似。我们现在所看到的量子定律挑战了有关过去的传统概念——那些我们未观测到的事件正是造成

1. 尽管费恩曼的历史求和方法看起来突出了粒子方面，但它实际只是概率波（因为这种方法与每个粒子的所有历史有关，而每一种历史都有自己的概率贡献）的一种特殊诠释，可被纳入互补性的波动一面。而当我们说某物表现出粒子性时，我们指的其实是传统意义上的粒子会按单一轨迹运动这件事。

我们现在所见到的结果的原因。这种实验的一些简单版本以更为令人惊奇的方式冲击着我们直觉上的对事物随时间演化的看法。

第一个变体是所谓的*延迟选择*实验，由著名物理学家约翰·惠勒于20世纪80年代提出。这个实验与一个听起来相当怪诞的问题有关：过去取决于未来吗？注意，这里并不是说让我们回到过去，改变过去（这个问题我们将在第15章中阐述）。相反，惠勒实验——人们已经仔细地分析实行过这个实验——探讨的是那些在我们的想象中过去——即便是遥远的过去——可能发生的事件，与那些我们看到的正在发生的事件之间的富有争议性的相互影响。

为了便于理解物理学，想象一下你是位艺术品收藏家，新斯普林菲尔德艺术与美化协会的主席史密瑟先生来观看你所收集的用于拍卖的各种物品。你知道，他真正感兴趣的是《脱衣舞男》，这是一幅你自己不太喜欢的画，但这是你深爱的伯祖父伯恩斯留给你的，因此决定到底要不要卖它是一番情感上的斗争。史密瑟先生来后，你和他谈论着你的收藏，最近的拍卖，最近在大都会博物馆的展览。令人惊奇的是，你得知，许多年前史密瑟先生曾是你伯祖父的得力助手。谈话的最后，你决定放弃《脱衣舞男》——还有许多你想要的其他作品，你必须学会放弃，否则你的收藏将没有焦点。在艺术收藏的世界里，你总在告诉自己，有时更多就是更少。

当你反思这个决定时，你发现事实上在史密瑟先生到来之前你就已经决定要卖掉它。虽然一直以来你都对《脱衣舞男》有种特殊的感情，但你一直在努力避免没有计划、漫无目的的收藏，而且以20世纪末的色情现实主义为主题的收藏几乎被视为只有最有经验的老手才可踏足的收藏禁地。即使你记着在你的客人到来之前你不知道应该怎么办，但从你现在的做法来看，你当时确实已经决定了。这并不是说未来发生的事件影响了过去，而是说你和史密瑟先生的会面，以及接下来做出的愿意卖画的声明表明，你早以某种方式做出了明确的决定，虽然在当时看来你并没决定。就好像是这次会面和你的声明帮助你接受了这个已经做出的决定，而这个决定只是等待着被发掘出来。未来帮助你知晓过去到底发生了什么。

当然，在这个例子中，未来的事件只是影响了你对过去的观点和阐释，因此这些事件既不令人困惑也不令人惊讶。但是惠勒的延迟选择实验把这种未来和过去之间的心理上的相互作用转移到量子领域，这就变得非常精确而且令人相当吃惊了。实验开始时的设置如图7.1（a），把激光调弱，使其一次只发射一个光子，如图7.1（b）那样，同时在分束器旁加放一台新的光子探测器。如果关掉新的探测器［图7.2（b）］，则我们回到了初始实验条件，接收屏上就会出现光子的干涉图样。但如果打开新的探测器［图7.2（a）］，它就会告诉我们每个光子经过哪一条路径：如果它探测到一个光子，那么光子走的就是这条路径；如果它没探测到光子，光子走的就是另一条路径。这种所谓的“路径选择”信息促使光子表现得像粒子一样，因此不再产生波的干涉图样。

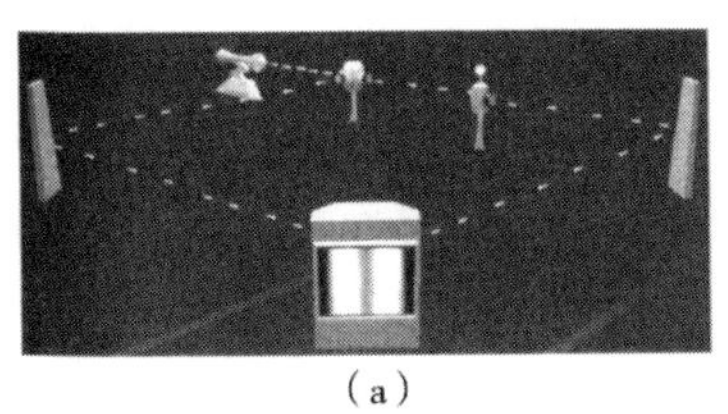
(a)

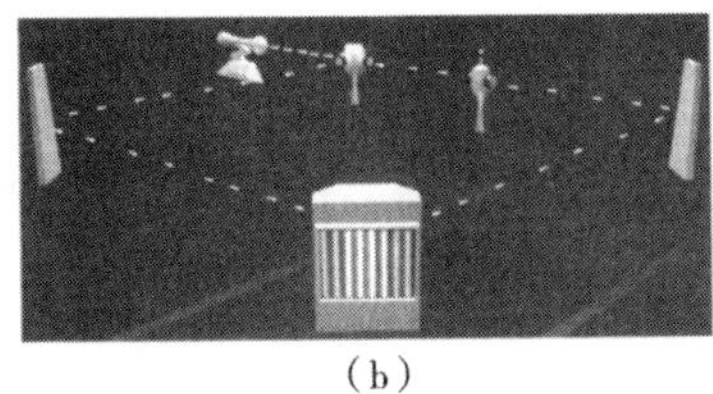
(b)

图7.2 (a)打开“路径选择”探测器，我们就破坏了干涉图样。(b)当新的探测器关掉的时候，我们就回到了图7.1的情形，干涉图样重新出现

现在我们来改变一下实验条件，按惠勒的方式，沿着两条路径之一移动新的光子探测器。从原理上讲，这两条路径可以无限长，因此新的探测器可以与分束器有相当长的距离。如果关掉新的探测器，我们就又处于通常的情况下，屏幕上将全是干涉图样。如果打开它，它将提供路径选择信息，进而排除干涉图样的存在。

新的诡异之处在于这样一个事实：路径选择的测量发生在光子在分束器中不得不“决定”是像波一样同时经过两条路径还是像粒子一样只经过一条路径。很长时间以后，当光子经过分束器时，它无法“知道”新的探测器是关着还是开着——事实上，可以在光子经过分束器之后再设定探测器的开关。在探测器关掉的情况下，光子的量子波最好分裂，同时沿着两条路径传播，这样一来，两列波的叠加就会产生干涉图样。但是，如果新的探测器一直开着——又或是在光子完全经过探测器后才打开——那光子就会遭遇身份危机：光子本来已经通过两条路都走确定了自己具有波动性，但现在在做出选择之后，它“意识”到它需要成为一个粒子，沿着一条路径运动，并且只沿着一条路径运动。

但不管怎样，光子总不会犯错。不管探测器什么时候打开——即使迟至某个光子通过分束器后再打开探测器——光子仍然像个粒子那样运动。我们发现它总是通过单独一条路径飞向屏幕（如果我们在两条路径都放置有光子探测器，那么激光器发射出去的每个光子将只被一个探测器观测到，而不是两个都能观测到），最后的数据将不会展现任何干涉性。无论什么时候关掉探测器——再次，即便是在每个光子都通过分束器后才做出决定——光子也会表现出波动性，产生显著的干涉图样，表明它们通过的是两条路径。似乎光子会根据未来新探测器是打开还是关闭来调整它们过去的行为，似乎光子可以预先得知它们在下面的路途中会遇到何种实验条件并提前做出相应的行为。似乎一段可靠确定的历史只有在其所导向的未来完全定下来之后才会变得清楚。[4]

这与你是否决定要卖出《脱衣舞男》的经历有一定的相似性。在遇到史密瑟先生之前，你正处在一个模糊、还未决定、既愿意卖画也不愿意卖画的混合状态。但是，一起讨论过艺术世界，并且得知史密瑟先生对你伯祖父的感情之后，卖画的想法就在你的头脑中定型了。这次谈话使你下定决心，这样的决定使这段决定的历史从先前的不确定中明晰起来。反思过去，就好像这个决定早就做出一样。但如果你和史密瑟先生相处不是十分愉快的话，如果他没有获取你的信任让你觉得《脱衣舞男》并不会在他手中辱没，你或许就会觉得不卖出去挺好的。在这种情况下，你可能会觉得事实上很久以前你就决定不卖这幅画——不管卖出这幅画是多么的明智，但你内心深处感情的维系让你对这幅画无法释怀。事实上，过去一点儿也没有改变。只是现在的不同使你对过去的描述有所不同。

在心理学领域，重写或重新诠释过去是很常见的事情。我们常常通过现在的经历获知过去的故事。但在物理学领域——一个我们通常认为是很客观的领域——未来的偶然事件竟会使过去变得不同则令我们感到头晕。为了使人们更加头晕目眩，惠勒想出了宇宙学版本的延迟选择实验，光源不是实验室中的激光，而是宇宙深处强有力的类星体。分束器也不是实验室的那种，而是居间星系，它们的引力可以像透镜那样聚焦经过的光子，指引它们向地球运动，如图7.3那样。虽然没有人做过这个实验，但从原理上讲，如果收集到足够多的来自类星体的光子，它们就应该可以在长期曝光的相片底板上产生干涉图样，就像在实验室里的分束器实验一样。但是，如果我们把一个额外的光子探测器放在某条路径的末端，它就会为光子提供路径选择信息，从而破坏干涉图样。

图7.3　来自远方的类星体的光，会因中间的星系劈裂及会聚，这样的光，至少在理论上会产生干涉图样。如果有另外一个可以确定每一个光子所走路径的探测器开着的话，则光子将不会再产生干涉图样

这个版本的实验令人吃惊之处在于，从我们的角度来看，这些光子来自几十亿光年外。到底是像粒子那样沿着一条路径运动，还是像

波那样沿着两条路径运动，它们的这个决定看来早在探测器、我们人类甚至是地球存在以前就已经做出来了。但是，几十亿年后，探测器被制造出来，安装在光子到达地球的路径上并扭开开关。这些近期的行为不知为何确保了被观测的光子呈粒子样运动。它们表现得就好像它们一直都精确地沿着朝向地球的某条路径运动。但是，如果几分钟后，我们关掉探测器，接着到达相片底板的光子就会造成干涉图样，就好像几十亿年来，它们一直与其幽灵般的同伴一道飞向地球一样，只不过它们的同伴在飞越居间星系时会走与它们相反的路径。

我们在21世纪打开或关掉探测器会对几十亿年前的光子运动产生影响吗？当然不会。量子力学并不否定已经发生的过去。问题源于量子中的*过去*概念不同于经典直觉中的*过去*概念。我们的经典教育使我们长时间以来一直说某个光子*做过*这个，*做过*那个。但在量子世界，也就是我们的世界中，这种思维强加给光子一种限制过度的实在性。就像我们所看到的，在量子力学中，正常态是一种不确定的、模糊的、混乱的、千丝万缕的实在性，只有进行一定的观测时，它们才会清楚地变成一种更为大家熟悉的、明确的实在性。光子并不是在几十亿年前就决定了到底是按某条路径绕星系运动，还是同时沿两条路径运动。相反，几十亿年来它一直处在量子的正常态——各种可能性的混合。

这种观测将不熟悉的量子实在性与日常的经典经验联系起来。我们今天所做的观测使量子历史的某一缕在我们探讨过去时变得重要起来。在这种意义上来讲，虽然从过去到现在的量子演化不受我们现在所做的任何事情影响，但是，我们所讲的有关过去的故事则会留有今天行为的痕迹。如果我们在光射向屏幕的途中插入光子探测器，那么，我们有关过去的故事就将包括每个光子走的到底是哪一条路径这样的内容；通过插入光子探测器，我们保证到底是哪条路径这一信息是我们的故事中重要而又确定的细节。但是，如果我们不插入光子探测器，我们有关过去的故事就会全然不同。没有光子探测器，我们就不能说清光子走的到底是哪一条路径；没有光子探测器，就无法获知到底是哪一条路径。两个故事都是正确的，两个故事都很有趣，两者所描述的只是不同的情形而已。

因此，今天的观测帮我们讲完了一个有关开始于昨天、前天，甚至是10亿年前的过程的故事。今天的观测勾勒出的细节，可以而且必须包括在今日之对过去的描述中。

抹掉过去

需要特别注意的是，在这些实验中，过去不会被今天的行为以任何形式改变，实验的任何修正都无法完成这样一个难以企及的目标。这就提出了一个问题：如果你不能改变已经发生的事情，那么你能做哪些事情来消除其对现在的影响呢？从某种程度上讲，有时这种幻想可以成真。一名棒球手，在第9局最后己方已经两人出局的情况下，错失了一次普通的击球，使对方成功将自己一方封在一垒；不过，只要能够将下个投手掷出的球打好，他就可以挽回自己的错误。当然，这样的例子毫无神秘之处。只有当过去的某个事件干脆利落地除掉了未来另一件事情发生的可能性（比如说，那名球员击球后被对方直接接杀就意味着他们队完了），而我们随后又得知那件不可能的事情却发生了时，我们才会意识到有些东西非常奇怪。玛兰·斯考利和凯·德鲁尔于1982年首次提出的*量子橡皮*，就暗示我们量子力学存在这种奇怪现象。

量子橡皮实验的简单版本利用的是双缝实验的装置，只不过要以如下方式稍做修改。每个缝隙前面都放置一个标记装置，它会为每一个经过的光子做记号，这样一来，稍后只要查验光子，你就可以知晓它所通过的到底是哪一条缝隙。如何标记一个光子——你该如何在从左边缝隙通过的光子身上标一个“L”，在右边缝隙通过的光子身上标一个“R”——的确是一个好问题，不过细节并不重要。粗略地讲，可以用这样的方法标记，让光子自由地通过某个缝隙，然后迫使其自旋指向某个特殊方向。如果左右缝隙前的装置能使光子的自旋指向特定但又不同的方向，那么我们就可以借助于一台更加精密的接收屏——这个新的接收屏不仅可以标记光子落在屏上何处，还可以记录下光子的自旋指向——来搞清楚光子到底通过的是哪一条缝隙。

实施这个带标记的双缝实验时，光子并没有形成如图7.4（a）所示的干涉图样。现在我们应该已经很熟悉这里的解释了：新的标记装置会获得有关哪一条路径的信息，而哪一条路径信息又能够选定或这或那的历史；实验数据会告诉我们，某个光子通过的到底是左边的缝隙还是右边的缝隙。如果没有经过左边缝隙和经过右边缝隙的轨迹的组合，就不会有概率波的叠加，因而就不会产生干涉图样。

现在，我们来看看斯考利和德鲁尔的想法。在光子撞击接收屏之前，如果你把标签装置对光子所做的标记擦除，从而消除了获知光子通过哪条缝隙的可能性，那又会怎样？这样一来，即使从理论上讲，

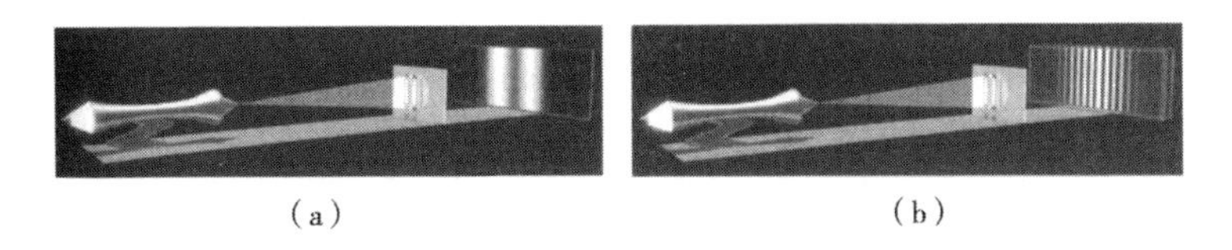

（a） （b）

图7.4 图（a）在量子橡皮实验中，双缝前面的设备用来标记光子，以便弄清每一个光子穿过的究竟是哪一条缝隙。我们在图（a）中看到，这个判断路径的信息破坏了干涉图样。在图（b）中，另一个设备，用于抹掉光子上的标记的设备，被放置在探测屏前，由于判断路径的信息被抹掉了，干涉图样又重新出现了

也没有办法从探测到的光子中获取哪条路径的信息，这会使两种历史发生相互作用，从而形成干涉图样吗？注意这种“取消”过去可比棒球手在第9局最后的神奇接球厉害多了。按下标签装置的开关时，我们可以想象每个光子都像粒子般运动，穿过左边的缝隙或右边的缝隙。不管通过什么方法，在光子撞上屏幕之前，我们将其上所记录的有关通过哪一条缝隙的信息擦除掉了；但是，这似乎对于形成干涉图样而言已太晚。在干涉中，光子呈现波动性，它必须同时经过两条缝隙，这样它才能在到达探测屏的过程中相互混合。但我们起初对光子所做的标记似乎保证它会像粒子一样运动，要么经过左边的缝隙，要么经过右边的缝隙，从而使干涉过程不会发生。

在雷蒙德·齐奥、保罗·奎特和埃弗雷姆·斯特恩伯格做的实验中，实验装置如图7.4（b）所示，有一个新的擦除装置插在探测屏之前。虽然细节并不重要，但还是简要介绍一下。不管光子是从左边的缝隙还是右边的缝隙进入，擦除装置都会使其自旋指向同一个固定方向。这样一来，通过测量自旋就不会获得任何信息，没法发现光子通过的是哪条缝隙，所标记的那一条路径信息被擦除了。神奇的是，擦除之后，屏幕探测到的光子确实产生了干涉图样。当擦除装置被置于

接收屏之前时，它消除了——擦除了——光子通过双缝时被标记所带来的影响。就像延迟选择实验中的情形一样，理论上，这种擦除可以在其所要干扰的事件发生的几十亿年后才进行，即使这样也会有效消除过去，甚至是久远过去的影响。

我们怎样来理解其中的意义呢？这个嘛，要记住这些数据与量子力学的理论预言符合得非常完美。斯考利和德鲁尔之所以提出这个实验，是因为他们所做的量子力学计算使他们确信一定会发生这样的事。确实就是这样。因此，就像有关量子力学的一般问题一样，谜团并不会使理论与实验相矛盾。这样的实验只会使理论——得到了实验验证的理论——与我们对时间和实在性的直觉相违背。还需要知道的是，如果你在每条缝隙前面放一台光子探测器，探测器就会确定地告诉我们光子通过的到底是左边的缝隙还是右边的缝隙，这样确定的信息没法被擦除，因此也就没有办法重现干涉图样。但标记装置是不一样的，因为它们所提供的只是获得有关哪一条路径信息的可能性——而这种可能性是可以被擦除的。简单地讲，标记装置对经过的光子动了点手脚，光子仍然通过两条路径，但标记装置使光子概率波的左边部分变得比右边部分模糊，或者使光子概率波的右边部分变得比左边部分模糊。相应地，本应从每条缝隙中按顺序正常出现的波峰波谷——如图4.2（b）——也会变模糊，因此探测屏上就不会形成干涉图样。关键在于，要认识左边的波和右边的波都还存在。擦除装置之所以会起作用，是因为它重新聚焦了波。就像一副眼镜一样，它会抵消模糊，使两列波重新聚焦，从而得以再次形成干涉图样。似乎在标记装置的作用下，干涉图样从视野中消失了，但它耐心地守候在那里，等待着某人或某物来拯救它。

或许这种解释使量子橡皮不那么神秘，但这里就是终点了——量子橡皮实验令人惊异的变异版对传统意义上的时间和空间概念构成了更为猛烈的挑战。

塑造过去[1]

这个实验，*延迟选择的量子橡皮擦*，也是斯考利和德鲁尔提出的。首先要对图7.1所示的分束器实验加以改进，插入两个所谓的降频转换器，一边一个。降频转换器是这样一种设备，输入一个光子，它就能输出两个光子，而每个光子的能量都是原始光子能量的一半（“降频”）。其中一个光子（被叫作*信号光子*）直接沿着原始光子飞向探测屏的路径运动。同时，降频转换器产生的另一个光子（被叫作闲频光子）则沿不同方向发射出去，如图7.5（a）所示。每次做这个实验时，我们通过观测降频转换器发射出来的闲频光子伴所走过的路径，就可以确定信号光子走的是哪条路径。又一次，获知信号光子走哪条路径的能力——即使是完全间接的，因为我们与任何信号光子之间没有一丝相互作用——阻碍了干涉图样的形成。

现在我们来看一下更加诡异的部分。要是我们改变实验设置，使我们无法获知某闲频光子到底来自哪一个降频转换器，会怎样呢？也就是说，如果我们擦除了闲频光子所带有的那一条路径信息，又会怎样呢？令人惊奇的事情发生了：即使我们并没有直接对信号光子做什么，通过擦除闲频光子所带有的那一条路径信息，我们又可以观测

1. 如果你觉得这节有点难度，那么没关系，直接跳到下一节好了，不会连不上。但我鼓励你尝试一下，因为结果会对得起你的努力。

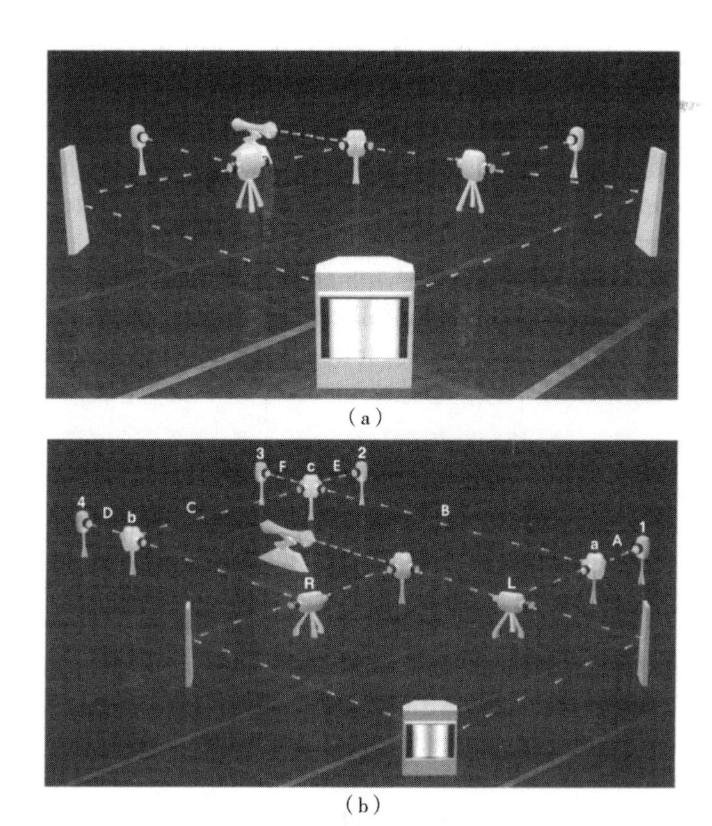

图7.5 (a)添加了降频转换器的双缝实验，不会带来干涉图样，因为闲频光子会带来路径判断信息。(b)如果闲频光子没有被直接探测到，而是被送进了图中的迷宫，那么就可以从数据中抽取出干涉图样探测器2或探测器3，探测到的闲频光子不会导致判断路径信息，因而其信号光子还会带来干涉图样

到信号光子所形成的干涉图样。让我来告诉你这个过程是怎样发生的，它实在太神奇了。

看一下图7.5(b)，它包含了所有实质性的信息。但不要害怕，它实际上比看上去的简单些，我们现在就按易于处理的步骤看一遍。图

7.5（b）中的设置不同于图7.5（a）中的设置，其区别在于如何探测发射出来的闲频光子。图7.5（a）中，我们可以直接探测到它们，因此很快就可以确定每个光子是从哪个降频转换器发射出来的——也就是说，特定的信号光子走的是哪条路径。在新的实验中，每个闲频光子都要走一个迷宫，从而使我们没法定出信号路径。比如说，想象一下有一个闲频光子从标着"L"的降频转换器发出。这个光子并没有立即进入探测器［如图7.5（a）所示］，而是被送到分束器（标记为"a"）中，这样它就有50%的概率沿着标为"A"的路径运动，50%的概率沿着标为"B"的路径运动。如果光子沿着A路径向前运动，它就会进入一个光子探测器（标记为"1"），并且会被恰当地记录下来。但如果闲频光子沿着B路径向前运动，那它将继续经历这一切。它将向另一个分束器（标记为"c"）运动，并且有50%的概率沿着E路径运动到达标记为"2"的探测器，有50%的概率沿着F路径运动到达标记为"3"的探测器。现在——跟上我，关键之处要到了——相同的论证也可以应用于标记为"R"的另一个降频转换器发出的闲频光子，如果这个闲频光子沿着D路径运动，它将被探测器4记录；如果它沿着C路径运动，那么根据其通过分束器c后所走的路径的不同，它将被探测器3或探测器2探测到。

现在我们来看看为什么要增加这些复杂性。注意，如果一个闲频光子被探测器1探测到，我们就会得知相应的信号光子沿着左边的路径运动，因为对于从降频探测器R发出的闲频光子而言，没有其他路径可以到达这个探测器。类似地，如果一个闲频光子被探测器4探测到，我们就可以知道它的信号光子伴沿着右边的路径运动。但如果一个闲频光子到达探测器2，我们就不知道它的信号光子伴沿着哪一条路径运动了，因为它有50%的可能性从降频转换器L发出，沿着路径B—E运动，也有50%的可能性从降频发射器R发出，沿着路径C—E运动。类似地，如果探测器3探测到一个闲频光子，该光子既有可能是从降频发射器L发出沿着路径B—F运动，也有可能是从降频发射器R发出沿着路径C—F运动。因此，如果闲频光子被探测器1或探测器4探测到，我们就可以推测出其相应的信号光子的那一条路径信息，但如果闲频光子是被探测器2或探测器3探测到，相应的信号光子的那一条路径信息就被擦除了。

是不是哪一条路径信息的擦除——即使我们并没有直接对信号光子做什么——就意味着干涉效应会重现？确实是这样，但与信号光子相应的闲频光子到达的必须是探测器2或探测器3。也就是说，屏幕上信号光子撞击位置总体上看来与图7.5（a）所示的数据类似，并没有一丁点干涉图样的痕迹，就好像光子走的是这条或那条路。但如果我们把注意力集中到数据点的子集上——比如说，那些其闲频光子伴进入探测器2的信号光子——那么这些子集中的点将形成干涉图样！这些信号光子——其相应的闲频光子碰巧没有提供关于它们所走路径的任何信息——表现得就像它们沿着两条路径运动一样！如果我们可以将设备连接起来从而实现这样的功能：当信号光子相应的闲频光子被探测器2探测到时，屏幕上就显示一个红点来表示信号光子的位置；当信号光子相应的闲频光子被其他探测器探测到时，屏幕上就会显示绿点来表示信号光子的位置，那么，每个人都会看到红点所组成的明暗相间的条带——干涉图样，除非他是色盲。将这里的探测器2替换成探测器3，也有相同的结果。但那些其闲频光子伴进入的是探测器1或探测器4的信号光子，则不会产生这种干涉图样，因为从这些闲频光子中我们可以知道相应的信号光子的那一条路径信息。

这些结果——已经得到了实验的证实[5]——光彩夺目：由于使用了有可能提供哪一条路径信息的降频转换器，我们无法得到干涉图样，如图7.5（a）所示。没有干涉图样，我们将自然得出结论，每个光子沿左边路径或右边路径运动。但我们现在了解到这个结论下得太仓促了。小心地消除某些闲频光子所带有的潜在的某一条路径信息，我们诱使数据产生干涉图样，而这意味着有一部分光子实际上走的是两条路径。

还需要注意的是，所有结果中最令人惊讶的是：3台额外的分束器和4台闲频光子探测器可以在实验室的另一边，甚至是宇宙的另一边。因为在我们的讨论中，没有任何东西取决于这些装置接收到闲频光子是在信号光子撞击屏幕之前还是之后。想象一下，这些装置相距非常远，明确起见，比如说有10光年之远，想想这意味着什么。今天你做了如图7.5（b）中的实验，连续记录一大批光子碰撞的位置，结果发现没有任何干涉的痕迹。如果有人让你解释数据，你可能会说由于闲频光子会暴露路径信息，因此每个信号光子明确地沿着左边或右边的路径运动，从而消除了干涉的可能性。但如上所言，这个结论下得也有点过早，这是对于过去的一种完全不成熟的描述。

你看，10年以后，4个光子探测器将会接收到——一个接一个——闲频光子。如果你接下来知晓哪个闲频光子被探测器2探到（比如说，第1个，第7个，第8个，第20个……），那么你回过头去查看早年收集的数据并突出加亮相应的信号光子（比如说，第1个，第7个，第8个，第20个……）在屏幕上的位置的话，你将发现加亮的数据点形成干涉图样，从而获知那些信号光子走过的是两条路径。而且，如果9年前，也就是你收集信号光子数据的364天后，一个家伙开玩笑拿走了分束器a和b，从而破坏了实验——这样就保证了第二天闲频光子再到达时，就只能到达探测器1或探测器4，进而保留了所有的某一条路径信息——那么，当你知道这件事时，将得出结论说每个信号光子要么沿左边路径运动或要么沿右边路径运动，因此无法从信号光子的数据中得到干涉图样。因此，就像上述讨论中着力强调的那样，你用来解释信号光子数据的故事强烈地依赖于收集数据10年后所做的测量。

让我再来强调一次，未来进行的测量并不会改变你现在所做实验的任何方面；未来的测量不会以任何方式改变你现在所收集的数据。但是，当你接着描述今天所发生的一切时，未来的测量确实会对你所说的细节有影响。在你获得闲频光子的测量结果之前，有关给定信号光子的某一条路径信息，你真的什么都说不出来。但是，只要你得到了测量结果，你就可以得出结论说，我们成功地利用了信号光子的闲频光子伴，得到了信号光子的路径信息，进而确定信号光子许多年前的运动路径是左边还是右边。同时你也可以得出结论说，如果通过信号光子相应的闲频光子伴所得到的路径信息被擦除，我们就不能说信号光子在许多年前走过的是这条或是那条路径（你可以利用新得到的闲频光子数据来发掘出信号光子数据中隐藏的干涉图样，从而相信这一结论）。因此我们可以看出，未来帮助你讲述过去的故事。

这些实验强烈地冲击着我们传统的空间和时间概念。如果要描述某物，在我们描述某事时，那些发生于其后很久的事件和那些距离其很远的事件非常重要。从经典物理——常识——的角度看，这种说法十分荒谬。当然，这就是问题：将经典物理的思维应用于量子宇宙是一种错误。我们从爱因斯坦-波多斯基-罗森的讨论中学到，量子力学并不具有空间上的定域性。如果你完全理解了那一课——就其本身而言很难理解——这些与跨越了空间和时间的量子纠缠有关的实验，或许看起来就没那么古怪了。但从日常经验的标准看，它们确实古怪。

量子力学和经验

我记得在第一次得知这些实验后的几天中，我十分高兴。我感到自己触及了实在性隐藏起来的一面。通常的经验——世俗、普通的日常活动——突然成为经典物理之假想的一部分，隐藏在量子世界的真实本质背后。突然间，日常生活的世界看起来就像不真实的魔术，哄骗它的观众相信普通的为人所熟知的空间和时间概念，而量子实在性令人吃惊的真相则藏于大自然的妙手之下。

最近一些年来，物理学家们花了很大的力气试图解释大自然的诡计——弄清楚量子物理的基本定律如何幻化成在解释日常经验上如此成功的经典物理定律。从本质上来讲，就是要搞明白当原子和亚原子联合起来成为宏观物体时，它们如何将其魔法般的奇异性隐蔽起来。研究还未到头，但有些问题已经被弄清楚。现在，让我们从量子力学的角度来探讨一下与时间之箭相关的某些特殊问题。

经典物理学基于17世纪晚期牛顿发现的方程；电磁学基于19世纪晚期麦克斯韦发现的方程；狭义相对论基于爱因斯坦1905年发现的方程，而广义相对论则基于他于1915年发现的方程。所有的这些方程都有一个共性，它们都忽略了时间之箭的方向问题，认为过去和未来是完全对称的。在他们的方程中无法区分过去和未来，过去和未来是被同等对待的。

量子力学基于欧文·薛定谔于1912年发现的方程。[6] 你不需了解有关这个方程的其他任何东西，除了下面这个事实：该方程把某一时刻的量子力学概率波波形——如图4.5——当作输入，然后据此来确定在其他更早或更晚时刻概率波的波形。如果概率波与某个粒子有关，比如说与电子，你就可以用它来预测在某一特定时刻某一特定位置发现电子的概率。像牛顿、麦克斯韦和爱因斯坦的经典物理定律一样，薛定谔的量子定律平等对待过去和未来。一场展现概率波开始于此而结束于彼的“电影”也可以反过来放映——概率波可以开始于彼而结束于此——没有方法可以鉴别哪种演化是正确的，哪种演化是错误的。对于薛定谔方程来说，这两种情况都是同等有效的解，这两种情况都可以代表事物演化的合理方式。[7]

当然，现在提到的“电影”是完全不同于上一章中分析的网球运动或鸡蛋摔碎的电影。概率波并不是我们直接看到的事物，并没有摄像机能捕捉到电影中的概率波。相反，我们可以用数学方程式来描述概率波，在我们的脑海中，我们可以想象一下最简单的概率波形状，如图4.5和图4.6所示。我们了解概率波的唯一途径只能是间接的，即通过测量物理过程来实现。

也就是说，正如在第4章和上述实验中反复强调的那样，标准的量子力学公式用两个截然不同的阶段来描述现象的演变。在第一阶段，一个诸如电子之类的物体的概率波——或者用这个领域中更为准确的语言说，*波函数*——会根据薛定谔所发现的方程演化。这个方程确保了波函数的形状平稳渐进地变化，就像水波从湖水的一边运动到另一边时的波形变化一样。[1]在第二阶段的标准描述中，我们通过测量电子的位置而与可观测的实在性发生联系，当我们这样做时，波函数的形状突然改变。电子的波函数不像我们平常所熟悉的水波、声波之类：当我们测量电子的位置时，其波函数会突然变得尖锐，如图4.7所示，在无法测量到电子的位置会发生坍缩变为零，而在能测量到电子的位置则会是百分之百的概率。

第一阶段——波函数随薛定谔方程的演化——从数学上看是非常严格而清晰的，可以完全被物理学界接受。第二阶段——关于测量时波函数的坍缩——却完全相反，在过去80年间，往好的方面讲，我们可以说它使物理学家们感到迷惑，往坏的方面讲，我们可以说它带来的麻烦、谜题以及潜在的矛盾消耗了很多物理学家的职业生涯。就像在第4章末提到的那样，困难之处在于，根据薛定谔方程，波函数并不会坍缩。波函数的坍缩是一种附加物，它是在薛定谔发现方程之后，试图解释实验学家们实际看到的现象时引进的。原始的、不坍缩的波函数使我们产生这样一种奇怪的想法：粒子既在这里又在那里，但实验者从没观测到这样的事。他们总是发现粒子明确地处于某个位

1. 公平地说，量子力学给人的印象并非是平滑渐变的，正如我们将在下一章中看到的那样，它所展现的是狂暴混乱的微观宇宙。这种混乱的起源就是波函数的概率性——即便某物此刻出现在这里，下一时刻它会有一定概率出现在全然不同的另一位置——而不是说波函数本身是一个变化无常的量。

置；他们没有看到粒子一部分在这儿，另一部分在那儿；测量仪器上的指针不会既指这个值又指另一个值。

当然，同样的道理也适用于我们对周围世界的观察。我们从不曾看到一把椅子既在这里又在那里；我们从未看到月亮既在这部分夜空，又在那部分夜空；我们从未看到一只猫既死了又活着。只要假定测量行为可以诱导波函数放弃量子不确定状态并引领很多可能性中的某一种（粒子在这儿或在那儿）成为现实，则波函数坍缩的概念就能与我们的经验相一致。

量子测量之谜

但是，实验人员的测量是如何造成波函数坍缩的呢？而实际上，波函数坍缩真的会发生吗？如果发生的话，微观水平上究竟发生了什么呢？所有的测量都会造成波函数坍缩吗？波函数坍缩何时发生，持续多久？既然根据薛定谔方程，波函数不会坍缩，那么在量子演化的第二阶段，是什么方程代替了薛定谔方程呢？新方程又是如何废黜薛定谔方程，篡夺了其在量子过程中的中坚地位的呢？就我们在这里所关心的时间之箭而言，既然主宰第一阶段的薛定谔方程在区别时间向前和向后上没有多大意义，那么第二阶段的方程是否为测量前后的时间引入了不对称性呢？也就是说，量子力学，*包括其通过测量和观测而与日常世界之间建立的结合点*，是否为物理学的基本定律引入了时间之箭呢？毕竟，我们先前讨论过量子力学对过去的态度不同于经典物理学，这里所谓的*过去*指的是某种观测或测量发生之前。通过第二阶段的波函数坍缩得以具体化的测量，是否能在过去和未来之间，测量前后之间，建立时间上的不对称性呢？

这些问题还没有得到完全解决，仍然存在着争议。但几十年来，量子理论预言能力几乎没有受这个问题的影响。即使第二阶段仍保持着其神秘性，量子理论的这种阶段一–阶段二体系，仍可以预言这种或那种测量结果出现的概率。一次又一次地重复某一实验，弄清或这或那的结果出现的频率，就可以验证理论所给出的预言。这种方法在实验上取得的巨大成功远远超过了由于不能说清第二阶段发生了什么而有的不满意。

但不满意总是有的，这并不是简单地说波函数坍塌的某些细节还没有搞清楚。*所谓的量子测量问题*，恰如其名，是一个有关量子力学局限性和普适性的问题。这一点很容易看出。阶段一–阶段二方法在被观测者（比如说电子、光子或原子）和进行观测的实验者之间造成了一条鸿沟。在实验者观测之前，波函数随薛定谔方程快乐温和地演化着。之后，实验者着手测量，游戏规则突然就变了。薛定谔方程被放到一边，转而由第二阶段的坍塌接手。但是，既然组成实验者及其所用仪器的原子、质子和电子与实验者要研究的原子、质子和电子没有什么不同，那么究竟为什么量子力学会区别对待它们？如果量子力学是一个普适理论，可以毫无限制地应用于*一切*事物，那它就应当以平等的方式对待被观测者和观测者。

尼尔斯·玻尔不同意这种意见。他认为实验者及其实验仪器不同于基本粒子。虽然它们是由相同的粒子组成，但它们都是基本粒子的“大”集合，因而由经典物理学定律支配。单个原子和亚原子粒子所构成的微观世界与我们所熟悉的人类及其仪器所构成的宏观世界之间，由于大小不同而造成了规则的不同。提出这种界限的动机十分清楚：根据量子力学，微小粒子会既位于这里又位于那里；但对于大的世界，我们日常生活的世界而言，这种事情不复存在。但确切的边界在哪里呢？而且，重要的是，当在日常的宏观世界遭遇原子的微观世界时，这两套规则又是如何衔接的？玻尔认为这些问题已经超出了他或其他人可以回答的范畴。而且，因为不回答相关问题，理论也可以进行精确预言，所以在相当长的一段时间内，这些问题都不在物理学家们亟待解决的关键问题之列。

但为了完全理解量子力学，完全弄清它所说的实在性，了解其在为时间之箭设定方向上所起的作用，我们必须抓住量子测量问题。

在接下来的两小节中，我们将探讨最有希望解决这个问题的一些尝试。要是你在任何时刻都想直奔最后一节——量子力学和时间之箭，那么我可以为你简要地归纳下面两小节的内容：通过一些富于创造性的工作，人们已经取得了一些量子测量问题方面的重大进展，但彻底的解决之道还没有找到。许多人认为这个问题是我们的量子定律中最重要的单独缺陷。

实在性和量子测量问题

这些年来，人们提出了许多解决量子测量问题的办法。具有讽刺意味的是，虽然这些方法有不同的实在性概念——某些方法之间差别非常之大，但当涉及一名研究者在最普通的实验中会测得什么时，各种方法会彼此符合。表面上它们演的是同一出戏，但是瞟一眼后台你就会知道，它们背后的机制全然不同。

谈到娱乐消遣时，你大概没兴趣知道后台发生了什么，你所感兴趣的只是展现出来的结果。当谈及理解整个宇宙时，你会急不可耐地扯下所有的窗帘，打开所有的门，完完全全地暴露实在性的内在机制。玻尔认为这种急不可耐毫无基础且具有误导性。在他看来，实在性*就是*一场演出。就像斯波尔丁·格雷[1]的独白一样，实验学家的测量*就是*全部表演。没有其他什么东西了。按照玻尔的想法，没有什么后台。试图分析波函数何时、如何以及为什么放弃所有可能性只留下一种，并在测量设备上留下确定的数值会使人错过要害之处，所测得的数值本身才是值得关注的一切。

几十年来，这种观点一直占据主导地位。但是，虽然它可以缓解量子力学带来的思想斗争，人们还是忍不住会想，量子力学神奇的预言能力意味着它非常接近隐藏在宇宙表面规律之下的实在性。人们会忍不住想要更进一步，弄清量子力学是怎样与日常经验联系起来的——量子力学是怎样在波函数与观测之间架起一座桥梁的？观测背后的隐秘实在性究竟是什么？这些年来，许多研究者接受过这种挑战，下面我们就来看看他们提出的一些想法。

有一种想法，其历史根源可以追溯到海森伯，是要放弃将波函数作为量子实在性的客观性质的观点，转而将其视为我们所了解的实在

---

1. 斯波尔丁·格雷（Spalding Gray），美国演员、剧作家、表演艺术家。——译者注

性的一种化身。在我们进行测量之前，我们并不知道电子在什么位置，这种观点提出，电子波函数将电子位置描述为有许多种可能性这件事反映的是我们对电子位置的无知。但在我们测量电子位置的一刹那，我们对其所在何处的认识突然改变了：理论上讲，我们现在准确地知道了它的位置（根据测不准原理，如果我们知道它的位置，我们就完全无法知晓其速度，但这并非我们现在所要讨论的问题）。根据该观点，我们认知上的突然变化，反映在电子波函数的突然变化上：波函数突然坍缩并呈现出图4.7所示的波峰形状，这就意味着我们知道了电子的确切位置。从这一点上来讲，波函数的突然坍缩也没有那么令人惊讶：当我们知道一些新东西时，我们所体验到的认知上的突然改变也无非如此。

惠勒的学生休·埃弗雷特在1957年提出了另一种想法，在他的方案中根本没有波函数坍缩的概念。相反，波函数中所含有的每一种可能结果都有可能发生；只不过每一种结果都发生在各自的宇宙中。这种想法，就是所谓的*多世界诠释*，“宇宙”的概念被扩充为无穷多个“平行宇宙”——我们宇宙的无穷多个版本。这样一来，量子力学预言的任何东西*都有可能*发生，即使只有很小的可能性，也有可能在某一个版本的宇宙中*真正*发生。如果波函数说一个电子既有可能在这儿，也有可能在那儿，或是在某个遥远的位置，那么就会有一个电子在这儿的宇宙版本；而在另一个宇宙版本中，你会发现它在那儿；在第3个宇宙版本中，你会发现电子在遥远的那个位置。我们每个人从这一秒到下一秒所做的一系列观测所反映的不过是在这个巨大、无限的宇宙网上的一部分宇宙中所发生的实在性，而每一个这样的宇宙中都有其他版本的你、我以及每一个生活在这个宇宙中的人；在这些人生活于其中的宇宙中，一定的观测还是会带来一定的结果。在这个宇宙中，你在看这些字；在另一个宇宙中，你在休闲上网；而在另一个宇宙中，你正紧张地等待着你在百老汇舞台上的首次演出。看起来并不存在图5.1所勾勒的单独一个时空块，似乎存在着无限多个时空块，每一个都代表着事件的一种可能性。在多世界理论中，可能出现的结果并不只是一种可能。波函数不会坍缩。每一种可能的结果都会出现在平行宇宙的某一个中。

20世纪50年代，大卫·玻姆（我们在第4章中讨论爱因斯坦-波多斯基-罗森时曾提到过这位物理学家）提出的第3种设想是一种完全不同的想法。[8] 玻姆认为，粒子，比如说电子，就像经典物理学中的观念以及爱因斯坦所希望的那样，*的确*具有确定的位置和速度。但是，为了与不确定原理相一致，这些性质被隐藏起来；它们是第4章中提到的各种隐变量的鲜活例子。你不能同时测量它们。对于玻姆而言，不确定性代表的只是我们认知上的局限性，而非粒子本身的属性。他的方法并没有违背贝尔的结果，因为就像我们第4章结尾所讨论的那样，具有量子不确定性原理所禁戒的确定性质这件事并*没有*被排除掉；被排除掉的只是定域性，而玻姆理论并非定域性理论。[9] 玻姆另辟蹊径，将粒子的波函数想成另一种*单独的实在性元素*，一种*独立于粒子本身*而存在的元素。就像玻尔的互补性哲学的说法：既不是粒子*也*不是波。根据玻姆的观点，既是粒子*又*是波。而且，玻姆提出，粒子的波函数与粒子本身相互作用——它“引导”或“推动”粒子——波函数在某种方式上决定了粒子下面的运动。这种观点与标准量子力学成功的预言完全一致。玻姆发现，波函数在某个位置的变化会立即推动一个遥远位置上的粒子，这个发现清楚地说明了玻姆理论的非定域性。举个例子来说，在双缝实验中，每个粒子穿过这条或那条缝隙，而其波函数则两条缝隙都要穿过并且发生了干涉。既然波函数会引导粒子的运动，那么我们就无须因为方程告诉我们粒子更有可能落在波函数较大的位置而不太可能落在波函数较小的位置而感到惊奇，这样就解释了图4.4中的数据。在玻姆的方法中，并不存在单独的波函数坍缩阶段，如果你测量粒子的位置，发现它在这儿，那么在测量之前的那一刻粒子肯定就在那里。

第4种想法，是由意大利物理学家詹卡洛·吉拉蒂、艾尔波特·里米尼、图里奥·韦伯提出来的，他们以一种巧妙的方式大胆地修改了薛定谔方程，同时这却对单个粒子的波函数演化没有什么影响，只有将新的方程应用于"大"的日常生活中的物体时才会对量子演化产生戏剧性的影响。这个修正版本认为波函数本来就是不稳定的。这些人提出，即使没有任何干预，每个波函数迟早也会按自己的节奏自动坍缩成峰状。吉拉蒂、里米尼和韦伯提出，对于单个粒子而言，波函数的坍缩会自发且随机发生，平均说来，每10亿年大约只发生1次。[10] 坍缩发生的频率太小了，以至于不会使单个粒子的常规量子力学描述有什么改变，这非常好，因为量子力学以前所未有的精确性描述了微观世界。但对于实验者和他们的仪器这种由数以亿计的粒子组成的大物体而言，情况就不一样了。由于粒子数量极多，因而在极短的时间内，都至少有可能有一个组分粒子的波函数自发坍缩，从而使其波函数发生坍缩。就像吉拉蒂、里米尼、韦伯和其他人论证的那样，一个大物体中所有单个波函数的纠缠性质使得该种粒子的波函数的坍缩引起了量子的多米诺效应：所有组分粒子的波函数都发生了坍缩。由于这一切只发生在一眨眼的工夫，吉拉蒂、里米尼和韦伯所提出的修正版确保了大物体总会处于确定的状态：测量仪器上的指针总是指向一个确定的值；月亮总是在天空某个确定的位置；实验者的大脑中总有确定的体验；猫只能要么死了，要么活着，两者必居其一。

以上所述的每一种方法，以及一些我们在这里没有讨论的其他方法，都自有其支持者和反对者。“把波函数当作认知”这种方法否定波函数的实在性，仅把波函数视作我们所知的一切的说明符，从而巧妙解决波函数坍缩的问题。但是反对者会问，基本物理为什么非得与人类意识联系得如此紧密？如果我们没在观测这个世界，波函数是不是就永远不会坍缩？或者说，波函数这个概念是不是就不存在呢？在地球上的人类进化出意识以前，宇宙会不会完全是另外一个样子？如果观测者不是人类而是老鼠、蚂蚁、变形虫或者电脑之类，那又会有什么不同？其“认知”上的变化大到足以与波函数坍缩联系起来吗？[11]

与之相比，多世界诠释规避了整个波函数坍缩概念，因为在这种方法中波函数不会坍缩。但代价是存在无数个宇宙，而这是令很多反对者不能接受的事情。[12] 玻姆的观点同样规避了波函数坍缩，但其反对者认为，如果同时赋予粒子和波以独立实在性，那这个理论未免不太经济。而且，反对者们正确地指出了在玻姆的体系中，波函数对其所推动的粒子的影响速度比光还快。其支持者们则认为，前一种抱怨可算是主观性的，而后者又符合贝尔所证明的不可避免的非定域性，因此这两种批评意见都没什么说服力。然而，对玻姆可能不太公平的是，其方法从没有流行起来。[13] 吉拉蒂-里米尼-韦伯的方法通过改变方程使其包含一种新的自发坍缩机制从而直接解决了波函数坍缩问题。但反对者们指出，还没有实验证据支持其对薛定谔方程的修改。

为寻求量子力学的形式主义与日常生活经验之间可靠而又完全清晰的联系所做的研究无疑会一直进行下去，直到问题得以解决，现在还很难说到底哪种现有方法会最终得到大多数人的认可。要是物理学家们今天就投票，我认为不会有哪种方法获得压倒性的优势。不幸的是，实验数据帮不上什么忙。吉拉蒂-里米尼-韦伯的方法确实给出了在某些情况下不同于标准的阶段一-阶段二量子力学的预言，但偏差非常之小以至于无法用今天的技术加以验证。其他3种方案的情况就更加糟糕了，因为它们更加明确地抗拒实验检验。它们都与标准方法一致，因此对可进行的观测和测量，都只能给出同样的预言。它们之间的区别只在于幕后发生的事情不同。也就是说，它们之间的区别只表现在用量子力学解释实在性的潜在性质时的不同。

即使量子测量问题还没有解决，在过去的几十年间，一种基本框架却一直在发展中，尽管还不完善，却得到了广泛的支持，被认为很可能是可行的解决方案的一个组成部分。这就是所谓的*退相干*。

退相干和量子实在性

当你初次遇到量子力学的概率时，自然的反应会是它并不比掷硬币或轮盘赌中的概率更为奇妙。但当你了解量子干涉时，你会意识到概率是以一种更为基本的方式进入量子力学中的。在日常例子中，各种与概率有关的结果——正面与反面，红与黑，一个抽奖数字与另一个抽奖数字——都可以这样理解：最终一定会出现这种或那种结果，而每一种结果都是一段独立而又确定的历史的最终产物。掷硬币时，有时旋转运动正好使得正面向上，有时又恰好是反面向上。每种结果50%的概率并不只与最终结果——正面还是反面——有关，还与导致每种结果的历史有关。你有一半的机会掷出正面向上的硬币，也有一半机会使硬币反面向上。这两种历史本身完全分离，各自独立。不同的硬币运动既不会彼此增强也不会彼此抵消，两种历史全都是独立的。

但在量子力学中，事情是不一样的。电子从双缝到探测器所走过的各种路径并不是分离的、孤立的历史。各种可能的历史混合起来产生可观测结果。有些路径会彼此增强，有些路径会彼此削弱。正是各种可能历史之间的量子干涉使得探测屏上出现明暗相间的图样。因此，*量子物理概率概念与经典物理概率概念之间的区别在于，前者可归结为干涉效应，而后者则并非如此。*

退相干性是一种普遍存在的现象，通过压低量子干涉——也就是说强烈地削弱量子概率和经典概率之间的核心差异，退相干架起了小小世界的量子物理和没那么小的世界的经典物理之间的桥梁。早在量子理论的早年岁月，人们就已经认识到了退相干的重要性，但其现代形式则可追溯到德国物理学家迪尔特·泽尔1970年的一篇开创性文章，[14] 之后，包括德国的埃里克·乌斯，美国新墨西哥州洛斯阿拉莫斯国家实验室的沃切克·祖莱克在内的一些物理学家进一步发展了这一理论。

主要思想是这样的，当将薛定谔方程应用于简单的情况，比如通过有双缝的屏幕的单个独立光子，就会形成著名的干涉图样。但实验室中的实验有两个特别之处是真实世界所无法具有的。第一，我们在日常生活中所遇到的事物要比单个光子大得多，复杂得多。第二，我们在日常生活中遇到的事物并不孤立：它们总与我们及周围的环境相互联系。现在在你手中的这本书就与人类有接触，更一般性地说，这本书正持续不断地被光子和空气分子撞击。而且，由于书本身是由许多分子和原子组成的，这些躁动不安的组分本身也会互相碰撞。同样的道理也适用于测量仪器上的指针、猫、人类的大脑，以及你在日常生活中碰到的每一件事物。在天体物理中，地球、月球、小行星以及其他行星不断地被来自太阳的光子撞击。甚至是漂浮在漆黑的太空中的一粒灰尘也不断受着宇宙大爆炸以来遍布于空间的低能微波光子的撞击。因此，为了理解量子力学怎样解释真实世界中的事物——而不仅是原始的实验室中的实验——我们应把薛定谔方程应用到更加复杂、更为麻烦的情况中去。

从本质上来看，这就是泽尔所强调的，而他本人的工作以及其后的许多其他人的工作揭示了一些不寻常的事情。虽然光子和空气分子如此之小以至于对书、猫之类的大个物体不会产生什么实质性的影响，但它们会有别的作用。它们不断地“推动着”大物体的波函数，或者用物理术语讲，它们干扰着大个物体的*干涉性*：它们扰乱了波峰波谷的排列顺序。这一点很关键，因为波函数的有序性对于产生干涉效应是非常重要的（图4.2）。正如将标记装置添加到双缝实验后，由于扰乱了波函数，所以消除了干涉效应；环境中的成分持续不断地撞击物体也有消除干涉现象的可能性。反过来看，一旦量子干涉不再可能，量子力学所固有的概率性，从实际的角度看，就会像掷硬币或轮盘赌所固有的概率性一样。一旦环境的退相干性弄乱了波函数，量子概率的奇异性就会变成日常生活中我们所熟悉的概率。[15] 这表明我们有可能解决量子测量之谜，而这将是大家期待见到的最激动人心的事。接下来我将首先要以最乐观的态度讲讲它，然后再强调还需要做哪些事。

假如一个孤立电子的波函数表明它有50％的概率在这儿，有50％的概率在那儿，则我们必须用量子力学发展成熟的奇异性质来诠释这些概率。由于两种情况皆可通过混合并生成干涉图样来展现自己，我们必须将两者视为同等真实。不那么严格地说，这就意味着电子处于两个位置。如果我们用非孤立的、日常大小的实验仪器来测量电子位置，将会发生什么呢？这个嘛，与电子不确定的位置相对应，测量仪器上的指针也会有50％的概率指向这个值，50％的概率指向另一个值。但由于退相干性，指针不会指向两个值的混合值。由于退相干性，我们可以从通常的、传统的、日常的意义上来诠释这些概率。就像一枚硬币有50％的概率正面朝上，有50％的概率反面朝上，但不能确定是正面朝上或反面朝上；测量仪器的指针有50％的概率指向这个值，有50％的概率指向另一个值，但会明确地指向一个值或另一个值。

类似的论证也适用于其他更为复杂的非孤立对象。如果量子计算告诉我们，一只猫坐在密闭盒子里，有50％的概率死掉，有50％的概率活着——因为一个电子有50％的概率撞上盒子里的陷阱使猫吸进毒气而死亡，也有50％的概率幸运地避过陷阱，那么根据退相干性，猫不会处在既死亡又活着的荒唐的复合状态。虽然几十年来，人们一直在热情不减地讨论着这样一些问题，比如，猫处于既死亡又活着的状态究竟是什么意思？打开盒子的行为和观察猫的行为究竟是如何迫使其选择死或活这样的确定状态的？退相干性却告诉我们，早在你打开盒子之前很久，环境已经完成了无数次观测，并立刻将所有的神秘的量子概率转化为毫无神秘可言的经典对应。在你看猫之前很久，环境已经迫使猫处于一种唯一的确定的状况。退相干性迫使量子力学的许多古怪之处从大个物体中“漏网”，因为量子的古怪之处被来自环境中的无数粒子的碰撞一点一点除去了。

很难想象有更加令人满意的解决量子测量问题的方法。更为现实一点并且放弃忽略环境因素的简单假设——在该领域的早期发展阶段，简化处理对于取得进展十分重要——的话，我们将发现量子力学有一个内在的解决之道。人类的意识、实验者和人类的观测不再起特殊作用，因为它们（我们）只不过是像空气分子或光子一样的环境元素，这些东西在给定物理系统中可以相互作用。在观测对象的演化和做观测的实验者之间，也不再会有阶段一、阶段二的划分。每一样事物——被观测者和观测者——处于同等的地位。每一件事物——被观测者和观测者——都可由薛定谔方程所决定的一模一样的量子力学定律掌控。测量行为不再特别，它只不过是与环境发生作用的一个特殊例子而已。

就这样吗？退相干性解决了量子力学测量问题吗？使波函数关闭其他所有可能实现的可能性而只保留其中一种的是退相干吗？有些人认为是这样。研究者们，如卡内基·梅隆的罗伯特·格里菲思，奥尔塞的罗兰德·奥内斯，圣达菲大学的诺贝尔奖获得者穆雷·盖尔曼和加利福尼亚大学圣巴巴拉分校的吉姆·哈特尔，取得了巨大进展并声称他们已经将退相干发展成了可以解决测量问题的完整理论框架（被称为退相干历史）。其他人，比如我自己，对这个问题非常感兴趣，但是还不完全相信。你看，退相干性的强大之处在于，它成功地破除了玻尔在大小物理系统之间设置的人工障碍，使每一样事物都可以被纳入同一套量子力学体系。这一进展非常重要，我想玻尔也会感到满意。虽然尚未解决的量子测量问题并未削弱物理学家们用实验数据验证理论计算的能力，但它却使玻尔和他的同事们一起制定了一套有着明显不妥当的性质的量子力学体系。许多人发现，这个体系需要一些诸如波函数坍缩或原属于经典物理领域的“大”系统的不准确概念之类的含糊词语，而这令人无法完全信服。某种程度上讲，对退相干性的思考使研究者们认识到那些含混不清的思想没必要存在了。

但是，我在上面的讲述中避开了一个关键问题：就算退相干性抑制了量子干涉，进而使量子概率像熟悉的经典物理对应一样，*波函数中每一潜在结果仍有可能成真*。因此我们仍然好奇，一种结果是如何“胜出”的？而当胜出的可能性成真时，其他可能性又是如何“退散”的？掷硬币时，经典物理也会回答类似问题。如果你知道硬币旋转的准确方式，理论上讲，你可以*预言*它是正面落地还是反面落地。进一步思考发现，每一个结果都是由你最初忽略的细节所精确决定的。在量子物理中，我们不能说类似的话。退相干性允许我们用类似于经典物理的方式来诠释量子概率，却没有再为我们提供任何细节，使我们知晓究竟是怎样从很多可能结果中挑出一种使其实际发生。

在精神实质上，有些物理学家和玻尔一样，认为寻求这样一种解释——用以说明单一确定的结果是如何出现的——是一种误导。这些物理学家认为，量子力学及其包括了退相干的升级版，是一种结构很严谨的理论，其预言可以解释实验室中测量装置的行为。在这种观点看来，这就是科学的目的。为究竟发生了什么寻求一种解释，努力理解一种特殊的结果是怎样出来的，追寻在一定程度上超出了探测器读数和电脑结果的实在性所暴露出来的是非理性的智力贪欲。

另外的许多人，包括我自己在内，持有一种不同的观点。解释数据的确是科学。但很多物理学家们相信，科学也应包含那些实验数据证实的理论，进而利用它们来获得对实在性本质的最大领悟。我坚定地相信，在寻求测量问题的完美解决方案的驱动下，我们会获得更为深刻的领悟。

因此，虽然人们普遍认为环境诱发的退相干性是跨越量子物理-经典物理分界的关键，而且许多人也希望这些想法有朝一日能在量子物理与经典物理之间搭建一座完善且具有说服力的桥梁，但是大家都觉得这座桥梁还远没有建好。

量子力学和时间之箭

我们站在测量问题的哪里？测量问题对时间之箭又意味着什么？宽泛地讲，把我们的日常经验和量子实在性联系起来的方案有两大类。第一类（比如说，将波函数作为认知；多世界理论；退相干性），薛定谔方程是整个问题的根本，这类方案只是提供了不同的用以说明薛定谔方程对物理实在性意味着什么的方式。第二类（比如说，玻姆理论；吉拉蒂-里米尼-韦伯方法），薛定谔方程必须用其他方程（在玻姆理论中，所需的方程展现了波函数如何影响粒子）来加以补充或加以修正（在吉拉蒂-里米尼-韦伯方法中，需要包含一种新的、明确的坍缩机制）。判定测量问题对时间之箭的影响的关键问题是，这些方案是否引进了时间方向上的基本不对称性。别忘了，薛定谔方程就像牛顿、麦克斯韦和爱因斯坦的方程一样，完全同等地对待时间上向前和向后的方向，它并没有为时间的演化指明方向。这些方案会改变这种局面吗？

在第一类方案中，薛定谔的体系完全没有被修改，因此会继续保持时间上的对称性。在第二类方案中，时间对称性可能存在也可能不存在，这得取决于细节问题。举个例子来说，在玻姆理论中，新提出的方程同等地对待过去和未来，因此不会引进非对称性。但是，吉拉蒂、里米尼和韦伯提出的坍缩机制中确实存在着时间之箭——“不坍缩的”波函数，从峰形变化到延展状的波函数，并不符合修改后的方程。因此，根据方案的不同，量子力学以及量子测量之谜的解决方案，可能会也可能不会平等地对待时间上的不同方向。下面让我们来考虑一下每种可能性的含义。

如果时间对称性得以保有（我怀疑是这样），上一章中的所有论证和结论不用改变多少就可以应用到量子领域中。有关时间之箭的讨论中的核心物理概念是经典物理中的时间反演对称性。虽然量子物理的基本语言和结构不同于经典物理——波函数代替了位置和速度，薛定谔方程代替了牛顿定律——但所有量子方程中的时间反演对称性保证了对待时间之箭的方式不会改变。只要我们用波函数的语言描述粒子，我们就可以像在经典物理中那样定义量子世界中的熵。而熵总是在增长——朝我们称之为未来和过去的方向上都会增长——这一结论将得以保有。

因而，我们还会遇到在第6章中曾遇到的谜题。如果我们将此刻对世界的观测视为不容置疑的客观实在，如果熵同时朝着过去和未来的方向增长，那么我们该怎样解释世界为何会是现在这个样子，又将如何解释它接下来会怎样演变？于是又会出现同样的两种可能性：或者我们所看到的一切只是由于统计上的侥幸——在一个大部分时间内都处于完全无序状态的永恒宇宙中，你会认为这种侥幸时不时会来上一次——而成为现实；或者由于某种原因，宇宙在大爆炸之后的熵出奇的低，140亿年来事物缓慢演变，而且会朝着未来的方向继续这样走下去。就像在第6章中那样，为了避免陷入不信任记忆、记录和物理定律的困境，我们再次将目光聚焦于第二种选择——低熵的大爆炸，并且为事物怎样以及为什么会开端于这样一种特殊状态这一问题寻求一种解释。

从另一方面来讲，如果时间对称性不复存在——如果最终被接受的测量问题的解决方式表明，量子力学在处理未来和过去上存在着基本的不对称性——那么我们就能为时间之箭提供最直接的解释。比如说，测量问题的解决可能会告诉我们，鸡蛋之所以会破碎而不会聚集起来，是因为不同于我们用经典物理定律发现的那样，打碎的鸡蛋才是完整量子方程的解，而没打碎的鸡蛋则不是。逆向放映打碎鸡蛋的片子，会使我们看到不会在真实世界中发生的事情，这也就解释了为什么我们从未看到过这样的事。事实就是这样。

可能吧。虽然看起来这似乎为时间之箭提供了一种全然不同的解释，但事实上却并非那么不同。就像我们在第6章中强调过的，要想使《战争与和平》的页码越来越乱，则一开始页码必须有序排列；要想通过打碎鸡蛋的办法使其变得无序，一开始就得有一个有序的完好的鸡蛋；熵朝着未来的方向增加，是因为熵在过去很低，因此它有潜力变得更加混乱。然而，某定律对待过去和未来的方式不同，并不能说明该定律规定了过去的熵应该很低。该定律也可能意味着过去的熵应更高（或许熵会在未来和过去这两个方向上呈不对称增长），甚至有可能时间不对称定律根本不能说明过去怎样。后者正是吉拉蒂-里米尼-韦伯方案中的情况，而这个方案是目前市面上唯一具有实质性的时间不对称性的方案。一旦他们的坍缩机制生效，就没有办法将其撤销——不可能从坍缩的波函数开始，令其演化到之前延展的形式。波函数的细节已经在坍缩过程中遗失了——它变成了峰状——因此不可能使事物“重返”其波函数坍缩之前的任何时刻的样子。

因此，即使时间不对称性定律部分地解释了事物为什么只能朝时间的一个方向演变而从不能反过来演变，它仍然同时间对称性定律一样，需要关键性的补充：解释清楚为什么在遥远的过去熵会很低。当然，这是目前为止提出过的对量子力学所做的真正的具有时间不对称性的修改。因此，除非未来的发现弄清楚了有关时间对称性或不对称性的问题——而我认为这都不太可能——那么量子测量问题的时间不对称性解，将会保证在朝着过去的方向上熵会减少。否则的话，我们试图解释时间之箭的努力将又一次把我们带回到宇宙起源的问题上，这个问题将是本书的下一部分所要讨论的内容。

在这几章中我们已清楚地看到，人们关于宇宙学的思考盘绕在有关空间、时间和物质的问题的神秘核心地带。因此，在用现代宇宙学思想探寻时间之箭的奥秘的旅途中，我们不要走马观花，而要漫步于宇宙历史中细细探究。

3

时空与宇宙学

第 8 章 雪花与时空

对称性与宇宙的演化

理查德 · 费恩曼曾经说过，如果让他选择一句话来概括现代科学中最重要的发现，他会选“世界是由原子组成的”这句话。一旦我们认识到我们关于宇宙的诸多知识都是建立在原子的性质和相互作用理论的基础之上——无论是解释星星为什么发光，天空为什么是蓝色的；还是解释你的手为什么能感觉到这本书，眼为什么能看见上面的字，我们都需要用到原子的知识——我们就会明白费恩曼的选择是多么的明智。许多当代最著名的科学家认为，如果有再选一句话的机会，那么所选的将是“对称性是宇宙规律的基础”。过去的数百年间，科学领域的巨变难以计数，但其中最有生命力的发现具有某种共通性：这些发现的着眼点都是那种在多种操作下具有不变性的大自然性质。这种不变的特性就是物理学家们所说的对称性。在很多重要的科学进展中，对称性都在扮演着非常重要的角色。我们有足够的理由相信，躲藏在其神秘面纱之后的对称性，将以耀眼的光辉照亮有待发现的真理的黑暗角落。

事实上，我们将会看到，宇宙的历史在某种程度上可说是对称性的历史。宇宙演化中最关键的时刻就是平衡与秩序被突然打破的时刻，在这样的时刻，宇宙的性质会突然变得不同于之前。根据现代理论，宇宙在其诞生之初的一段时间内经历过数次巨变，我们今日所见到的一切事物都是极早期高度对称的宇宙所残留下来的遗迹。而按照更为深刻的理解，对称性根本就是宇宙演化的关键。时间本身就与对称性密切相关。我们将在后面看到，从实践中得来的作为变化的量度的时间概念，以及宇宙演化过程中某一段特定时期的存在——关于这样的时期，我们可以谈论一些诸如“宇宙作为一个整体的年龄和演化”这样的内容——都与对称性的有关方面密切相关。当科学家们研究宇宙的演化，追本溯源，探求空间和时间真正的性质时，对称性已向我们证明它就是最佳向导，只有它才能帮助我们洞悉那些完全无法触及的真相，找到答案。

对称性与物理定律

对称性无处不在。我们玩台球的时候每次都要击打的白色主球，拿起它，随便怎样转一下它，绕哪个轴都行，它看起来还是原来的那个样子。让一个没有花纹的圆盘子绕着它的中心转，它看起来在转动中没有任何改变。轻轻地拿起一片刚落下的雪花，把它的每个角转到相邻角的位置，你会发现很难看出这片雪花经过了转动。让一个字母“A”绕着穿过其顶端的垂直轴翻转一下，你将得到一个看起来一模一样的“A”。

这些例子很清楚地告诉我们，一个物体所具有的对称性指的是一种操作，不管这种操作是真实的还是想象的，只要在这种操作下，该物体看起来没有发生任何变化，我们就可以将这种操作称为该物体所具有的对称性。对于一个物体来说，能令其保持不变的操作种类越多，它所具有的对称性就越多。完美的球体具有高度的对称性，因为任何一种转动，不论是绕上下贯通的轴，还是绕左右贯通的轴，又或者是绕前后贯通的轴，只要其轴经过球体中心，该转动都无法使球有任何变化。立方体的对称性则要少一些，因为只有绕垂直于立方体表面的中心轴（每根这样的轴同时垂直于两个面）旋转90度才能保持立方体不变。那么当然，一旦有人用其他方式旋转了立方体，比如按图8.1（c）中的那种方式，你仍然可以一下子认出那个立方体，但你也会同时发现有人碰过它了。而对称则像最老练的小偷，它们什么证据都不会留下。

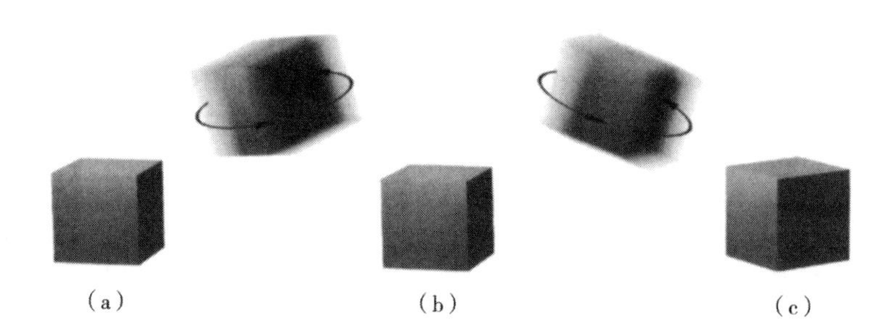

图8.1　图（a）中的立方体绕着其中一面的轴旋转90度或其整数倍，立方体保持不变，如图（b）所示；但旋转的度数若不是90度或其整数倍，立方体的旋转就能看得出来，如图（c）所示

所有的这一切都是有关物体在空间中的对称性的例子。已知物理学定律中所暗含的对称性与这些例子密切相关，只不过我们要以一种更为抽象的方式提出这个问题：施加于你或环境上的哪一种操作——不论其为真实的还是想象的——会对那些用以解释你所观测到的物理现象的定律没有任何影响？值得注意的是，所谓的对称性操作，并不是要求保持你的观测不变。我们真正关心的是，支配这些观

测的定律本身在对称性操作下是否不变；也就是说，用以解释你做对称性操作之前的观测的定律，同用以解释你做对称性操作之后的观测的定律是否完全一样。因为这是我们所讨论的中心思想，所以让我们花点时间看看某些例子。

让我们将你假想为一名体操运动员，过去4年间你一直在康涅狄格运动中心为准备奥运会而进行训练。经过日复一日的重复训练，你已经可以轻松地完成你的体操套路中的每一组动作——你很清楚在平衡木上需要用多大的劲才能完成挺身前空翻，在地板上跳多高才能完成一个直体后空翻转体720度，在双杠上把身体摆多快才能完成一次完美的空翻两周下。看起来，你的身体对牛顿定律有本能的感觉，因为正是这些定律支配着你身体的运动。现在，在纽约举办的奥运会真正开场了，你要在现场观众面前表演你的套路，你当然希望牛顿定律保持不变，因为你想展现出来的是与练习时完全一样的套路。而如我们所知，牛顿定律的确可以满足你的这种期待，它并不会随位置的改变而变化。纽约与康涅狄格不会有两套牛顿定律。我们相信，不论你在哪，牛顿定律都会是一个样子。即使你换个地方，支配你身体运动的定律也不会受到任何影响，就像那颗台球在旋转时看不出表面有任何变化一样。

这一对称性被称为*平移对称性*或*平移不变性*。平移对称性不仅在牛顿定律中成立。在用来描述电磁相互作用的麦克斯韦定律中，爱因斯坦的狭义相对论和广义相对论中，量子力学中，以及现代物理学形形色色的理论中，平移对称性都是成立的。

这里需要注意一点。你的观测与体验会因为你所处位置的变化而不同。如果你在月球上完成你的体操套路，你就会发现，当你的双腿使同样的力气向上跳时，身体弹起的轨迹却与在地球上时完全不同。当然，我们懂得其中的差异，知道这正是物理定律导致的。月球比地球轻很多，因而能够产生的引力也就小很多，从而使得你向上蹦起的轨迹与在地球上时完全不同。而这一事实——引力的大小取决于质量的大小——正是牛顿引力定律（以及更加精确的爱因斯坦广义相对论）的一个组成部分。你在地球上及月球上感受的不同并不代表引力定律随地点的变化而变化。相反，真正体现出来的只是环境的变化。所以，当我们说已知的物理定律本身不会因为康涅狄格和纽约——我们甚至可以把月球也加进去——的区别而有变化时，必须同时记得定律也依赖于环境的差异。总而言之，我们要记住的关键性结论是，用以解释自然现象的物理定律的框架绝不会随着位置的改变而发生变化。地理上的改变不会逼迫物理学家回到黑板前重新推导理论。

物理学定律不一定非得这样。我们也可以臆想出一个新宇宙，其中的物理定律就像地方及国家政府一样随时随处变化，我们在地球上所熟知的物理定律完全不能帮助我们了解月球、仙女星系、蟹状星云或是宇宙中其他位置的物理定律。事实上，我们并不真的那么确定在我们这里起作用的物理定律是否真的也在宇宙其他角落有效。但是我们的确知道，要是宇宙中某处的物理定律不同于我们所想，那它必须在那里找个出口把这种差异消化干净。因为越来越精确的天文学观测事实已向我们提供了足够可信的证据，证明在整个宇宙空间中，或者更准确地说至少在我们目前所能看到的宇宙空间中，物理定律是一致的。这一点更加突出了对称性的神奇威力。虽然我们只能在地球及其

附近活动，但空间平移不变性的存在，却使我们能够足不出户就洞悉整个宇宙的基本定律，因为在我们这里发现的物理定律同时也是整个宇宙的定律。

*转动对称性或转动不变性*与平移不变性本是近亲。这一对称性基于这样一种理念：不同的空间方向有相同的地位。在地球上的观测并不能使我们得出这样的结论，我们抬起头看到的景象与低下头时看到的完全不同。但是同样的，这也仅仅是环境的细微差别，而非其背后的物理定律本身特性的不同。如果你离开地球，漂浮在外太空，远离任何星星、星系或是其他重天体，转动对称性就会凸显出来；在黑洞洞的宇宙空间中，你找不出一个特殊的方向，四周全是一样的。要是你打算建造一个用以探索物质或力的性质的外太空实验室，那么你根本不必花心思在它的朝向问题上，因为基本定律根本不会被实验室朝向影响。要是哪天晚上某个捣蛋鬼打算改变一下实验室回转仪的设置，使其按一定角度绕某个方向的轴旋转，你也用不着担心这会对你探索物理定律的实验有什么影响，人类至今所完成的所有实验都可以证明这一预期。所以我们相信，掌控着你所进行的实验以及用以解释你所得到的实验结果的物理定律并不在乎你在哪里——平移对称性，以及你面朝哪里——转动对称性。[1]

正如我们在第3章中所讨论过的，伽利略及其他物理学家深刻认识到物理学定律还应当遵守另一种对称性。如果你的外层空间实验室以匀速运动——不论你以每小时5000米的速度运动还是每小时10万千米的速度运动——那么这种运动绝不会对用以解释你的实验观测的物理定律有任何影响，因为你与相对你静止的人不会有不同的观测结论。我们已经看到，爱因斯坦用一种完全不可预见的方式扩充了这一对称性，他提出无论相对于哪个观测者，光速都有确定的大小，绝不会因你或者光源的速度改变而改变。毫无疑问，这相当令人吃惊。因为一般情况下，我们认为一个物体的速度应该取决于其相对于外界环境的速度，观测到的速度依赖于观测者本身的速度。但是爱因斯坦从牛顿理论的缺陷顺藤摸瓜，发现了光的对称性，将光速提升到了不可侵犯的大自然定律层次，宣称其并不受运动的影响，正如白色的台球不会因旋转而改变一样。

爱因斯坦的下一项重大科学贡献——广义相对论，正是沿着这样的方向朝着具有更大对称性的理论继续前进。正如你可以将狭义相对论想成是在相对于彼此匀速运动的观测者之间建立对称性，你也可以将广义相对论想成是前进了一步的狭义相对论，它在相对于彼此加速运动的点之间建立对称性。这一点非常特别，因为我们强调过：你不能感受到匀速运动，但是你可以感受到加速运动。因而，描述你的观测的物理学定律看起来应该会因为你的加速而变得有所不同，以便解释你所感受到的额外的那部分力。而这正是牛顿理论的情况。我们在一年级物理课程中学习的牛顿理论，在加速情况下必须有所修改。而我们在第3章中讨论过的等价原理，则使爱因斯坦认识到，你无法分辨出在加速过程中所感受到的力同处于相应大小的引力场（加速度越大则相应的引力场也应当越强）时所感受到的力之间的差别。爱因斯坦凭借其精深的洞察力认识到，一旦将合适的引力场添加到外在的物理条件中，在你加速时，物理定律就不会发生变化。在广义相对论的框架下，所有的观测者，即使那些做任意大小变速运动的观测者，都具有平等的地位——他们彼此完全对称，因为每一个观测者都可以宣称自己处于静止状态，只要他们将各自所感受到的力算作不同的引力场的效应。这样一来，相对于彼此加速运动的观测者的观测事实之间存在差异就毫不为奇了，而且也不能再被算作是自然定律改变的证据了，这就如同你在地球和月球上分别完成你的体操套路的感受不同不能作为自然定律变化的证据一样。[2]

上面的这些例子使我们能够理解为什么很多人（我猜费恩曼也会同意）会认为在我们最深刻的科学认知排名中，自然定律背后的大量对称性可获得仅次于原子假说的亚军了。不过故事还远未结束。过去的几十年间，物理学家们将对称原理的地位大大提升到我们的科学探索之梯的最高一级。如果有人提出一条新的自然定律，我们就会很自然地问出：为什么要有这条定律？为什么要有狭义相对论？为什么要有广义相对论？为什么要有麦克斯韦电磁理论？为什么要有关于强相互作用和弱相互作用的杨-米尔斯场论（我们稍后再来谈这个理论）？回答这些问题时很重要的一点就是要知道这些理论的预言可以被精确的实验反复验证，这一点对于建立物理学家对这些理论的信心非常重要。但是除此之外，我们还得知道有一些其他的重要原因。

物理学家们之所以相信这些理论在正确的轨道上还有另外重要的理由，虽然不好形容，但是我们可以说是物理学家们*感觉*这些理论是正确的，而对称性的思想则对他们的这种感觉至关重要。正是因为没有理由认为宇宙中存在某一与其他位置相比独一无二的位置，所以物理学家们对平移对称性广泛地存在于自然定律中有信心。正是因为没有理由认为宇宙中存在某种与其他匀速运动相比独一无二的匀速运动，所以物理学家们有足够的信心将狭义相对论——在所有匀速运动的观测者之间建立对称性而得到的理论——视作自然定律的重要部分。更进一步，正是因为没有理由认为任何一个观测点——不管其加速与否——会不如其他观测点，所以物理学家们有足够的信心将广义相对论——能将这种对称性纳入囊中的最简单理论——视作掌控一切自然现象的基本真理。另外，我们即将看到，关于除引力之外的3种力——电磁力、弱核力与强核力——的理论，正是建立在另外一些更加抽象但同样引人注目的对称原理的基础之上。所以，自然界中的对称性并非是自然定律的结果。按照现代观点，对称性是自然定律的基础。

对称性与时间

对称性的思想不仅对于与自然界中的力有关的物理规律非常重要，对于时间本身也非常重要。没人能够给予时间一个明确的基本层面上的定义。但毫无疑问的是，时间在宇宙组成中的部分角色为变化的记录者。事物逐渐变化，不同以往，使我们注意到时间的流逝。手表上的指针指向不同的数字，太阳在天空中的位置发生变化，你复印的《战争与和平》的页码因为没有装订而越翻越乱，可乐瓶中出来的二氧化碳分子四处弥漫——所有的这一切都表明事物发生了变化，而时间的作用正在于它可以帮助我们注意到这些变化。按照约翰·惠勒的说法，时间就是大自然用以保证所有的一切——所有的变化——不至于一股脑儿发生的巧妙方法。

时间的存在取决于一种特殊对称性的缺失：对我们来说，即使定义与我们的日常感知类似的时时刻刻的概念，也需要宇宙中的万物必须时时刻刻有所改变。如果在今日之世界与过去之世界之间存在一种完美的对称性，如果时间的改变就像旋转白色台球一样不会带来任何变化，那么我们所感知到的时间实际上就并不存在。[3] 这并不是说图5.1中逐步展示的那种时空膨胀并不存在，它还是能够膨胀。但是因为时间轴上的一切都完全一致，所以宇宙的演化或改变这种说法就没意义了。时间只是这一实在性的舞台中的一个抽象概念——时空连续统的第四维——否则它就不可辨别。

然而，即使时间的存在与某种特别的对称性的缺失联系在一起，其在宇宙尺度上的应用则要求宇宙必须严格遵守另一种不同的对称性。其中的思想非常的简单并且可以回答你在阅读第3章时可能遇到的一个问题。既然相对论告诉我们时间的流逝快慢取决于你运动的速度以及你所处的引力场的强度，那么我们不禁要问：天文学家和物理学家谈起整个宇宙起始于某一特定时刻——今天的天文学家和物理学家认为这个时刻差不多是140亿年前——时又是什么意思呢？这140亿年又是相对于谁来说的呢？哪一台钟给出的140亿年？遥远星系上的智慧生命也会得出宇宙的寿命是140亿年的结论吗？而要是这样的话，又是什么保证了他们的钟和我们的钟同步校对过呢？这些问题的答案都取决于对称性——空间中的对称性。

如果你的眼睛可以看见波长远远超过红光或橙光的波长的光的话，你就不仅会在按下启动按钮时看到微波炉内部突然放射微波开始烘烤的景象，还将在我们这些普通人眼中漆黑一片的夜空中看到虽然暗淡但几乎均匀的红光。40多年前，科学家们发现宇宙中弥漫着微波——波长很长的光——辐射，这种微波辐射正是大爆炸刚刚结束时极度高热环境残留至今的冷却遗迹。[4] 宇宙微波背景辐射完全无害。早期宇宙处于难以想象的高热状态，但随着宇宙的演化与膨胀，辐射被稳定地稀释，慢慢冷却了。今天，微波辐射的温度只比绝对零度高2.7开。它所能搞出的最大恶作剧就是无线电视在信号不好以及调到一个没有节目的频道时所出现的雪花点。

但是这一微弱的静电噪声之于天文学家却如暴龙骨之于古生物学者：一扇通往较早时期的窗口对于重构遥远过去的一切极端重要。通过过去10年的卫星探测，人们发现了微波辐射的一个重要性质：微波辐射的分布极其均匀。不同天空区域的微波辐射之间的差异低于千分之一。要是在地球上，这样小的差异将使天气预报毫无意义。因为如果雅加达的气温是85华氏度的话，你立即就可以知道阿德莱德、上海、克利夫兰、安克雷奇[1]或其他任何一个城市的温度会在84.999华氏度—85.001华氏度。而在宇宙尺度上则完全不是这样，辐射温度的均匀性相当重要，之所以这么说有两个重要原因。

首先，辐射温度的均匀性提供了观测证据，证明宇宙在其早期并非由巨大的、高熵的物质团——比如黑洞之类——占据，因为这样参差不齐的物质环境只能留下同样参差不齐的辐射烙印。相反，辐射温度的均匀性证明了年轻的宇宙各向同性；而且，正如我们在第6章中所看到的那样，与引力有关时——比如早期质密宇宙时引力起的作用——各向同性意味着低熵。这无疑是件好事，因为我们对时间之箭的讨论要求宇宙在其开天辟地时低熵。我们在本书的这一部分的

1. 雅加达，印度尼西亚首都；阿德莱德，澳大利亚港市；安克雷奇，美国阿拉斯加州南部的港口城市。——译者注

目标之一就是尽我们所能解释这一观测事实——我们想要搞清楚早期宇宙的各向同性、低熵的这种非常不可能的状态是怎样出现的。这会使我们在时间之箭的探源之路上迈出一大步。

第二点，虽然宇宙演化自大爆炸，但平均下来，整个宇宙各处的演化应当彼此类似。既然我们这里的温度与涡旋星系、后发星系团或者宇宙中的任意一处的温度都相同，那么太空中每一个地方的物理条件自大爆炸后一定按照相同的方式演化。这一推断非常重要，但是需要正确解释。仰望夜空，一眼看去，我们会觉得天空并非一成不变：各种不同种类的行星与恒星闪耀天际。问题的关键在于，当我们对整个宇宙展开分析的时候，我们采用的是宏观视野，这些"小"尺度上的不同完全可以平均掉，在大尺度上宇宙的确是均匀的。我们只需想想简单的一杯水，在分子层次上，水是杂乱无章的：这里有个H_2O分子，那里又什么都没有，而另一边又有一个H_2O分子，等等。但是，如果我们对小尺度的水分子做平均，只考虑日常生活水平上这种肉眼可见的"大"尺度上的水，我们就会发现水是清澈均匀的。我们仰望星空时看到的不均匀正类似于水在分子水平上的不均匀性。但也正如用肉眼看那杯水一样，当我们在足够大的尺度上——以亿光年计数的尺度上——研究宇宙的时候，宇宙就具有高度的各向同性。因而辐射的均匀性就既是物理定律又是整个宇宙外在物理条件的均匀性的活化石。

这一结论意义重大，因为有了它，我们就可以定义一个可用于整个宇宙的时间概念了。如果我们将变化的量度当成是时间流逝的一个有效定义，而整个空间的物理条件的均匀性就是贯穿整个宇宙的变化的均匀性的证据，那么我们就可以知道，时间流逝也具有均匀性。正如地球地理结构上的均匀性使得美洲的地理学家、非洲的地理学家以及亚洲的地理学家彼此认同地球的历史与年龄，贯穿整个空间的宇宙演化的均匀性也会使银河系的物理学家、室女座星系的物理学家以及蝌蚪星系的物理学家得到一个大家都认同的宇宙历史与年龄。毫无疑问，宇宙演化上的各向同性意味着我们这里的钟与室女座星系的钟以及蝌蚪星系的钟，在平均的意义下，都取决于几乎类同的物理条件，所以会按差不多相同的方式计算时间。因而，空间上的各向同性保证了宇宙的同步性。

尽管我略掉了一些重要的细节（比如在下一节中将讨论到的空间的膨胀），这一段的讨论还是突出了问题的核心：时间在对称性下的尴尬处境。如果宇宙有短暂的对称性——如果其处于完全不变的状态——那甚至连定义时间都变得很难。另一方面，如果宇宙没有空间上的对称性——比方说，如果背景辐射完全是杂乱的，不同区域的温度有巨大的差别——宇宙学意义上的时间也就失去含义了。不同位置的钟表按照不同的快慢摆动，如果你要问一下宇宙30亿岁时是什么样子，那答案就将取决于你究竟是按照谁的钟来谈那流逝的30亿年。那将非常复杂。幸运的是，我们的宇宙既没有那么多对称性导致时间失去意义，也并非一点对称性都没有，使得我们无法避开那种复杂性，令我们无法探讨宇宙总的年龄以及随时间的总体演化。

那么现在让我们将目光转向演化，来一起思考宇宙的历史。

将结构放大再思考

“宇宙的历史”这几个字听起来像个大题目，但是这个大题目的纲要却极其简单，并且在很大程度上依赖于一个重要的事实：宇宙正在膨胀。既然这就是解读宇宙历史的核心要素，而且是人类最伟大的发现之一，那还是让我们来了解一下我们究竟是怎样认清它的。

1929年，埃德温·哈勃利用位于加利福尼亚州帕萨迪纳的威尔森山天文台100英寸望远镜，发现他所能探测到的几十个星系都在离他远去。[5] 事实上，哈勃发现，如果一个星系离他越远，则远去的速度就越快。为了对尺度有一个感性的认识，让我们看看哈勃原始观测方式的升级版（哈勃太空望远镜，研究对象为几千个星系）给出的数据：距离我们1亿光年远的星系以每小时550万千米的速度离我们远去；距离我们2亿光年的星系的移动速度也变成了2倍，即以每小时1100万千米的速度离我们远去；距离我们3亿光年的星系的移动速度就变成了3倍，即以每小时1650万千米的速度离我们远去，如此等等。哈勃的发现之所以令人震惊是因为按照当时主流的科学和哲学观念，最大尺度上的宇宙是静止的、永恒的、固定不变的。但是哈勃那一记重拳粉碎了这一观念。而在理论与实验的美妙结合中，爱因斯坦的广义相对论可以为哈勃的发现提供一个优美的解释。

事实上，你可能不会认为得出一个解释会异常困难。毕竟，要是你路过一个工厂，看到各种各样的材料猛烈又凌乱地四散飞了出来，你将不难猜出发生了一场爆炸。如果你再沿着金属和混凝土的碎块往回搜索，你会发现所有的碎片都聚敛于一个位置，而那很可能就是爆炸现场。按照相同的推理，既然从地球上看——哈勃与其后的实验都证明过的——所有的星系都在远离，你可能就会推断出我们所在的位置正是远古时期大爆炸发生的位置，而各种恒星和星系就是那场大爆炸后均匀的、四散飞出的碎片。此类理论的问题在于，其中必有一个特别的位置——我们所在的位置——是宇宙诞生的独一无二之地。要真的是那样的话，这个理论就必须承受一个根深蒂固的不对称性：远离爆炸核心的区域——也就是离我们很远的地方——与我们这里将会相当不同。因为天文学上的实验数据并没有为这种不对称性提供证据，而我们也高度怀疑这种以人类为中心的解释带有前哥白尼时代的气息，这就要求对哈勃的发现给出一个更加复杂的解释，在这个新的解释中，我们所在的位置不应当在宇宙中居于某种特殊地位。

广义相对论给出了一个这样的解释。利用广义相对论，爱因斯坦发现空间和时间是可变的，而不是固定的；是有弹性的，而不是刚性的。他给出的方程，可以准确地告诉我们空间和时间如何随着物质和能量的存在而变化。20世纪20年代，俄罗斯数学家与气象学家亚历山大·弗里德曼和比利时牧师与天文学家乔治·勒梅特在将爱因斯坦理论应用于整个宇宙时各自独立地分析了爱因斯坦方程，并且得到了令人吃惊的结果。正如地球引力的存在使得接球手头上的棒球要么继续往上飞要么往下掉，而不会停在空中（除了到达最高点的那一瞬间），弗里德曼和勒梅特也认识到弥漫于整个宇宙空间的物质和辐射所具有的引力会使空间的结构要么拉伸要么压缩，就是不能保持固定不变的大小。事实上，这里用棒球做的比喻是极少数既抓住了物理本质又说清了数学内容的比喻。这是因为，掌控棒球离地面高度的方程同掌控宇宙大小的爱因斯坦方程非常类似。[6]

广义相对论中空间概念的灵活性为哈勃的发现提供了一种影响深远的解释方法。广义相对论没有按照工厂爆炸的宇宙学版本来解释星系的扩张运动，而是提出了空间本身已经膨胀了数十亿年。随着其自身的膨胀，空间也将星系拉离彼此，就像将生面团烤成松饼的过程中上面的芝麻点四散分离一样。因而，向外运动的起源并非是空间内部的爆炸导致的，而是空间自身持续不断地向外膨胀导致的。

为了更深刻地体会这一关键思想，我们再来想一下物理学家们常用来说明宇宙膨胀的非常有效的气球模型（这一类比的源头可追溯至一幅有趣的卡通画，可参见后面的注释。[7] 这幅卡通画最早出现在1930年的一份荷兰报纸上有关威廉 · 德 · 西特的访问内容后，这位科学家在宇宙学领域做出了奠基性贡献）。这一类比将我们的三维空间同较易形象化的气球两维表面联系起来了，如图8.2（a）所示，其中的气球正被越吹越大。等间距黏在气球表面的硬币代表的就是星系。注意随着气球被吹起，硬币纷纷远离彼此，这个例子很形象地说明了膨胀的空间如何驱使星系远离彼此。

这一模型的一个重要性质在于，硬币之间是完全对称的，因为从每一枚硬币上的林肯像的视角上，看到的都是一模一样的景象。为了更形象化一点，可以在脑海中将你自己缩小，躺到其中的一枚硬币上，然后看看气球表面上的所有方向（别忘了我们在这里将气球的表面类比成整个宇宙空间，所以如果你看的是除气球表面外的其他方向就没意义了）。你会看到些什么？你将看到气球上所有的硬币都会随着气球的膨胀而离你远去。换个硬币再试试，你又看到了什么？对称性使你每次都只能看到相同的事情：所有方向的硬币都离你远去。这一切实的图像很好地符合了我们的信念（越来越多的精确天文学数据都在支持这样的信念）：宇宙中1000多个星系中的任何一处的观测者，当他们在强大的望远镜的帮助下凝望夜空的时候，在平均意义下，他们看到的图像与我们所看到的会非常类似——周围的星系朝着所有的方向离我们远去。

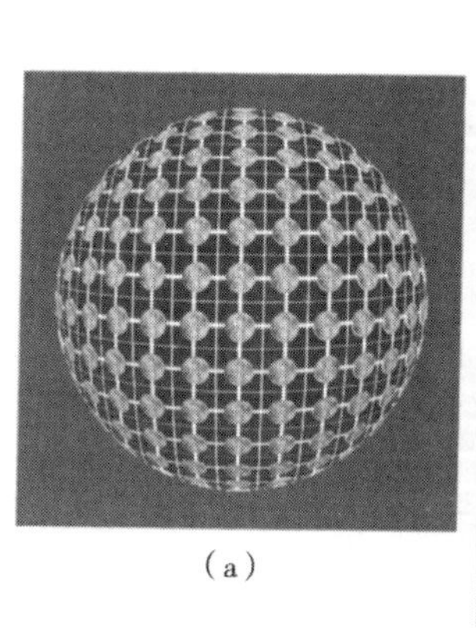

(a)

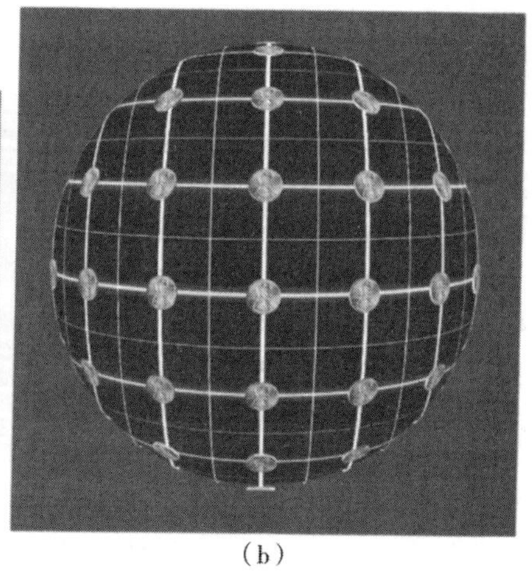

(b)

图8.2 (a)我们把大量的1美分等间距地黏到球面上。如果每个林肯（译注：1美分上的林肯像）都观察其他林肯，那么他们会发现他们看到的景象完全一样。我们对宇宙的认识就是这样，从宇宙中的任何一个星系看去，所看到的景象与其他星系看到的景象平均说来是一样的。

(b)如果球面扩张，每个硬币之间的距离就会拉大。两个硬币如果在图8.2(a)中的距离越大，它们在图8.2(b)的扩张中拉开的距离就会越大。而我们对宇宙的观测也是如此，被观测点距离观测点越远，它离开观测点的速度也就越快。以上的讨论中我们并未假定有任何一个特殊的硬币存在，而我们的宇宙中也没有任何星系如此特殊以至于我们可以将它选为宇宙的中心

所以，如果向外的运动起源于空间自身的膨胀，那么就不会像在一个固定的、先前即已存在的空间中的工厂爆炸事件那样需要一个特殊的作为向外运动的中心的点——没有特别的硬币，也没有特别的星系。每一个点——每一枚硬币，每一个星系——和其他的点具有

完全等同的地位。任何一个位置的视野*看起来*都像是在爆炸的中心：每一个林肯都会看到其他的林肯远去；所有的观测者，无论在哪个星系，都会像我们一样，看到其他的星系远去。但因为对所有的位置都是如此，所以不会存在特殊的或者说独一无二的位置，不会有那个作为所有的向外运动起源地的中心。

此外，这一解释并非仅能用空间各向同性的方式定性地说明星系的向外运动，还能定量地符合哈勃的观测数据及其后更加精确的实验观测所给出的数据。如图8.2（b）所示，如果气球在一定时间间隔内向外膨胀，比方说大小增加了2倍，所有的空间间距也将变为2倍：之前相距1米的硬币现在就会相距2米，之前相距2厘米的硬币现在就会相距4厘米，之前相距3厘米的硬币现在就会相距6厘米，如此等等。因而，在任一给定时间间隔内，两枚硬币间距的增加正比于其初始间距。而因为给定时间间隔内间距的增加意味着速度的增加，所以离得越远的硬币彼此远离的速度就会越快。本质上，两枚硬币之间的距离越远，两者之间的气球面积就越大，所以气球膨胀时它们被推离的速度也就越快。将这一推导过程准确地应用于空间及其含有的星系的膨胀过程，我们就可以解释哈勃的实验观测了。两个星系的间距越大，则其间的空间就越大，因而空间膨胀时这两个星系被推离得也就越快。

广义相对论将观测到的星系运动归结为空间的膨胀，从而不仅提供了一个将空间中的不同位置平等处理的解释，还一下子说明了所有的哈勃实验数据。就这样，人们轻松地走到盒子外（这里的“盒子”指的是空间），用精准的数据以及奇妙的对称性来解释实验观测，这样的阐释正是那种物理学家们会因其太过优美而不相信其可能出错的理论。空间结构正在膨胀这一猜想本质上符合全部观测。

膨胀宇宙中的时间

现在我们来看一个气球模型的变种。通过这个模型，我们可以更加准确地理解究竟怎样从空间——即使这里的空间指的是膨胀中的空间——的对称性来获得一个可以普遍应用于整个宇宙的时间概念。如图8.3所示，我们将图8.2中的硬币全部换成完全一样的钟表。根据相对论我们可以知道，如果这些完全一样的钟表所处的物理环境不同——处于不同的运动中或不同的引力场中——则它们所显示的时间变化快慢也将有所不同。但是简单地思考后我们即可知道，钟表之间将保留全部对称性，就像膨胀气球上的所有林肯那样。要是所有这些相同的钟表所处的物理条件一样，则将按照完全一样的快慢运转，

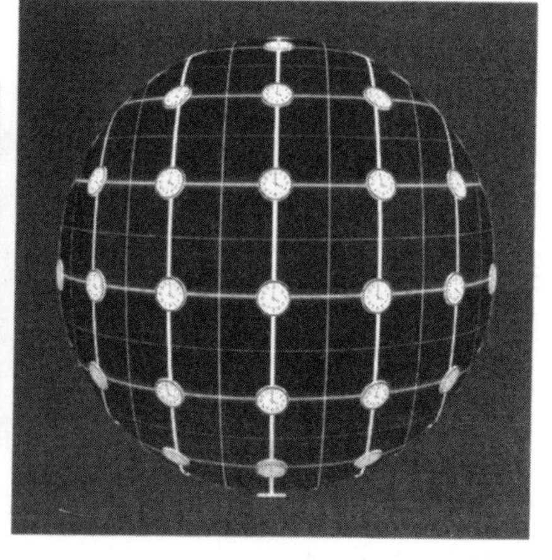

图8.3　随星系运动的钟表——其运动只取决于空间的扩张——可以当成是宇宙的钟表，虽然它们彼此相隔，却可以保持同步，这是因为这些钟表随空间而动，而不是穿越空间而动

记录的也将是完全一样的时间变化。与之类似，要是在一个膨胀的宇宙中所有的星系之间具有高度的对称性，那么随不同星系运动的钟表必将按照同样的快慢运转并且将记录下同样的时间变化。要不还能怎样呢？每一个钟表都等同于其他，平均说来，所有的钟表所处的物理条件几乎一样。这一点再次展现了对称性的强大。无须任何计算或者细致的分析，我们就可以认识到：物理环境的均匀性——通过微波背景辐射的均匀性以及整个空间中星系分布的均匀性体现出来[8]——使我们得到了时间的均匀性。

尽管这一段的逻辑推理非常直接，其结论却令人困惑。既然所有的星系都随着空间的膨胀而快速远去，那么随着不同星系运动的钟表也将彼此远去。而且，它们相对于彼此远离的速度由于两两之间距离的不同而各不相同。那么这样的运动会不会就像爱因斯坦的狭义相对论告诉我们的那样，使这些钟表失去同步性呢？出于多方面的考虑，我们可以说答案并非如此。下面我们用一种特别有用的方式来想清楚整个问题。

回忆一下第3章中说过的，爱因斯坦发现按照不同路径穿过空间的钟表其指针快慢不尽相同（这是因为向着不同方向运动的钟表需要将不同时间长短的运动挪用为空间中的运动，还记得用滑板上的巴特打的那个比方吗？小家伙必须通过运动才能从朝北转向朝东）。但是我们现在所讨论的钟表并不穿越空间运动。就像黏在气球上的硬币那样只是随着气球表面的膨胀而相对于彼此远去，每个处于宇宙中不同位置的星系在很大程度上也只是随着整个空间的膨胀而相对于其他星系远去。而这就意味着，相对于空间自身，这些钟表实际上处于静止状态，所以它们才会按照完全一样的快慢运转。正是这样的一些钟表——*其运动仅仅来自于宇宙的膨胀*——才能作为同步宇宙钟来测量宇宙的年龄。

当然，要知道的是，如果你带上你的表跳到火箭上，以极快的速度横穿宇宙，那你的运动速度就会超过宇宙膨胀的速度。如果你真这样做，你的表*就*将按不同的快慢运转，而你所得到的大爆炸时间*就*将是另一个结果。这样看待问题的角度当然是没问题的，但是是一个完全个人化的角度：这样一来你所测得的时间就与你的个人移动经历以及运动的状态息息相关。而当天文学家们探讨宇宙年龄的时候，他们想要的是一些普适的东西——他们寻找的是放之整个宇宙而意义不变的测量结果。整个宇宙空间变化的均匀性就提供了一种能达到这一目的的方法。[9]

事实上，微波背景辐射的均匀性为我们检验自身实际是否沿空间膨胀的方向运动提供了一种现成的方法。如你所知，尽管微波背景辐射在整个宇宙空间中具有各向同性的特点，可一旦你处于超出空间膨胀速度的运动之中，你就不会再观测到这种各向同性了。向我们疾驶而来的警车上的警笛声变得尖锐，而在飞快地离我们远去时警笛声又变得沉闷。微波背景辐射也是如此。如果你正在驾驶飞船高速飞行于宇宙空间中，那么迎面而来的微波的波峰波谷就会以一个较高的频率快速更迭，而从你的后面追过来的微波的波峰波谷的更迭频率则要低些。较高频率的微波意味着较高的辐射温度，所以你将感觉到你面前的辐射温度比你背后的辐射温度要高一些。而实际测量结果表明，在我们的地球这艘大“飞船”上，天文学家们*的确*发现某个方向上的微波背景辐射要热一些，而其相反方向上的微波背景辐射则要冷一些。这一事实告诉我们，不仅地球绕着太阳转，太阳绕着星系中心转，其实整个银河系都以一个超出宇宙膨胀速度的微小速度向着长蛇星座的方向运动。天文学家们只有修正了这个相对微小的速度对微波背景辐射的影响，才能清楚地看到微波背景辐射的确具有均匀性，天空中不同位置的温度非常均匀。而正是这种均匀性，不同位置之间的这种对称性，使得我们可以在描述整个宇宙的时候准确地谈论时间。

膨胀宇宙的奥妙

在我们对宇宙膨胀的阐释中有一些值得强调的细节。首先，在气球比喻中起作用的只是气球*表面*——两维的面（其上的每一个位置都可以用类似于地球上的经纬度来表示），而我们四下张望时看到的是三维的空间。我们之所以利用这个低维模型做例子是因为它既保留了真实情况中的本质概念，又可以形象地说明问题。我们用的是气球表面这一点你需要牢牢记住，特别是若你曾试图告诉大家气球模型中存在一个特殊点（你可能会说气球内的中心点就是个特殊点，因为气球表面所有的点都离它远去）的话。尽管你看到的这个事实是对的，但是它却对气球模型毫无意义，因为除气球表面上的点以外的任何一点都不对这一类比有任何意义。气球表面代表的就是整个空间。不在气球表面上的任何一点都只不过是这一类比的副产品，并不对应实际宇宙空间中的任何一点。[1]

第二点，如果星系所处的位置距离越远，其远离的速度就越大，那岂不就意味着距离我们足够远的星系将有可能以大于光速的速度远离我们而去？[10] 对于这个问题我们可以肯定地回答：是的。但这并不与狭义相对论矛盾。那这又是为什么呢？其中的道理又与随空间膨胀运动的钟表具有同步性有关。如我们在第3章中所强调过的，爱因斯坦证明*在空间中*运动的一切事物其速度都不可能超越光速。至于星系，在平均意义上，几乎不在空间中运动。星系的运动几乎可以完全归结于*空间结构自身的延展*。而爱因斯坦的理论并不禁止空间以一种可以驱使两点——比如两个星系——以超越光速的速度分离的方式运动。爱因斯坦的理论只限制随空间膨胀的运动被减除之后的运动速度，也就是说只限制超出空间膨胀之外的那部分运动速度。观测表明，对于沿着宇宙膨胀方向运动的星系来说，那些超出空间自身膨胀的运动速度非常有限，完全在狭义相对论所容许的范围之内，即便两个星系由于空间自身膨胀而有的分离速度超越了光速也没关系。[2]

---

1. 若不用这个两维的气球模型做类比，而是直接用一个球形的三维空间做类比的话，在数学上当然非常简单，但即便是专业的数学家和物理学家也很难形象地勾画出这一图像。你倒也可以试着想象一个实心的三维球，比方说没有洞的保龄球。但这实际上并不是一个可接受的形状。在我们想要的模型中，所有的点应该处于完全相同的地位，因为我们相信宇宙中所有的位置彼此类似（当然是在平均意义上）。但是保龄球上的点却彼此不同：有的就在表面，有的在内部，还有的正好位于球心位置。正如在两维气球模型中两维的表面围绕在三维的球体区域（包括气球中的空气）外，可接受的三维圆形也应该围绕在四维球体区域外。所以一个四维空间中的球体的三维表面才是一个可接受的形状。不过要是这么说还不能让你停止对一幅图像的渴求，那么你就可以像所有的专家做的那样：坚持利用易于想象的低维类比。事实上低维的类比几乎能够捕捉到所有本质特点。要不我们也可以考虑三维平直空间，与球体的圆形不同，平直空间具有可视化的特点。
2. 根据宇宙膨胀的速度是加速还是减速的不同，这样的星系所辐射出来的光可能会陷入令芝诺骄傲的困境之中：从另外一个星系辐射出来的光以光速穿越空间向我们飞来，但是我们两个星系之间的距离却以大于光速的速度扩大，从而导致向我们飞来的光永远都无法到达我们的身边。更为详尽的讨论可参见注释10。

第三点，要是空间不断膨胀，那么被拉离彼此的岂不并非只有星系？每一个星系内的空间膨胀也会使所有的恒星远离彼此，而每一个恒星内的空间膨胀，每一个行星内的空间膨胀，你我甚至世间万物内的空间膨胀，岂不会使构成各种事物的原子彼此远离？而每一个原子内的亚原子物质岂不也会被驱动着彼此远离？简而言之，空间的膨胀是不是使包括我们用的米尺在内的世间*万物*全部变大，从而使得我们根本无法知晓膨胀是否实际发生了呢？答案是否定的。再回想一下气球上的硬币模型。当气球表面膨胀的时候，所有的硬币远离彼此，但是这些硬币自身却没有膨胀。当然，要是我们通过在气球表面用黑笔画圈来代表星系的话，则随着气球的膨胀，那些黑圈也都变大了。但是真正抓住问题本质的是硬币而不是黑圈。每一枚硬币之所以保持大小不变是因为将锌原子和铜原子捏合到一起的力远远强于硬币胶黏其上的气球膨胀所产生的张力。与之类似，将独立的原子捏合到一起的核力，将你的骨头和皮肤捏合到一起的电磁力，以及使行星和恒星彼此接近构成星系的万有引力，都比因空间膨胀而产生的张力强得多，所以这些事物都不会变大。只有在最大的尺度上，远远大于每一个独立星系的尺度上，空间的膨胀才不会遇到任何抵抗（不同星系间的万有引力相当微弱，因为两者之间的距离太过巨大），因而只有在超星系的尺度上，空间的膨胀才会驱使事物远离彼此。

宇宙学，对称性与空间的形状

要是有人大半夜的把你从睡梦中叫醒，然后让你告诉他宇宙的形状——也就是整个空间的形状——是怎样的，朦朦胧胧的你大概会没法回答。不过即使在你醉醺醺的时候，你也知道爱因斯坦证明过空间就像橡皮泥一样，所以理论上它可以是任何形状。那么你什么时候又将怎样才能回答询问者的问题呢？我们居住在一个小行星上，这颗小行星绕着一颗毫不起眼的恒星运动，我们的太阳系不过是整个银河系边缘的一个星系，相比于其他千百万个星系没有任何特别之处。那你究竟该怎样才能对整个宇宙的形状有一个认识呢？好吧，随着困意渐渐退散，你的头脑逐渐清醒，认识到是时候再次搬出对称性来当救兵了。

如果你愿意采纳科学家们广泛持有的信念：在大尺度上，宇宙中所有的位置和所有的方向都是相对于彼此对称的，那你就很好地回答了询问者的问题。理由是，差不多所有的形状都*不可*能满足这一对称性的标准，因为差不多任何一种形状的某个部分或区域都在基本层面上区别于其他部分或区域。梨形上窄下宽，鸡蛋形两头尖中间粗。这些形状，虽然也具有某些对称性，但都不具有完全的对称性。将这些特别的形状排除，把视野投向那些每个区域每个方向都彼此类似的形状上，你就会发现还没被淘汰的已经出奇的少了。

我们曾经遇到过一个满足这些条件的形状。气球的球形对于在其膨胀的表面上建立所有的林肯像之间的对称性非常关键，故而这一形状的三维版本，所谓的*三维球面*，就是一个空间形状的候选者。但它并非是唯一一个能实现完全对称性的形状。我们继续利用易于可视化的二维模型来促进思考，想象一个*无限*宽*无限*长的橡胶薄片——完全未弯曲——其表面黏有等间距放置的硬币。随着整张薄片的扩张，我们再次得到了完整的对称性并且与哈勃的实验观测再次符合：每一位林肯都会看到其周围的林肯远离他而去，并且速度正比于距离，如

图8.4所示。因而，这一形状的三维版本——想象一大块正在膨胀的透明橡胶做成的立方体，其中均匀地铺洒着星系——就是另一个可能的空间形状（如果你偏爱拿厨房里的家什做比喻，那还是想象之前提过的带瓤松饼的无限大版本，这个松饼像是个立方体，只不过要不停地无限膨胀，其中的瓤扮演星系的角色。开始烘烤后，生面团变大，使得每一个瓤离彼此越来越远）。这一形状被称为*平直*空间，因为其不同于之前的球形：它并没有任何弯曲（这里的“平直”是数学家和物理学家所使用的意义，并非我们平常口头上那种“平底锅”中的“平”）。[11]

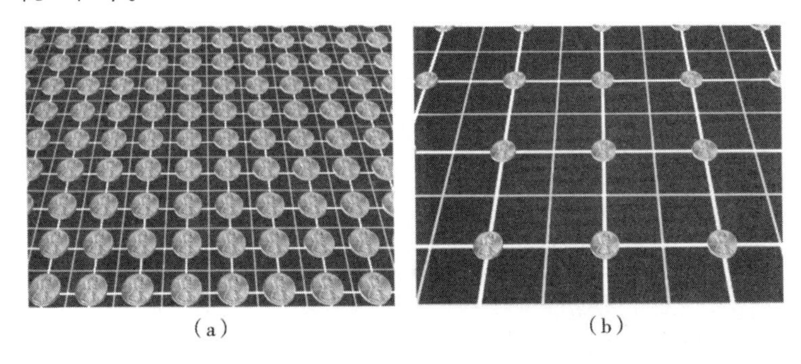

图8.4 （a）无限平面上的每一个硬币看到的景象都与其他的硬币看到的一样。（b）图（a）中的两枚硬币相隔越远，平面扩张时其间隔的增加就越大

球形和无限大平面形状的好处之一在于你可以沿着它们无穷无尽地走下去而不用担心到达边界。这一点非常不错，因为它能使我们避开一个非常棘手的问题：空间的边界之外有些什么？如果你走进空间的边界会发生什么？如果空间没有边界，那这些问题就没有意义。但我们需要知道上述的两种形状是通过不同的方式来实现这一极具吸引力的特性的。如果你在一个球形空间一直走下去，你就会发现自己就像麦哲伦，早晚会回到起始点，永远都不会碰到边界。相反地，

如果你是在无限大的平面上一直走下去，你会发现自己像电动兔[1]，永远不停，永远不会碰到边界，可是也永远无法回到起始位置。虽然这一点看起来像是弯曲和平直的形状在几何上的根本性差异，但是只要对平直空间做一些变化就会发现它将在这点上极其惊人地类似于球形。

为了形象化一点，让我们回想一下某些电子游戏，这种游戏看起来在屏幕上有边界，但实际是没有边界的，因为你不能掉出屏幕：一旦你在屏幕右边的边界消失，你就会立即出现在屏幕左边的边界；如果你在屏幕上边的边界消失，你就会立即出现在屏幕下边的边界。屏幕是“卷在一起的”，虽然区分了上下左右，并使整个屏幕平直（未弯曲）且有有限尺寸，却没有边界。数学上，这种形状被称为*二维环面*，如图8.5（a）所示。[12] 这一形状的三维版本——三维环面——

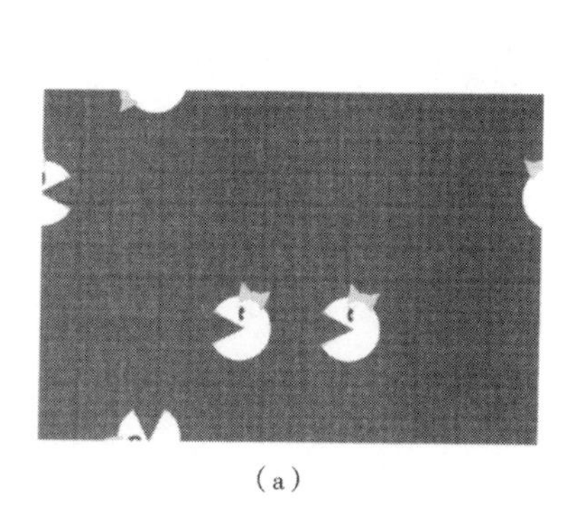

（a）

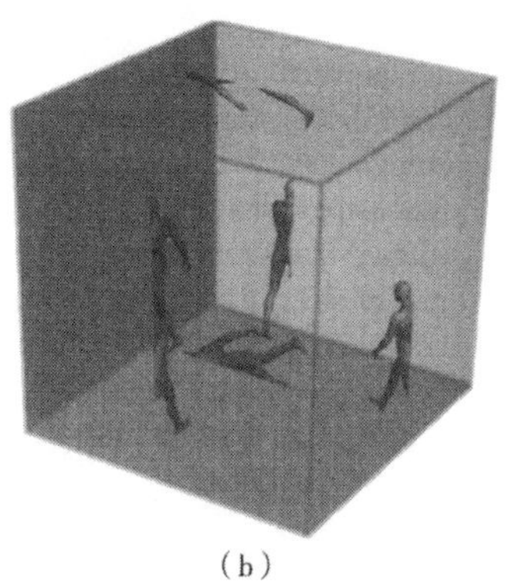

（b）

图8.5 （a）游戏机屏幕平坦（不弯曲）且有限，但是其中的画面却没有边界，因为游戏画面“蜷在一起”。数学上，这样的形状称为*二维环面*。
（b）相同形状的三维版本，称为*三维环面*。同样的，平坦且体积有限，只不过没有边界，因为蜷曲起来。你穿过一面就会从另一面出来

1. 电动兔，美国Energizer公司于1989年推出的一款玩具，打着鼓的兔子会一直向前走。——译者注

可以作为空间结构的另一种可能形状。你可以将这一形状想象成沿着3个维度蜷曲缠绕的巨大立方体：若你在这个立方体的顶部走到尽头，你就来到了底部，往后走到头就来到了前面，往左走到尽头就来到了右边，如图8.5（b）所示。这样的形状是平直的——再次提醒，这里指的平直是非弯曲的意思，不是平底锅那种平直——三维，在所有的方向上都是有限大小的，而且没有边界。

如果用膨胀空间的对称性来解释哈勃的实验观测，则空间的可能形状除了上述的这些外，还有另外一种。同三维球面那个例子一样，这个形状也很难在三维空间中画出，不过我们也可以用其两维替身——你可以把它当成品客薯片的无限大版本——来说明问题。这种形状叫作*马鞍面*，它是一种反球面：球面是高度对称的向外膨胀，马鞍面则是对称的向内凹陷，如图8.6所示。这里我们用点数学术语：球面具有*正曲率*（向外膨胀），马鞍面具有*负曲率*（向内凹陷），而平直空间——不管是无限大还是有限大小——则*无曲率*（既不向外膨胀也不向内凹陷）。[1]

1. 电子游戏屏幕可以作为无边界的平直空间的有限大小版，没有边界的马鞍面也有其有限大小的现实例子。我不想在这里继续讨论这一问题，大家只需要知道所有这3种可能的曲率（正，零，负）都可以用无边界的有限大小的形状代表（理论上，宇航员版的麦哲伦可以在任意一种曲率的宇宙中实现太空大航海）。

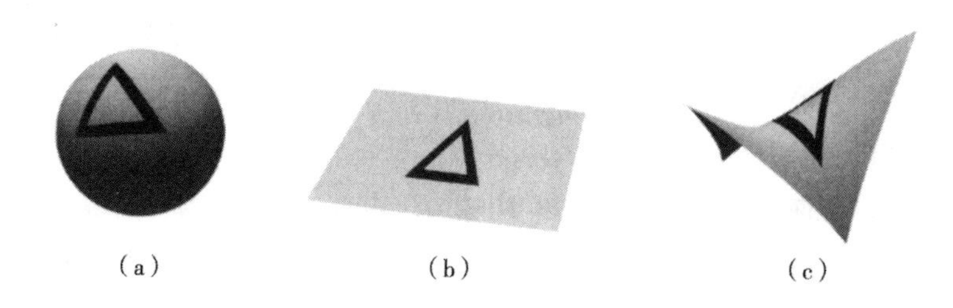

图8.6 用二维类比一下空间，一共有3种完全对称——也就是说，每一个位置看到的景象都与其他位置看到的一样——的弯曲，分别为：
(a) 正曲率弯曲，一致向外鼓，举例来说就是球面；
(b) 零曲率弯曲，没有任何弯曲，例如无限大平面或者游戏机屏幕；
(c) 负曲率弯曲，全部向里弯，例如马鞍面

研究人员已经证明，正曲率、负曲率和零曲率已经穷尽了能满足对称性要求——所有位置之间具有对称性，所有方向之间也具有对称性——的所有可能曲率。而这实在令人吃惊。我们讨论的可是整个宇宙的形状，这本该有无限种可能性。但是，借助于对称性的强大威力，研究人员排除了绝大部分的可能性。所以，如果你允许对称性为你引路，而那个午夜来访的提问者又同意你猜猜仅有的几个答案的话，你就有可能应付得了他的挑战。[13]

不过你可能还是想知道，关于空间结构的形状这一问题，我们为什么会得到几种不同的答案呢？我们生活在一个宇宙中，为什么不能明确它究竟是哪种形状呢？好吧，我们前面所列的形状是仅有的能与我们的信念——我们相信每一个观测者，不管他处于宇宙中的哪个位置，在最大的尺度上看到的宇宙都应当是一样的——自洽的形状。但是对称性的这种思考，尽管挑选出了少数几个选项，却不能得到最终的唯一答案。要想得到那唯一的答案，我们还需要爱因斯坦的广义相对论。

爱因斯坦方程将宇宙中的所有物质与能量（这里还要出于对称性的考虑而假定这些物质和能量均匀分布）作为输入，得到的是空间的曲率。这里的困难之处在于，天文学家们用了几十年都无法最终确定宇宙中的物质和能量实际有多少。如果宇宙中所有的物质和能量均匀地分布于整个太空，而且其密度大于所谓的*临界密度*，即每一立方米中0.00000000000000000000001（10^{-23}）克[1]——每一立方米中5个氢原子，从爱因斯坦方程中得到的空间曲率将为正数；若宇宙中物质和能量的密度小于临界密度，则将从爱因斯坦方程中得出负曲率；若正好等于临界密度，则爱因斯坦方程告诉我们空间没有整体曲率。这一观测问题目前还没能得到确定的答案，但是目前最好的数据倾向于认为空间无曲率——也就是说实际上宇宙是平直的（但电动兔到底会不会朝着一个方向一直走下去并消失在黑暗中，又或者某天突然南辕北辙地绕到你背后——空间会不会一直膨胀下去或者会不会像电子游戏的例子那样蜷曲成首尾衔接——这样问题的答案仍然没有定论）。[14]

即便这样，就算我们不能对宇宙的形状给出一个最终的答案，我们也已很清楚地看到，我们之所以在将整个宇宙视作一个整体的时候也可以理解空间和时间，正是因为有了对称性这一核心要素的帮助。要是没有对称性的强力帮助，我们将举步维艰。

1. 时至今日，宇宙中的物质远多于辐射，所以用与质量相关的单位——克每立方米——表示临界密度最方便。还要注意的是虽然临界密度10^{-23}非常的小，但是宇宙中实在有太多的立方米了。而且，探讨的宇宙越古老，空间也就越小，能量或质量被压缩得也就越厉害，宇宙也就越致密。

宇宙学与时空

现在我们可以将膨胀空间的概念与第3章中讨论过的时空的面包片描述联系起来以说明宇宙的历史。还记得吗？在面包片描述中，每一片面包——即使是两维的——都代表着一个特别观测者的视角下某一时间点上的三维空间。不同的观测者，根据其相对运动的不同，按照不同的角度切面包。在前面遇到的例子中，我们并没有考虑空间的膨胀；相反，我们将宇宙的结构想象为固定且不随时间改变的。现在我们要将宇宙的演化也考虑进去，以便更好地探讨之前的那些例子。

为了达到这个目的，我们采用相对于空间静止的观测者——也就是说，观测者的唯一运动来自宇宙的膨胀，就像气球上的林肯像——的视角。再次指出，即使这些观测者相对于彼此运动，他们彼此之间还是有对称性的——他们的表显示相同的时间——因而他们以相同的方式切割时空片。在这种条件下，仅当他们的相对运动速度超过空间膨胀的速度，并且他们彼此在空间中的相对运动与空间膨胀导致的运动相反的时候，这些观测者的表才会变得不一致，导致他们的时空片的角度不再一样。我们还需指明的是空间的形状，出于对比的考虑，我们将考虑上面讨论过的可能性。

最容易画出的例子是平直的有限形状，就像电子游戏那样。在图8.7（a）中，我们给出了宇宙中的一片，你需要将该示意图看成是此时此刻的整个太空。简单起见，我们的银河系被画在图的中心，但你需要记住这并不表示我们的银河系有何特别之处，宇宙中没有任何位置有特殊的地位。图中的边界并不真正存在。图的上端并不就是宇宙的边界，你迈过最上端时将会回到最下端。与之类似，图的最左端也不是宇宙的尽头，迈过最左端你将回到最右端。而要想令这幅图符合天文学观测，我们还需要将图的每条边都从其中心点开始各向两边延伸至少140亿光年（差不多850亿兆千米），甚至更长也是可能的。

反之，我们抬头仰望漆黑清澈的夜空时看到的种种光亮都是很久以前——数百万年甚至上亿年以前——即已发射出来的光。这些光经过漫长的旅程，直到今日才到达我们这里，进入我们的天文望远镜中，使我们可以通过它们感受外太空的神奇景观。因为宇宙一直在膨胀，所以在这些光束刚刚射出的远古时代，宇宙比之今日要小得多。我们通过图8.7（b）来展示这一点。在这张图中，我们将*现在*的时间片放在最右端，从右至左的时间片代表的就是我们的宇宙在越来越早的时期的样子。如你所见，宇宙所处的时期越早，其整体尺度以及星系之间的间距就越小。

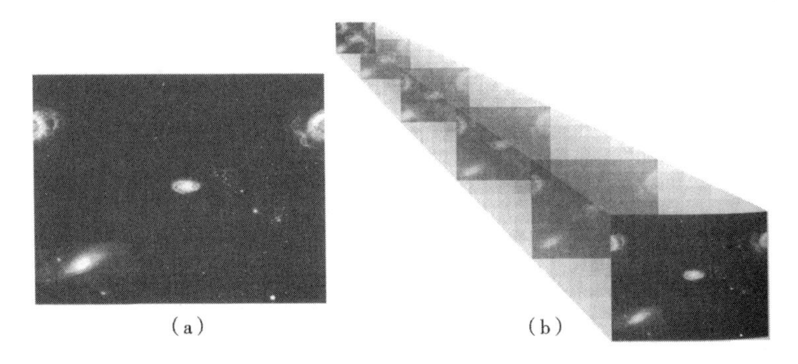

图8.7 （a）现在的所有空间的示意图，假定了空间平坦且有限，也就是说看起来像游戏机屏幕。注意上右的星系绕回到上左。

（b）所有空间随时间演化的示意图，我们把时间分片以便看起来清楚些。要注意到空间的整体尺寸和星系的间隔随着时间回溯而减小

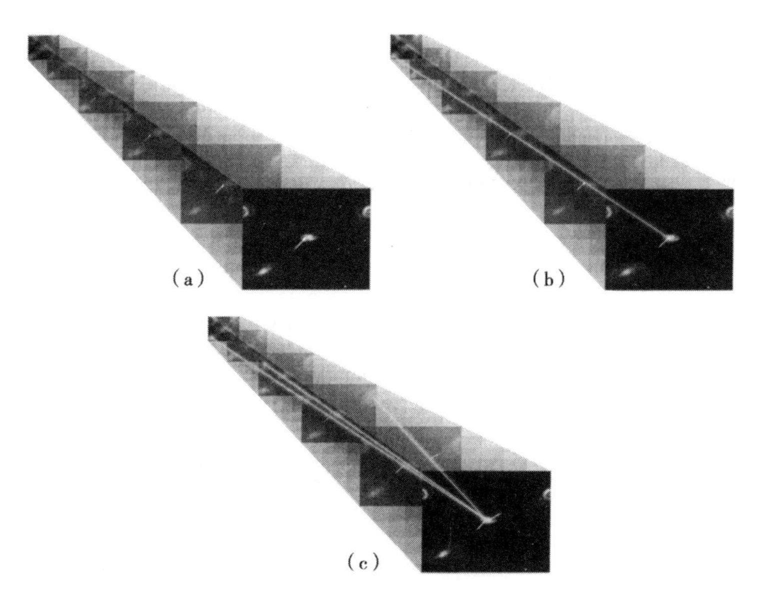

图8.8 (a)很久以前从远处发出的光正接近银河系。
(b)我们最终看到远方的星系时，我们看到的是穿越了空间和时间的远方星系，因为远方星系的光是在很久以前发出来的。高亮显示的是这束光在时空中的路径。
(c)我们今天所见的来自各种天体的光在时空中的路径

在图8.8中，你看到的是一束光的历史，这束光从遥远的，或许100亿光年外的河外星系射出，向着银河系中的我们飞来。在图8.8(a)的第一片中，这束光刚刚射出；从其后的那些片中我们可以看到，即使宇宙越变越大，这束光也照样离我们越来越近，最后来到我们跟前，如最右边的时间片所示的那样。在图8.8(b)中，我们将每一时间片中该光束的前端连接起来，就得到了这束光穿越时空的路径。因为我们可以从很多不同的方向接收到光波信号，所以我们另用一张图片[图8.8(c)]展示来自不同光源的光束在时空中留下的轨迹。

这些图片戏剧性地说明了为什么来自太空的光束能被用作封存

宇宙时间的胶囊。当我们望向仙女星系时，我们看到的光发自300万年以前，所以我们看到的实际上是仙女星系过去的样子。当我们望向后发星系团时，我们看到的光发自3亿年以前，所以我们看到的后发星系团比看到的仙女星系还要老。即使这个星系团中所有星系中的所有恒星此刻都一下子变成了超新星，我们所能看到的也是没有任何突变的景象，并且在接下来的3亿年间我们也不会看到它们的集体爆发；只有在3亿年后，超新星爆发时发出的光到达我们这里，我们才能了解当时发生的一切。与之类似，要是现在时间片上的后发星系团中的一位天文学家正在用一台超级天文望远镜探看我们地球，她所看到的也只会是大量的蕨类植物、节肢动物以及远古爬虫；她绝不会看到中国的万里长城或是巴黎的埃菲尔铁塔，要想看到这些，她还得再等3亿年。当然，这位天文学家想必已受过专门的宇宙学培养，明白她所看到的光源来自3亿年前的地球，并且将观测到的地球早期细菌知识安置于她自己的宇宙时空条的适当时期——适当的时间片上。

上述的一切都预先假定我们以及后发星系团中的天文学家仅随同空间的膨胀而运动，因为这一假定保证了她从时空条中切得的那片与我们的一致——即保证了我们与她对*现在*的认识具有一致性。不过，要是她不再跟我们同步，而是以大于宇宙膨胀的速度穿行于太空，那么她的时间片就会相对于我们倾斜，如图8.9所示。在这种情况下，就像在第5章时我们同丘巴卡一道发现的那样，这位天文学家的*现在*就会同我们所认为的过去或者未来（究竟是过去还是未来要看到底是向着我们运动还是远离我们运动）保持一致。需要注意的是，这样一来，她的时间片就不再具有空间上的各向同性。图8.9中每一个倾斜的时间片所描述的宇宙是一个包括一段不同时间点的宇宙，因而时间

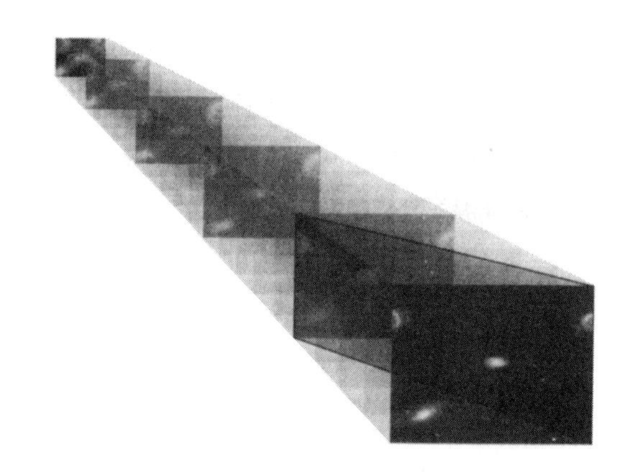

图8.9 一个超越宇宙空间膨胀速度的观测者的时间片段

片不再具有均匀性。这样一来，我们在描述宇宙历史时的复杂程度就会增加很多，而正是因为这样，物理学家和天文学家一般不愿采用这样的分析视角。一般来说，物理学家和天文学家采用的是仅随着宇宙膨胀而运动的观测者视角，这样一来所有的时间片都能保有各向同性——但从根本上讲，所有的视角都一样有效。

沿着宇宙时空条的左边望去，我们会发现宇宙变得越来越小，越来越密。当我们往自行车车胎中不断地打气时，车胎就会变得越来越热，而宇宙也是如此，当空间不断缩小，物质和辐射变得越来越密的时候，整个宇宙也就变得越来越热。如果我们追溯到宇宙诞生后的百万分之一秒，我们将发现宇宙如此之密而且如此之热，以至于普通物质都分解成由大自然中的基本粒子所构成的原初等离子体。而当我们继续追溯，直到接近时间为零的时刻——大爆炸的那一刻——整个的已知宇宙都将被压缩到一个小到难以想象的尺寸上，以至于相比于当时的宇宙，这句话结尾处的句号都是真正的庞然大物。由于早期的密度实在太过惊人，而且当时的物理条件又是那么极端，因此现代所能拥有的最好的物理理论都无法告诉我们当时的情况。出于一些我们将要在后面详加介绍的理由，20世纪发展出来的那些已经取得了巨大成就的物理定律在如此恶劣的条件下不再有效，使我们在时间的源头处失去了方向舵。我们即将看到，近年来的一些进展为我们点燃了希望的灯塔，不过即便如此，现在我们也只能承认自己对宇宙时空条最左端的那片起始区域认识并不完整，只能模模糊糊地将它画在那里——它就是我们的旧地图上的未知区域。最后我们用图8.10来给出一幅粗线条的宇宙历史示意图。

其他形状

到目前为止，我们一直假定宇宙空间具有像电子游戏屏幕那样的形状。对于其他的形状，我们也将得到一些相同的性质。比方说，如果实验数据最终证明空间为球面形状，那么当我们沿着时间追本溯源的时候就会发现，球面的尺寸变得越小，宇宙就变得越热越密。最后，在时间的尽头我们就遇到了某种大爆炸的起点。要想画出一幅图8.10那样的示意图可是一项很有挑战性的工作，因为球面很难被简单地、一个挨一个地摆好（不信你可以试着想象一个“球形面包切片”，它的每一切片都是一个球面，罩在上一个切面的外面）。不过除了画图上的这点困难，重要的物理部分都与我们前面的讨论一样。

无限大平直空间与无限大马鞍面也具有一些共同的性质，不过两者有一本质区别。来看一下图8.11，其中代表平直空间的时间片可以无限延展（当然，我们画出的只是其中的一部分）。我们所研究的时

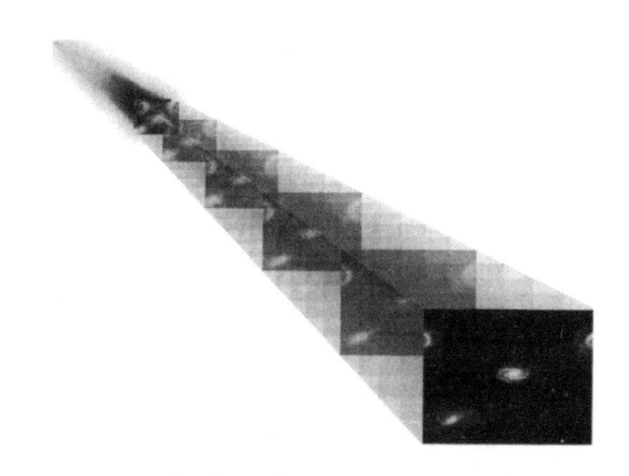

图8.10 平坦且有限的宇宙的历史——时空“片”。最左端之所以模模糊糊是因为我们对宇宙的开端一无所知

间越早，空间就越小。所以在图8.11（b）上我们可以看到，时间越是推向过去，星系就变得越密。但是，空间的整体大小却保持不变，这又是为什么呢？这个嘛，无限大是一件非常古怪的事。如果空间是无限大，那么你把它缩小1/2的话，空间就是原来的1/2，也就是1/2无限大，可是1/2无限大也是无限大。所以，当你逆着时间一路向过去探查，你会发现世间万物全都彼此靠近，密度也变得越来越大，但是宇宙的整个大小却仍是无限大；在无限大的空间内一切都变得越来越近。这将使我们得到一幅全然不同的大爆炸图像。

一般来说，我们将宇宙想象为诞生于一个点，大致如图8.10所示，这个点之外并没有空间和时间。然后，从某次突然的爆炸开始，空间和时间就开始摆脱它们的压缩形态，宇宙就开始膨胀。但如果宇宙的空间是无限大，*那么在大爆炸的那一刻就已经存在了一个无限大的空间区域*。在这原初的一刻，能量密度高涨，温度高得不可想象，但是这种极端条件无所不在，并不是只存在于某一点。按这种说法，大爆炸并不是发生于某一点，而是爆发于整个无限大的空间范围内的所有地方。将此与传统意义上的发源于一点的说法相比，这种大爆炸就相当于说有很多的大爆炸，无限大的空间范围内的每一点上都有大爆炸。大爆炸之后，空间膨胀，但是其整体大小却不可能发生变化，因为一个无限大的东西是不可能变得更大的。那么，为什么当你从图8.11（b）的左边往右边望去的时候，会发现星系（一旦它们形成）之类的事物之间的距离变大了呢？所有的观测者，无论你我还是其他的什么人，都会发现围绕着自己的星系正在远去，就像哈勃所发现的那样。

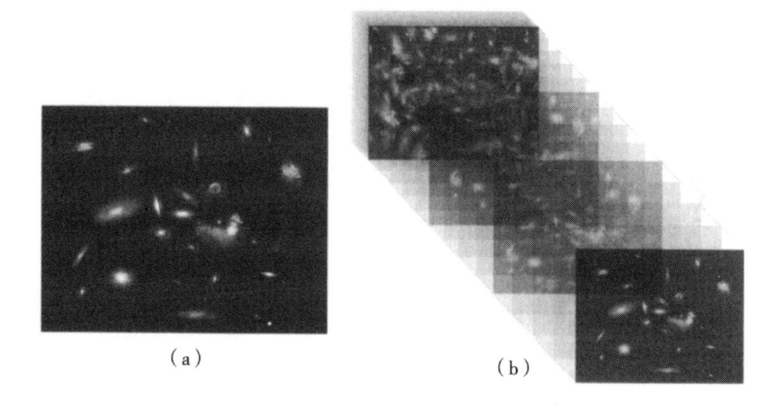

图8.11（a）无限空间的图释，其中有大量星系。
（b）更早的时期星系收缩——所以星系离得更近且更加密集，无限空间的整体大小还是无限。我们对较早时期发生了什么一无所知，因而只好还用些模糊的片来代表，只不过这里都是无限空间

必须牢记的是，无限大平直空间并不仅仅是一个只具有学术上的意义的例子。我们将在后面的章节中看到，还存在着空间的整体形状并不是弯曲形状的坚实证据；而且，也没有证据表明空间为电子游戏屏幕那样的形状。因而我们可以说平直、无限大的空间形状真的是时空大尺度结构的有力竞争者。

宇宙学与对称性

对于对称性的思考显然已成为现代宇宙学发展中不可或缺的部分。时间的意义，把整个宇宙当成一个整体来研究时的时间概念是否可用，空间的整体形状，甚至是广义相对论的深层次理论框架，所有的这一切都在根本上依赖于对称性。即便如此，我们还将发现存在另外一种从对称性中获知宇宙演化的方法。通过对宇宙温度史的学习，我们将会发现，从大爆炸刚刚过去之后的极热时刻一直到我们测量外太空所得到的只有绝对温度几开的今天，整个的这个过程都可以从对宇宙温度的研究中了解到。而且，正如我即将在下一章中要阐释的，由于热与对称性之间的相互依赖关系，我们今日所看到的对称性很可能是远远丰富于今日的对称性的残存部分，而正是这些更为丰富的对称性铸就了早期宇宙，并且决定了有关宇宙的某些我们最熟悉且具有本质意义的性质。

第 9 章 蒸发真空

热，一无所有，统一

在整个宇宙历史中，大于95%的时间内，我们都可以这样简略地描述我们的宇宙：宇宙在膨胀。由于膨胀，物质继续扩散。宇宙的密度持续减小，温度继续降低。在最大的尺度上，宇宙具有对称、各向同性的外观。不过宇宙并不总是如此。关于最早时期，我们会有一段气氛热烈的报道，因为在那段时间里，宇宙在极速改变。我们现在知道，宇宙过去所发生的一切直接影响着我们今天对它的认识。

在本章中，我们将焦点集中在大爆炸之后的最初时刻。人们相信，宇宙的对称性在那个时候发生过巨变，而每一种改变都在宇宙的历史中留下了一段意义截然不同于其他的时期。尽管关于今日宇宙的报道可以参照几十亿年前的内容，但是报道宇宙中对称性极速变化的初创时期的工作则非常富有挑战性，因为我们完全不熟悉那个时候物质与力的基本结构。我们要了解的内容与热和对称性的相互影响有关，并且我们需要反思一下我们关于真空和一无所有的概念。我们将会看到，这样的反思将并不仅仅丰富我们关于宇宙最初时刻的知识，还能够引导我们向着牛顿、麦克斯韦，特别是爱因斯坦追寻的统一之梦迈进一步。同样重要的是，这样的一些理论进展将为最现代的宇宙学理论框架暴胀宇宙学——一种能够回答一些标准大爆炸宇宙学解释不了的最困难最麻烦的问题的方法——打下基础。

热与对称性

事物在极热或极冷的时候一般会有所改变。有的时候这种改变太过强烈，以至于你无法认出它的本来面貌。大爆炸之后处于极热状态的宇宙随着空间的膨胀和冷却而温度降低，了解温度改变所带来的效应将会帮助我们搞清宇宙的早期历史。但是真正开始之前，让我们先看看比较简单的例子，我们来了解一下冰。

如果你将一块非常冷的冰加热，你会发现最初没什么变化。虽然那个时候冰的温度在增加，但它看起来一点变化都没有。但是如果一直把它加热到0摄氏度，并且不停下来，你会突然看到发生了某些奇妙的事情。固态的冰开始融化成液态的水。不过这种熟悉的现象不是你要注意的，你要注意的是冰和水之间的密切关系。一种是坚硬的冰，而另一种是流动的水。只从表面看的话，我们很难想象它们的分子结构竟然都是H_2O。如果你以前从没见过冰和水出现在一起，你可能就会认为它们是完全无关的。那么在温度达到0摄氏度的时候，你就会非常吃惊地发现，它们可以彼此转化。

继续加热水，你又会发现除了温度升高外没有任何其他变化。等到温度达到100摄氏度的时候，又会突然出现一种变化：液态的水开始沸腾并且变成了水蒸气。表面看来，这种热得发烫的气体同液态的水和固态的冰没有任何关系。但是我们知道，这3种物质由相同的分子组成。从固态到液态以及从液态到气态的这种变化称为*相变*。如果温度变化的范围足够大[1]，大部分物质都会有类似的改变过程。

对称性在相变的过程中具有核心地位。在几乎所有的情况中，我们都会发现相变前后某种东西的对称性发生了变化。比如，在分子的尺度上，冰具有晶体结构，所有的H_2O分子排成有序的六边形。就像图8.1中的盒子一样，冰的分子也会在某些特定的操作下保持整体不变，比如绕着某些特定的轴转动60度这样的操作。另一方面，如果我们加热冰的话，其晶体结构就会化为混乱但均匀的分子团——液态的水——这样的结构在关于任何轴的任何角度的变换下都保持不变。因而，将冰加热使其经历固液相变，我们就可以使它具有更高的对称性（只靠直觉的话，你可能会认为更加有序的东西，比如冰，会具有更高的对称性，但事实并不是这样；如果我们说某种东西具有更高的对称性，那么这种东西一定能在更多的变换下——比如转动变换下——具有不变性）。

类似地，如果我们加热水使其变为水蒸气，其间的相变也会导致对称性增加。水中的H_2O分子紧紧挤在一起，每个分子氢的一面紧紧挨着其邻近氧的一面。如果你能够旋转这个或那个分子，你就会破坏水中的分子排列模式。但是当水沸腾变为水蒸气的时候，分子就会四处飘散；H_2O分子的排列方向就再也不具有任何规律可言，这个时候不管你怎样旋转单个分子或是一群分子，水蒸气表面上都没有任何改变。也就是说，固液相变能够增加对称性，液气相变也会增加对称性。对于大部分的物质（不过并不是所有物质[2]）来说，也是如此。当它们经历固液相变或液气相变的时候，对称性会相应地增加。

反过来，冷却水的时候也会有类似的过程发生，只不过方向要相反。例如，冷却水蒸气的时候，最开始什么变化也没有，但随着温度低于100摄氏度，水蒸气突然开始凝结成水；继续冷却水，仍然没有任何变化，直到温度低于0摄氏度，水突然开始结冰。还像前面那样考虑对称性的话——只不过一切相反——我们就会得出结论：在这样的两种相变过程中，对称性减少了。[1]

关于冰、水、水蒸气及其对称性，我们能说的就是这么多。那么它们与宇宙又有什么关系呢？我们现在就来谈谈。20世纪70年代的时候，物理学家们认识到并不只有宇宙中的物质才能经历相变，*宇宙本身作为一个整体也可以发生相变*。在过去的140亿年间，宇宙稳步地膨胀减压，就像一个压力减少的车胎会慢慢变凉，膨胀中的宇宙，它的温度也在稳定地降低。在这个温度降低的过程中，大部分的时间内什么特别的事情也没有发生。但是我们有理由相信，宇宙曾经历过某些特别的临界温度——就像水蒸气的100摄氏度和水的0摄氏度，在这样的临界点处宇宙急剧改变，对称性快速减少。很多物理学家相信我们现在生活在宇宙“凝聚”或“冻结”的相，现今的宇宙与早前的宇宙应该有很大的不同。说到宇宙的相变时，我们不能简单地把它理解成气体凝结成液体、液体冻结成固体的过程；虽然定性来说，宇宙的相变与这些人们熟知的相变过程有些类似。我们要了解的是，宇宙在某个温度经历相变的时候，发生凝结或冻结的“物质”不是别的，而是场——更确切地说，是*希格斯场*。我们马上就看看这究竟是怎么一回事。

---

1. 尽管对称性的减少意味着能够保持一切不变的操作更加少了，但在这些过程中释放到环境中的热却使得整体的熵——包括外部环境的熵——增加了。

力，物质，希格斯场

场的概念是很多现代物理学的理论框架。第3章中讨论过的电磁场或许是所有自然界中的场中最简单、最为人所熟知的一个。想想无线电、电视信号、手机沟通、太阳的热与光，我们所有的人都在电磁场的海浪中畅游。光子是电磁场的基本组成，我们可以将它看作电磁力的微观传递者。当你看到某个东西的时候，你可以这样想象：波动的电磁场正在进入你的眼睛并且刺激着你的视网膜；又或者说是大量的光子正进入你的眼睛并且刺激着你的视网膜。正因为如此，光子有的时候被称为电磁力的*信使粒子*。

引力场是另一种大家熟悉的场，引力场无时不在，始终如一地把我们和我们身边的事物牢牢地锚定在地球表面。和电磁场一样，引力场的波涛也使我们深深地浸入其中。在我们看来，地球的引力场起主要作用，但同时我们也能感受到太阳、月亮和其他星球的引力场带来的影响。正如光子组成了电磁场，物理学家们也相信引力场是由*引力子*组成的。虽然实验上还没能发现引力子，但是人们对此并不惊奇。引力是人们目前为止所发现的最弱的力（一块普通的电冰箱磁铁就能吸起来一个纸夹，也就是说这块普通的磁铁施加给纸夹的电磁力就能大过纸夹所受到的引力，可见引力是多么的弱），因而我们能够理解实验学家们还没能发现这种最弱的力的组成粒子。但即使这样，很多物理学家仍然相信引力子（引力的信使粒子）能像光子（电磁力的信使粒子）传递电磁力一样传递引力。你失手落下一只杯子的时候，你可以想象成是地球的引力场在推着这只杯子向下飞落；或者，你也可以用爱因斯坦更加精练的几何描述：地球的存在导致了时空结构的弯曲，杯子沿着弯曲的时空结构滑行；又或者，如果你相信引力子真的存在的话，你可以把这个过程想象成繁忙的引力子在杯子和地球之间来来回回地运动，传递着引力要“告诉”杯子向地球上落下的“信息”。

除了这两种著名的力场，自然界中还有另外两种力——*强核力*和*弱核力*，它们的影响也通过场表现出来。核力之所以不像电磁力和引力那么著名是因为它们只在原子和亚原子尺度上起作用。但即使这样，它们也影响着我们的日常生活：使太阳能够发光放热的核聚变，原子反应堆中的核裂变，以及放射性元素如铀和钚的放射性衰变等，其重要性不言而喻。强核力和弱核力的场称为杨-米尔斯场，这是根据杨振宁和罗伯特·米尔斯命名的，这两位物理学家在20世纪50年代提出了研究强核力和弱核力所需要的理论基础。正如电磁场是由光子组成，引力场被认为是由引力子组成，强核力场和弱核力场也有其微粒组分。强核力的粒子被称为*胶子*，而弱核力的粒子是W粒子和Z粒子。这些传递力的粒子的存在已经在20世纪70年代末80年代初由德国和瑞士的加速器实验证实。

场的概念也可以应用于物质。量子力学的概率波自身就可被看作遍布于空间的场，而正是这种场使得某个物质粒子按一定概率出现在某个位置。比如说，一个电子，既可以被看成是一个粒子——能够在图4.4所示的荧光屏上留下一个点，也可以（并且必须）被看成是一种波场，正是这种波场使得图4.3（b）中的荧光屏上出现干涉图样。[3]事实上，尽管我并不打算进一步深入探讨，[4]但有必要提一下，电子的概率波与所谓的*电子场*密切相关，电子场是一种在很多方面与电磁场非常类似的场，其中电子扮演着与电磁场中的光子类似的角色，电子是电子场的最小组分。这里对场的有关描述也适用于所有其他种类的物质粒子。

讨论过物质场和力场之后，你可能会认为我们已经讨论过所有的场了。但很多人相信故事远未结束。很多物理学家坚信，还有第3种场。虽然人们从未在实验上发现过这种场，但在过去的几十年间，这种场却一直在现代宇宙思想和基本粒子物理中扮演着重要角色。这种场被称为希格斯场，以苏格兰物理学家彼得·希格斯的名字命名。[5]如果我们要在下一小节中讲到的思想是正确的，那么宇宙中就会填满希格斯海——大爆炸后的冷却残余——正是它的存在，组成你、我以及我们所遇到的一切事物的粒子才具有它们该有的很多性质。

冷却宇宙中的场

温度对场的影响同温度对物质的影响一样。温度越高，场的值就会变化得越猛烈——就像水壶中急剧沸腾的水的表面一样。无论是在今日冰冷的深层空间中（绝对零度之上2.7度，或者用惯用的方式表示，2.7开），还是在暖和些的地球上，场值的变化都不大。但是，在大爆炸之后的一瞬间，温度极高——在大爆炸之后的10^{-43}秒，人们相信那时的宇宙温度可高达10^{32}开——所有的场都处在剧烈动荡中。

随着宇宙渐渐膨胀，温度逐渐降低，物质及辐射最初所具有的巨大密度稳步衰减，宇宙中的大片区域变得前所未有的空荡，场的波动渐渐平息。对于大多数的场来说，这意味着它们的值总体上趋近于零。在某些时刻，某种场的值会略大于零（形成波峰）；而在另外的某些时刻，这种场的值又可能略微低于零（形成波谷），但是平均下来，大部分场的值都会逼近零——直觉上，我们认为场值在虚无的真空中就应该是零。

希格斯场就在这里登场了。研究人员已经认识到，在大爆炸之后的灼热温度下，希格斯场这种特殊的场具有同其他的场类似的性质：狂乱地上下波动。但是研究者们相信（正如温度降低得足够多时，水蒸气会凝结成液态的水），随着宇宙温度降低得足够多，希格斯场会在整个空间中凝聚成一个特别的*非零*场值。我们在物理学中将这个称为非零希格斯场真空期望值的形成——不过我们不用专业术语，我在下面会将其称为*希格斯海*的形成。

这多少有点像把青蛙扔到热的铁碗中时发生的事。我们一起来看看图9.1（a），图中是一个烧热的铁碗，铁碗的中间放着一些蚯蚓。刚开始的时候，青蛙会四处乱蹦——忽上忽下，忽左忽右——以免自己的腿被烫伤。总的来说，这个时候青蛙离铁碗的中心很远，甚至都不知道那里还有美味。但是随着碗的温度降低，青蛙渐渐冷静下来，懒得到处乱蹦了，于是它就会慢慢滑到碗的中央。在那里，它就会发现那些蚯蚓，然后享用自己的美味了，如图9.1（b）所示。

但如果碗的形状有所不同，如图9.1（c）所示，则结果就会有所不同。我们再想象一次：首先，碗还是很热，蚯蚓还是待在碗的中心，只不过现在碗的中心是鼓起的。然后，你再把青蛙扔进碗中，它又会四处乱蹦，还是没能注意到位于碗中心的礼物。接下来，温度逐渐降低了，青蛙又懒了下来，不再跳了，慢慢地顺着光滑的碗壁滑了下来。

但是因为现在的形状不一样了，青蛙到不了碗的中心了，这时不用费劲就能到达的地方是碗的谷底，而这里没有蚯蚓，如图9.1（d）所示。

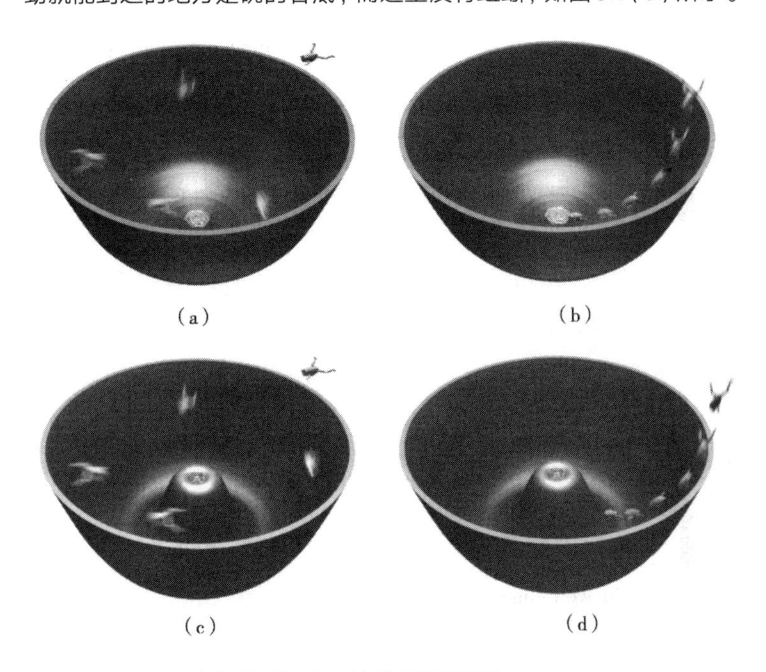

图9.1 （a）跳到滚烫铁碗中的青蛙被烫得四处乱蹦。
（b）碗慢慢凉了下来，青蛙也就渐渐不跳了，于是滑到了碗的中间。
（c）同（a）时的情况一样，只不过碗的样子不一样。
（d）同（b）的情况一样，只不过这次碗凉下去的时候，青蛙滑到了谷底，而这个位置离碗的中心（螺纹的地方）还有一段距离

如果我们将青蛙与蚯蚓之间的距离想象成场的值（青蛙离蚯蚓越远，场的值也就越大），将青蛙所处的高度想象成场中所具有的能量（青蛙在碗中的位置越高，场中的能量也就越大），那么，图9.1中的这些例子就能很好地帮助我们理解当宇宙温度降低时场的行为。宇宙的温度很高的时候，场的值也在急剧变化，就像碗中四处乱蹦的青蛙一样。随着宇宙逐渐冷却下来，场也变得“冷静”多了，场的值开始减

少变化，最终滑到最低能量状态的位置。

于是问题来了。就像青蛙例子一样，这里也可能有两种定性上不同的结果。如果场的能量碗——所谓的势能——的形状类似于图9.1(a)所示的那样，整个空间中的场值都会滑落为零，也就是势能碗的中心处，就像青蛙最终会滑落到蚯蚓堆一样。但是，如果场的势能看起来像图9.1(c)所示的那样，场值就不会总能落到零，也就是场的中心。相反，正如青蛙会滑到碗中的谷底，而那里到蚯蚓堆还有一段距离，场值也将滑落到凹处——此处与碗中心的距离非零——而这就意味着场有非零值。[6] 后者即为希格斯场的特性。随着宇宙冷却下来，希格斯场的值落入谷底，永远没法变成零。又因为我们所描述的乃是整个空间中一致发生的情况，所以整个宇宙中就会均匀地填满非零的希格斯场——希格斯海。

这一过程的发生原因使希格斯海的基本特性显露无遗。当空间中的某处变得越来越冷、越来越空时——因为其中的物质与辐射越来越少——该区域的能量就会变得越来越低。将这种情况推至极限，你将会认识到，如果将你某一空间区域的能量尽可能地降低，那么这一区域就会变得尽可能的空。对于填塞空间的普通场来说，当它们的场值滑落至图9.1(b)所示的碗中央时，它们的能量就达到最低；当它们的场值为零时，它们的能量也为零。这在直觉上很好理解，因为我们要想将空间中的某处变空，就得令一切事物，包括场值，都变成零。

但是对于希格斯场来说就不一样了。正如青蛙要想到图9.1(c)中的中央高地上并跟蚯蚓堆零距离的话，它就得有足够的力量从碗中的谷底蹦到高地上；希格斯场要想达到碗中央并且使其值为零的话，也得有足够的能量使其超越碗中的高地。相反，如果青蛙没什么劲了，它就会滑到碗中的谷底，如图9.1（d）所示——这样一来距离蚯蚓堆就是非零距离了。类似地，要是一个希格斯场没有能量或者能量太少的话，该希格斯场也只能滑落到碗谷——与碗中央的距离非零——从而具有非零的场值。

为迫使希格斯场有一个零值——看起来只有这个值才能使你将场从空间中完全除去，看起来也只有这个值才能使你获得什么也没有的空间——你必须提高它的能量，这样一来，从能量的角度说，空间就不会达到它所能达到的空。这听起来有点自相矛盾，消除希格斯场——也就是说使其场值为零——等价于为所讨论的区域注入能量。我们可以用那种消除噪声的耳机打个不太恰当的比方。这种耳机会制造声波来抵消来自外界的噪声，从而使环境噪声没有机会敲击你的耳膜。如果耳机工作良好，那它制造声音的时候你就什么也听不见，而当你把它关掉的时候你就会听到环境噪声。正如按程序制造的声音弥漫于耳机的时候，你听到的反而少了。研究人员相信，当其间弥漫着希格斯海的时候，冰冷的空间所拥有的能量才能达到最少——空间也才能达到尽可能的空。学者将最空的空间称为*真空*，现在我们知道，真空中实际上满是均匀的希格斯场。

为整个空间中的希格斯场假定一个非零值——形成希格斯

海——的这种程序被称为*对称性自发破缺*[1]，是20世纪后几十年中理论物理学界出现的最重要的思想。我们一起来看看这是为什么。

希格斯海与质量起源

如果希格斯场的值不为零——如果我们都在希格斯场的汪洋中畅游——我们是不是应该能够感觉到它或者看到它又或者能够用别的什么方式知道它的存在呢？当然是这样。现代理论宣称我们能够感知到希格斯场的存在。前后挥挥你的手臂，你能感觉到你的肌肉牵引着你的手臂来来回回地摆动。如果你再多握一只碗，你的肌肉就得更卖力一点才能使你挥动你的手臂，这是因为它需要移动更大的质量，因而也就需要更多的力。在这层意义上，一个物体的质量代表的是它抗拒被移动的能力；或更确切地说，一个物体的质量代表的是它抗拒运动状态的改变的能力。所谓运动状态的改变就是获得加速度，也就是被改变速度（不管是大小还是方向），比如开始向左运动，然后又向右运动，接着再向左运动。但是，这种抗拒被加速的能力来自哪里？或者，用物理学的语言说，是什么使得物体具有惯性？

在第2章和第3章中，我们看到了牛顿、马赫和爱因斯坦各自提出的种种回答，这些回答都只是这一问题的*部分*解答。这些物理学家

---

1. 这一术语并没什么特别的重要之处，但是我们简要地看看为什么是这样的术语。图9.1（c）与图9.1（d）中的谷底具有对称的形状——圆环状——每一点都与其他点一样（每一个点代表的都是最低能量的希格斯场值）。但是，当希格斯场值滑到碗底的时候，它会落在圆环形谷底的*某个*特殊位置，这样一来就在谷底“自发”地选择了一个特殊位置。换句话说，这样一来，谷底上的点就不再具有相同的地位了，因为有一个点被挑了出来，所以希格斯场破坏了或者说“破缺”了这些点之间先前的对称性。因而，将这些话组合起来就是，希格斯滑落到谷底某个特定的非零值的这一过程被称为*对称性自发破缺*。我们将在正文中讲讲与这种希格斯海的形成有关的对称性减少的某些切实方面。[7]

们都试图找到一种静止的标准，从而使得人们可以相对于这种静止来定义加速度，他们之所以讨论旋转水桶这个实验为的就是这个目的。对于牛顿来说，这一标准就是绝对空间；对于马赫来说，这一标准就是远方的群星；对于爱因斯坦来说，开始的时候这一标准是绝对时空（狭义相对论），之后换成了引力场（广义相对论）。但是，一旦确定下来这一静止的标准，特别是确定下了定义加速度的基准，这些物理学家就再也不深入探讨物体为什么会抗拒加速度了。也就是说，这些科学家中没有一个讨论过物体获得质量——也就是惯性，抗拒被加速的性质——的机制。现在我们有了希格斯场这一概念，物理学家们可以对这一问题给出答案了。

组成你手臂的原子，你捡起来的保龄球，都是由质子、中子和电子构成的。而实验学家们又在20世纪60年代末期发现，质子和中子是由3个更小的粒子组成，这种更小的粒子就是夸克。所以，当你挥动手臂的时候，你实际上在挥动组成手臂的夸克和电子，这样的观念将使我们接近事情的关键之处。现代理论所说的、我们都深浸其中的希格斯场，与夸克和电子都可以相互作用：这种相互作用使希格斯场阻碍了夸克和电子的加速，就好像掉进蜜罐的乒乓球会被黏得难以移动。正是这种阻力拖住了各种微粒的运动，从而使你能够感受到你自己手臂的质量以及你所挥舞的保龄球的质量，又或者你正在投出的其他物体的质量，甚至是你加速冲过百米终点时你整个身体的质量。因而，我们的确能感知到希格斯海的存在。我们每天使用数千次、用以改变这样或那样物体运动状态——通过施加加速度——的力都是为了抗拒希格斯海的阻力而存在的。[8]

蜜罐的这个比喻贴切地抓住了希格斯海的某些方面。你要是想给一个浸在蜜罐中的乒乓球加速的话，你就得付出比在乒乓球台上更大的力气才行——蜜罐中的乒乓球比不在蜜罐中的乒乓球更加抗拒速度的改变，看起来就好像乒乓球的质量变大了一样。希格斯海的情形与此类似：由于基本粒子与无所不在的希格斯海之间存在相互作用，基本粒子也会抗拒自身速度的改变——换种说法就是获得了质量。不过，我必须提醒读者注意的是，蜜罐的这个比喻有3处带有误导性质的地方。

首先，你总可以伸手到蜜罐里把乒乓球拿出来。这样，它那种抗拒加速的特点就消失了。但是基本粒子就不一样了。今天，人们普遍认为希格斯海无处不在；因而，我们没办法使粒子逃脱它的影响，无论什么地方的粒子都有它们本该有的质量。其次，蜜罐使得乒乓球抗拒所有的运动，但是受希格斯海影响的基本粒子只抗拒加速运动。一个在蜜罐中运动的乒乓球速度会慢慢减小，但是一个在外层空间匀速运动的粒子则不会因为希格斯海的“阻力”而速度减小，它仍旧保持匀速运动。只有当我们加速或减速一个粒子的时候，希格斯海才会通过我们所施加的力来展现它的存在。最后，考虑由基本粒子所构成的各种现实物质的时候，情况又有所不同，质量还有另外的来源。强核力将夸克结合在一起，组成质子和中子。也就是说，在夸克之间来来往往的胶子（强核力的信使粒子）将夸克“胶连”在一起。人们通过实验发现，胶子通常具有很高的能量。根据爱因斯坦的质能方程 $E=mc^2$，我们知道，能量（E）可以以质量（m）的形式体现出来。因而，质子和中子内部的胶子可以为这些粒子的总质量带来很大的贡献。总而言之，更准确的说法是：希格斯海那蜜罐一般的黏滞力使电子和夸克这样的基本粒子获得质量；这些基本粒子又可以组合成复合粒子，比如说质子、中子以及原子之类；但是在这个组合过程中，其他的质量起源也要起作用。

物理学家们假定了希格斯海阻止不同种类粒子加速的能力有所不同。这一假定很重要，因为已知的各种基本粒子质量各不相同。比如，人们早就知道质子和中子是由两种夸克（分别称为*上夸克*和*下夸克*：质子由两个上夸克和一个下夸克组成；中子由两个下夸克和一个上夸克组成）组成的，多年的原子对撞机实验使人们又发现了另外的4种夸克。所有这些夸克的质量分布在一个很大的范围内——最小的只有质子质量的0.0047倍，而最大的则有质子质量的189倍。物理学家们认为，各种基本粒子的质量之所以彼此不同，是因为不同种类的基本粒子同希格斯海的相互作用强度各不相同。如果一个粒子同希格斯海的相互作用很小甚至根本没有，那它就只受很小或根本不受希格斯海的阻碍，因而其质量也就很小或者根本没有。光子就是一个这样的粒子，光子可以完全不受影响地穿行在希格斯海中，因而也就全无质量。另一方面，如果一个粒子与希格斯海的相互作用非常的强，那它就会有很大的质量。最重的夸克（*顶夸克*）的质量大约是电子质量的350000倍，也就是说，这种夸克与希格斯海相互作用的强度是电子与希格斯海相互作用强度的350000倍；在希格斯海中加速这样的夸克非常困难，这也就是这种夸克那么重的原因。如果我们将粒子的质量比作一个人的名气，那希格斯海就可以算作狗仔队：平常的老百姓可以随意地在成群的摄影师中穿行，但是政治名人或电影明星要想过去可就得费点劲了。[9]

我们这样来理解一个粒子的质量为什么不同于另一个粒子的质量当然可以，但是人们现今还不能从根本上解释已知粒子是怎样与希格斯海相互作用的。因而，人们也就无法从根本上解释基本粒子为什么具有实验上观测到的那个质量。不过，很多物理学家相信，要不是有希格斯海的存在，*所有的基本粒子都应该像光子一样无质量*。事实上，我们将会看到，这种情况很有可能就是宇宙最初时刻的情况。

冷却宇宙中的统一

水蒸气在100摄氏度的时候凝结成水，水在0摄氏度的时候结冰；理论研究告诉我们，希格斯场在千万亿（10^{15}）摄氏度的时候出现非零的真空期望值。这个温度大约是太阳中心温度的1亿倍；人们相信，这个温度也是大爆炸之后千亿分之一（10^{-11}）秒时的宇宙温度。在大爆炸之后10^{-11}秒之前，希格斯场剧烈振荡但平均值为零；就像100摄氏度以上的水在沸腾一样，这样温度的希格斯场也像沸腾了一样难以平静。希格斯海瞬间蒸发。没有了希格斯海，各种粒子的加速运动不受任何阻碍（狗仔队消失了），也就是说，所有的粒子（电子、上夸克、下夸克和其他的各种粒子）的质量都一样——全都是零。

这样的认识部分解释了希格斯海的形成为什么要用宇宙相变来描述。在由水蒸气到水和由水到冰的相变过程中，有两件重要的事情发生。一个是外在性质上的改变，另一个是对称性的减少。在希格斯海的形成过程中，我们也可以看到这两方面的改变。一方面，有一个性质上的转变：曾经无质量的粒子突然获得质量——我们今天看到的粒子所具有的质量。另一方面，这一转变过程伴随着对称性的减少：希格斯海形成之前，所有的粒子具有相同的质量——零质量，事物具有高度的对称性。如果你互换两种不同粒子的质量，没有任何人会发现，因为所有粒子的质量都一样。但是希格斯场凝聚之后，粒子的质量变为非零——且不等——值，质量之间的对称性不复存在了。

事实上，由于希格斯海的形成而减少的对称性非常多。10^{15}摄氏度以上，希格斯场还没有凝聚。这个时候，并不只是所有的物质粒子无质量，由于没有希格斯海的阻碍，所有力的粒子也无质量（如今，弱核力的信使粒子——W粒子和Z粒子的质量分别是质子质量的86倍和97倍）。这时，正如20世纪60年代由谢尔顿·格拉肖、史蒂文·温伯格和阿卜杜斯·萨拉姆最先发现的那样，所有力的粒子的无质量性意味着另一种美妙的对称性。

早在19世纪后期，麦克斯韦就认识到，原本人们以为彼此截然不同的电和磁，实际上是同一种力——电磁力——的不同方面（参见本书第3章的内容）。麦克斯韦发现，电和磁彼此补足，两者是一种更具对称性的统一整体的阴阳两面。格拉肖、温伯格和萨拉姆发现了这一故事的下面几章。这几位科学家发现，在希格斯海形成之前，力的粒子并不仅是有相同的质量——都是零，光子、W粒子和Z粒子在所有其他方面本质上也都一样。[10] 将一片雪花转过某些特殊角度，从而使其不同的梢部交换位置，雪花看起来完全没发生变化；在没有希格斯海的情况下，互换电磁力与弱核力的信使粒子——也就是将光子与W粒子和Z粒子交换，物理过程也不会发生变化。雪花在旋转变换中保持不变意味着某种对称性（转动对称性）的存在；互换不同力的信使粒子后物理过程不受影响也意味着某种对称性，这种对称性由于技术上的原因被称为*规范对称性*，其意义极其深刻。这些粒子的作用是传递力——它们是不同力的信使粒子——因而，这些粒子之间的对称性也就意味着力之间的对称性。所以，温度足够高的时候，今天无处不在的希格斯海将会被蒸发掉，此时的弱核力与电磁力别无二致。也就是说，随着希格斯海在足够高的温度下蒸发掉，弱核力和电磁力之间的区别也随之蒸发。

格拉肖、温伯格与萨拉姆扩充了麦克斯韦一个世纪前的陈年发现，他们发现电磁力和弱核力不过是同一种力的两面。这3位物理学家成功将电磁力和弱核力统一为我们今天所称的*电弱力*。

现如今，电磁力和弱核力之间的对称性已经不再明显地表现出来。这是因为，随着宇宙冷却，希格斯海形成，光子、W粒子与Z粒子分别以不同的强度与凝聚的希格斯场相互作用。这就是问题的关键所在。光子可以在希格斯海中自由穿行——就像不再引起狗仔队兴趣的过气明星一样——仍然保持无质量。但是W粒子和Z粒子——就像比尔·克林顿和麦当娜一样——则会受到希格斯海的阻碍，它们分别获得了各自的质量，一个是质子质量的86倍，另一个是质子质量的97倍（注意：狗仔队这个比喻可与大小无关，但质量是与大小有关的）。于是，我们看到的电磁力和弱核力就显得如此不同。两者背后潜在的对称性"破缺"了，深埋在了希格斯海中。

这样的结论令人非常吃惊。在今天的温度下看起来完全不同的两种力——与光、电和磁这些现象有关的电磁力，以及与辐射衰变有关的弱核力——在本质上竟然是同一种力的两个不同方面，而之所以看起来不同竟然是非零的希格斯场遮盖了这两种力之间的对称性。这也就意味着，我们平常以为完全虚无的空间——真空，一无所有——竟然扮演了一个关键的角色，正是它使得世界看起来如我们所见。只有蒸发掉真空，将温度提到足够高从而使希格斯场被蒸发掉——也就是说，希格斯场在整个空间中的平均值为零——潜藏在大自然中的完整对称性才会显现出来。

格拉肖、温伯格与萨拉姆发展这些想法的时候，人们还没能在实验上发现W粒子和Z粒子。带着对理论的力量和对称性的美的坚定信念，这3位物理学家满怀信心地向前推进理论。他们的勇敢得到了回报。实验适时地发现了W粒子和Z粒子，从而确证了电弱理论的正确性。格拉肖、温伯格与萨拉姆透过肤浅的表面现象——他们克服了一无所有造成的障眼法——发现了将自然界4种力中的两种联系起来的对称性。由于成功统一了电磁力和弱核力，这3位物理学家于1979年被授予诺贝尔物理学奖。

大统一

我还是个大一学生的时候，会时不时地拜访我的导师，物理学家霍华德·乔奇。大部分时候我没什么话好说，不过那一般没什么关系，乔奇总有一些令人兴奋的东西与感兴趣的学生分享。有那么一次，乔奇特别来劲地讲了1个多小时，满黑板都是符号和方程。我也听得非常激动，不住地点头。但是坦率地讲，我当时什么都没听懂。几年之后我才认识到，乔奇当时是在讲一些实验方案，他要用这些方案来检验他当时的理论发现——大统一理论。

电弱理论的成功使人们很自然地提出一个问题：如果自然界中的两种力在宇宙的早期曾是统一的整体的话，那么有没有可能在宇宙演化的更早期，温度更高的时候，自然界中的3种力甚至全部4种力之间的差别全都消失掉，从而导致自然界有更高的对称性？这个问题实际上提出了一种激动人心的可能性：大自然中很可能只有一种基本的力，这种基本的力在一系列的宇宙相变之后分化成了我们今天看到的截然不同的4种力。1974年，乔奇和格拉肖提出了第一个奔向这一完全统一目标的理论。他们的大统一理论，以及乔奇、海伦·奎因和温伯格后来的理念，向人们昭示了4种力中的3种——强核力、弱核力和电磁力——都是一种统一力的一部分；而这种统一力只在大爆炸之后的10^{-35}秒之内，温度高达万亿亿亿（10^{28}）摄氏度——太阳中心温度的数十万亿亿倍——的极端条件下才能存在。前面提到的几位物理学家提出，当温度高于10^{28}摄氏度时，光子、强核力的胶子，以及W粒子和Z粒子全部可以彼此自由交换——一种比电弱理论的规范对称性更强的规范对称性——而不会带来任何可观测的物理后果。乔奇和格拉肖据此提出，在这样的高能高温条件下，3种非引力的力粒子之间具有完整的对称性，也就是说，3种非引力的力之间具有完整的对称性。[11]

乔奇和格拉肖的大统一理论还告诉我们，之所以我们今天不能看到这种对称性——将质子和中子紧紧胶连在原子核内部的胶子看起来与弱核力和电磁力完全不同——是因为在温度小于10^{28}摄氏度的时候，出现了另一种希格斯场。这种希格斯场被称为*大统一希格斯场*（为了避免混淆，我们可以将参与电弱统一的希格斯场称为*电弱希格斯场*）。类似于它的电弱表弟，大统一希格斯场在10^{28}摄氏度以上也会剧烈波动；计算又告诉我们，当宇宙温度低于10^{28}摄氏度时，大统一希格斯场就会凝聚成非零值。而且，同电弱希格斯场一样，大统一希格斯海形成的时候，宇宙也经历了一次对称性减少的相变过程。这时，由于大统一希格斯海对胶子的影响不同于其对其他粒子的影响，因而强核力与电弱力分开，于是之前唯一的一种非引力的力就一分为二成了两种。再过一点时间，温度又下降了很多之后，电弱希格斯场凝聚，弱核力与电磁力也彼此分开。

但是这样一个美妙的想法——大统一，还没有得到实验的确证（不同于电弱统一）。而且正相反的是，乔奇和格拉肖的原始理论预言了宇宙早期对称性在今天的一条遗迹，这就是质子衰变；大统一理论预言质子可以衰变成其他不同的粒子（比如说反电子和π子之类）。但是在几个精心打造的地下实验室中，历经数年的艰苦实验寻找——这种实验就是很多年前乔奇在他的办公室里兴奋地向我描述的那种实验——并未发现*质子衰变*，一无所获。这样的实验结果宣判了乔奇和格拉肖理论的命运。不过，在那以后，人们又提出了原始理论的各种变种，这些变种理论可以不被质子衰变实验排除；但是同样的，所有的这些变种理论都没有得到实验的任何支持。

多数物理学家认为大统一是粒子物理中的一个伟大想法，只是还没有真正实现。因为人们已经在电磁力和弱核力中证明了统一和宇宙相变的有效性，所以在很多人看来，将其他的力包括到统一的框架下只是时间问题。我们在第12章中将会看到，在这个方向上，人们已经利用另一种不同的方法向前迈了一大步，这种方法就是*超弦理论*。尽管这一理论还不完善，仍在发展，但是人们第一次将所有的力——

包括引力在内——统一到了一个框架下。但是，即使只在电弱理论的框架下看，有一点也是非常清楚的：我们现在看到的宇宙所展现出来的并不只是早期宇宙的丰富对称性的残余。

以太的回归

对称性破缺的概念及其通过电弱希格斯场的实现，在粒子物理和宇宙学中扮演着核心角色。不过我们的讨论可能会使你想到下面这个问题：如果希格斯海是一种看不见但填满了我们过去认为虚无的真空的东西，那它岂不就是远古的以太概念的现代化身？我的回答是：既对也不对。让我稍做解释：说它对，是的，希格斯海的某些方面还真有点像以太。和以太一样，凝聚的希格斯场遍穿整个空间，无处不在，弥散于每一种物质中，而且作为真空的一个不可移除的性质（除非我们将宇宙加热到10^{15}摄氏度，但是这个我们做不到），希格斯海重新定义了一无所有这个概念。说它不对，因为希格斯海也有不同于原始的以太的地方。人们之所以引入以太的概念是为了替光波的传播找到介质，就像声波可以在空气中传播，那时的人们也要找到光波的传播介质。可希格斯海却与光的运动毫无关系，它对光速一点影响都没有，因而20世纪初通过研究光的运动而排除了以太的实验，对希格斯海一点威胁都没有。

而且，由于希格斯海对任何匀速运动的东西都没有任何影响，它就不能像以太一样找出一种特别的观测点。正相反，即使有希格斯海存在，所有的匀速观测者彼此地位仍然相同，希格斯海并不与狭义相对论冲突。当然，这些观测事实不能证明希格斯海的存在；我们只能说，这些观测事实表明，尽管希格斯海的某些特征类似于以太，但是希格斯海并不与任何理论或实验冲突。

如果真有希格斯场所形成的海，那么，它所带来的物理后果将在未来几年内在实验上得以确证。首先，就像电磁场是由光子组成的，希格斯场也是由某种粒子组成的，这种粒子的名字自然就是*希格斯粒子*。理论计算表明，如果真有弥漫于整个空间的希格斯海，那么希格斯粒子就应该能在大型强子对撞机（LHC）上的高能对撞残片中找到。LHC是一台巨大的原子对撞机，坐落于瑞士日内瓦的欧洲核子中心（CERN），将于2007年投入运行。简单地说，质子之间大量的正面对撞可能将一些希格斯粒子撞出希格斯海，这就好像水下的高能碰撞可能将某个H_2O分子敲出大西洋一样。实验将适时地告诉我们以太的这一现代版本究竟真的存在还是只能拥有以太以前被遗弃的命运。这一问题非常重要，因为我们已经看到，凝聚的希格斯场在当前的基本物理理论框架下扮演着深远而关键的角色。

如果我们不能发现希格斯海，那么我们就得好好反思一下我们已经用了30年的理论体系了。但是一旦找到了希格斯海，那就是理论物理学的一次重大胜利：它将使人们再一次见识对称性的威力，在我们闯入未知领域的时候，正是对称性帮助我们正确地进行数学推演。除此之外，确认希格斯海的存在还有其他的意义。首先，这将会直接证实今天各不相同的力在远古时期曾是统一的整体。其次，我们将会认识到我们长久以来对真空的直观认识——将一个区域内的一切全部取出从而使得该区域的能量和温度降到有多低就多低的水平——非常的幼稚。最空的真空也不必非得是空无一物。因此，不必使用精神方面的概念，就在我们寻找关于空间和时间的答案时，我们也能碰到亨利·摩尔的想法（见第2章）。对于摩尔来说，普通的真空概念毫无意义，因为空间总是盛装着神圣的精神。对于我们来说，普通的真空概念同样难以琢磨，因为真空中可能总是盛装了希格斯海。

熵与时间

图9.2中的是我们所讨论过的相变时间线，这幅图可以帮助我们更好地掌握从大爆炸开始的那一刻到你厨房中的鸡蛋煮熟时宇宙中发生的一系列重大事件。当然，关键的信息仍然隐藏在令人眼花缭乱的表面之下。但是你一定要记住，知道事物如何开始——《战争与和平》的书页顺序，可乐瓶中的二氧化碳分子，大爆炸时的宇宙状态——是知道事物如何演化的关键。只要还有余地，熵就会增加。只要开始很低，熵就会增加。如果《战争与和平》的页序本来就是乱的，再怎么抛撒它，它还是只能保持打乱的页序。如果宇宙开始于一个完全无序的高熵状态，那么以后的宇宙演化也只能保持这一无序状态。

图9.2所示的历史明显不是连续的、不变的、无序度的编年史。即使某些对称性因宇宙相变而消失，宇宙整体的熵还是在稳固的增加中。但是，在最开始宇宙必然处于高度无序的状态，这一事实允许我们将时间上的“向前”与熵增的方向联系起来，但是我们仍需为刚刚诞生时的宇宙那不可思议的低熵——不可思议的高度均匀性——找到一个解释。这就要求我们继续回溯并去努力理解最初时刻——图9.2中模糊地带——究竟是怎样的。现在我们就开始这个任务。

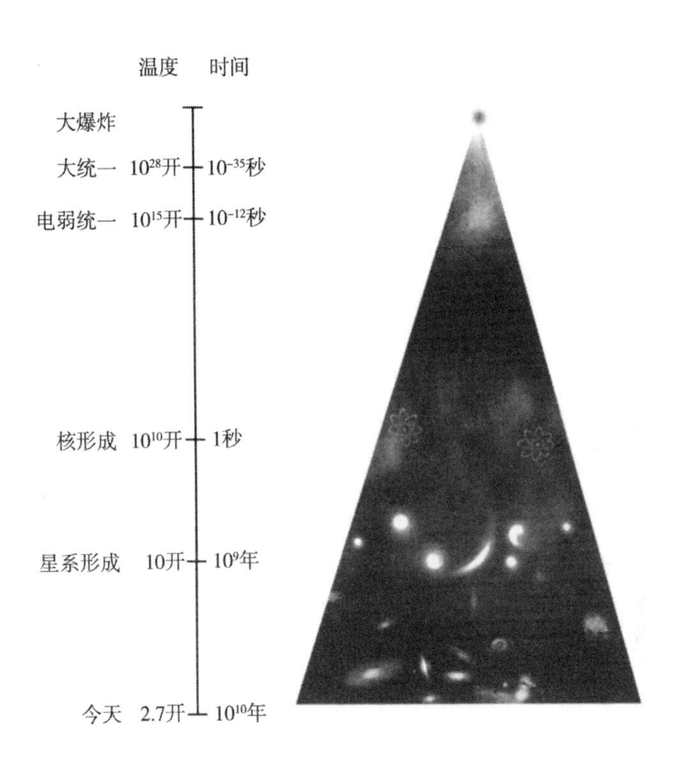

图9.2 图释宇宙学的标准大爆炸模型的时间线

第 10 章 解构大爆炸

到底是什么爆炸了

人们通常会认为大爆炸是关于宇宙起源的理论，这是一种错误的认识，大爆炸并不是这样的理论。在前面两章中，我们曾讨论过大爆炸理论的部分内容。大爆炸理论描述的是宇宙在某一瞬间突然诞生之后的演化情况，至于*在那个瞬间到底发生了什么，不是大爆炸理论能够回答得了的问题*。大爆炸理论只说假定最开始的时候有一场爆炸；然后它就把爆炸扔到一边了，并没有认真地讨论爆炸的问题。大爆炸理论并没有告诉我们到底是什么爆炸，为什么爆炸，怎样爆炸，而且老实地讲，大爆炸理论都没有告诉我们究竟是否真的有这样一场爆炸。[1] 事实上，只要你稍稍动动脑筋，你就会认识到大爆炸理论给我们出了个大难题。在宇宙的最初时刻，物质和能量处于极高密度的状态，这时引力[1]远大于各种力。但我们知道，引力是一种*吸引*力，引力会使事物彼此靠近。这样的话，又是哪种*向外的*力驱动空间扩展呢？看来，在大爆炸的时刻，一定有某种强大的排斥力扮演了关键的角色。但自然界中的哪一种力可以担当这个角色呢？

这个宇宙学中最基本的问题几十年都没有解决。然后，时间到了

---

1. 引力特指我们常说的万有引力，也就是重力，是自然界4种基本力中的一种。下文出现的吸引力或排斥力指的只是某种力具有吸引的性质还是排斥的性质。注意不要混淆。—— 译者注

20世纪80年代，爱因斯坦的一个老想法以一种新颖的形式得以复兴，摇身一变成了*暴胀宇宙学*。靠着暴胀宇宙学，人们终于为大爆炸找到了它该有的力——*引力*。这一答案很令人吃惊。物理学家们认识到，在适当的情形下，引力可以是排斥力；而根据暴胀理论，在宇宙的早期，正好有引力为排斥力所需要的必要条件。在一段就连纳秒都可算是永恒的极短时间内，早期宇宙为引力提供了一个舞台。在这个舞台上，引力可以表现出它不为人所知的一面——排斥性，这个时期的引力毫不留情地驱赶着空间中的一切，使之彼此远离。早期宇宙中，引力的排斥性如此之强，远远超出了人们以前想象的大爆炸强度。在暴胀宇宙学的框架下，早期宇宙的膨胀因子大到令人难以想象，远不是标准的大爆炸理论所预言的那样。暴胀宇宙学极大地扩充了宇宙学的内涵，与之相比，我们过去对宇宙学的认识渺小得简直就像千亿星系中的一颗星星。[2]

我们将在本章以及下面几章中讨论暴胀宇宙学。我们将会看到，暴胀宇宙学可以作为标准大爆炸宇宙学的“前端”，它对宇宙最初时刻的解释与标准的大爆炸宇宙学的解释有天壤之别。暴胀宇宙学解决了标准大爆炸宇宙学力所不及的问题，并且给出了一系列的预言；这些预言有的已经被实验验证，有的将在未来的几年内接受实验的检验。而最令人惊奇的是，暴胀宇宙学向我们展示了量子过程是如何通过宇宙膨胀将细小的波纹印到空间的结构中去，从而在夜晚的天空留下可见的烙印。除了这些成就，暴胀宇宙学还能帮助我们更加深刻地理解早期宇宙是如何获得它那极低的熵，而这将使我们比以往任何时候都更加接近时间之箭的解释。

爱因斯坦与排斥性的引力

1915年，在为他的广义相对论写下最后一笔后，爱因斯坦立即将这一理论应用到多种问题中。其中之一就是长期困扰着牛顿方程的水星近日点的进动问题。实验观测告诉我们，水星并不是按照同样的轨道绕着太阳运动，它的运行轨道总要比前一次的运行轨道改变一点。牛顿理论对于这一现象的理论计算值与实验观测值之间有一个小小的差别。爱因斯坦用他的广义相对论计算了这个问题，结果他算出来的值与实验观测值精确相符，这样令人吃惊的结果强烈地刺激了爱因斯坦的心脏。[3] 爱因斯坦又把他的广义相对论应用到另一个问题上：远方恒星所发出来的光在经由太阳到达地球的时候，其轨迹会因为时空弯曲而弯曲，爱因斯坦计算了这个弯曲量。1919年，两队天文学家——一队驻扎在非洲西海岸的普林西比岛，另一队在巴西——检验了这一预言。在有日食存在的情况下，天文学家们观测了刚好擦着太阳表面而来的星光（擦着太阳表面而来的星光受太阳的影响最厉害，而只有在日食的时候才能观测到这些星光），并将这次观测的结果与地球处在太阳和远方恒星中间时（这个时候，远方星光到达地球的轨迹几乎不会受到太阳引力的影响）所拍摄的星光照片相比，从比较中得到的弯曲角再次证实了爱因斯坦的理论计算。当观测结果发表出来的时候，爱因斯坦一夜成名。坦率地讲，当时的爱因斯坦可谓意气风发。

但是除了最初的成功，爱因斯坦许多年都不愿接受广义相对论方程带来的数学结果，因为他不满意将广义相对论应用到最浩渺的理论挑战——理解整个宇宙——时所得到的结果。早在第8章讨论过的弗里德曼和勒梅特的工作之前，爱因斯坦就认识到，广义相对论的方程意味着宇宙不可能是静态的；空间的结构可以拉伸也可以收缩，就是不能保持固定的大小。这也就意味着宇宙可能有一个明确的开端，而当宇宙被极大地压缩时，宇宙可能也会有一个明确的尽头。爱因斯坦坚决抵制广义相对论带来的这一结果，因为他和其他人都“知道”宇宙是永恒的，在大尺度上，宇宙恒久不变。因而，尽管广义相对论拥有美和成功，爱因斯坦还是再次打开了他的笔记本，试图修改方程，使其能够满足他们那个时代的人对于永恒宇宙的认识。这并没花他多少时间。1917年的时候，爱因斯坦就实现了这一目标，而他的方法就是为广义相对论方程引入新的一项：*宇宙常数*。[4]

爱因斯坦引入这样一项的办法不难掌握。任意两个物体，不管是棒球、行星、恒星、彗星或是你有的什么东西，它们之间的万有引力都是吸引力，因而万有引力总在试图拉近两个物体。地球和一个向上跳跃的舞蹈演员之间的万有引力会使舞蹈演员减速，在达到最大高度后落回地面。如果舞蹈指导者要求舞蹈演员浮在空中摆一个静态造型，那么，在舞蹈演员和地球之间就要有一种排斥力来平衡地球和舞蹈演员之间的万有引力：只有在万有引力与这种排斥力精确相消的条件下，舞蹈演员才能摆出静态造型。爱因斯坦认识到，对于整个宇宙来说，这一推论也成立。引力会减慢舞蹈演员上跃的速度，还能减慢空间的膨胀。没有能平衡万有引力的排斥力的话，舞蹈演员摆不出静态造型——她不能浮在固定的高度上；同样的，没有起平衡作用的排斥力的话，空间也不可能静止——空间不能保持固定的大小。爱因斯坦之所以要引入引力常数，就是因为他发现方程中有了这样一项后，万有引力就可以提供所需的排斥力。

但这样的数学项所暗含的物理意义究竟是什么呢？宇宙常数到底是什么，由什么组成，又是怎样抵消平常的吸引性万有引力从而产生向外排斥的力呢？对爱因斯坦工作——可追溯到勒梅特——的现代诠释告诉我们，引力常数是一种奇怪的能量形式，均匀地填充于整个空间。而我之所以说它“奇怪”，是因为爱因斯坦的分析并没有告诉我们这种能量来自哪里；而且，我们马上还会看到，他所采用的数学描述方式又保证了这些能量不会来自我们熟悉的质子、中子、电子或光子之类。今天的物理学家们在讨论爱因斯坦的宇宙常数时会使用“空间本身的能量”或“暗能量”这样的术语；这是因为，如果真有一个宇宙常数的话，空间就会充满你不能直接看到的某种透明的、无形的存在；被宇宙常数占据的空间仍然是黑暗的（这样的说法有点像很老的以太概念和年轻点的非零希格斯场概念。而后者和宇宙常数之间倒真的不只仅仅相似那么简单，它和宇宙常数的确有某种联系，我们马上就会看到这一点）。不过即使说不清宇宙常数的起源或身份，爱因斯坦也能算出它对于引力的意义；而爱因斯坦的结果，的确有不同寻常之处。

要想弄明白这点，你必须知道一个我们还没讲过的广义相对论性质。在牛顿的引力理论中，两个物体之间的引力强度只取决于两件事：物体的质量及其间的距离。物体的质量越大，彼此靠得越近，将物体拉近的万有引力也就越强。在广义相对论中情况也差不多是这样，只不过在爱因斯坦的方程看来，牛顿的注意力不应该只集中在质量上。广义相对论告诉我们，除了物体的质量（当然还有距离）之外，能量和压强也对引力场的强度有贡献。这一点很关键，我们现在来看看这究竟意味着什么。

假定现在是25世纪，而你被关在智力大厦内。最新的惩教实验正在进行，这一实验试图通过精英模式来训诫白领犯人。实验中，每个罪犯将获得一道题目，只有解决了这道题目，罪犯才能重获人身自由。住在你旁边囚室的犯人得到的题目是：为什么《盖里甘的岛》[1]的重新上映会在22世纪掀起狂潮，从而一举成为有史以来最受欢迎的电影？这个问题显然并不简单，看来这位可怜的人有得忙了。你抽到的问题要稍稍简单一些。有两个完全一样的固态金块，大小一样，金的纯度也完全一样。你所面临的挑战是：找出一种办法，使两块金块分别被轻轻地放到固定的精准天平上时，天平的示数不一样；前提是你不能改变其中任何一块中的物质数目，也就是说你不能采用切削焊割这样一些办法。如果你把这个问题交给牛顿，他马上就会告诉你这个问题无解。因为根据牛顿的理论，等量的金意味着等大的质量。既然测量金块所用的天平完全一样，刻度固定，施加于其上的地球引力也会一致。所以，牛顿自然会说，这样的两块金块一定会有相同的示数，没有任何例外的可能性。

但是作为一个25世纪的人，你在高中阶段就学过广义相对论了，所以你能够解决这道题目。广义相对论说两个物体之间的引力大小并不仅仅取决于物体的质量[5]（当然还有两者之间的距离），还取决于那些可以加到每个物体总能量上的额外贡献。所以我们还可以在物体的温度上做点手脚。温度是组成金块的金原子运动的平均快慢的量度，也就是说，温度是金原子活性的量度，反映的是金原子的平均动能大小。于是你就可以知道，只要加热金块，金原子就会运动得更猛

1.《盖里甘的岛》，20世纪60年代的美国电影，讲述被遗弃在岛上的演员，开始时感觉愉快，但在他们等待救援的漫长时间里，一个个开始变得性格乖戾。—— 译者注

烈，因而被加热的金块就会比没有被加热的金块更重。牛顿并不知道这个事实［1磅（1磅≈0.4526千克）重的金块温度升高10摄氏度，重量增加千万亿分之一，其效应非常之小］，但是你知道，所以你就能够逃脱囚困。

你回答了这个问题，但是你的罪很重，假释官在最后一刻决定你还必须再接受一次考验。这次他们给了你两个完全一样的玩具，就是那种打开盒子就有小人弹出的玩具。现在你要做的是再使这两个玩具有不同的重量。这次对你的限制苛刻了一点，你不但不被允许改变每一个玩具的质量，还不可以改变它们的温度。要是把这个问题给牛顿，他就只好一直被关在大厦里了。因为他还是只能给出那套解释：物体质量一样，因而重量必定一样，所以本题无解。而你呢？你还是可以求助于广义相对论：你可以把一个玩具中的小人紧紧地压在盒子底，让另一个玩具中的小人处在弹出的状态。为什么要这么干？答案是压缩中的弹簧比正常伸展的弹簧具有更多的能量。你花了力气压缩弹簧相当于给了弹簧能量，弹簧的弹力反映的就是你的劳动成果，使小人向外弹出的就是这股弹力。于是，我们又可以回到之前的说法：爱因斯坦告诉我们，任何多余的能量都会影响引力，从而使物体具有额外的重量。因此，小人被紧紧压到盒子底部的玩具将比小人正常伸展的玩具重那么一点点。牛顿不了解这一点，但是你知道，所以你就一定可以重获自由身。

第二个问题的解决方案向我们透露的正是广义相对论的微妙之处。爱因斯坦在他那篇有关广义相对论的论文中，用数学为我们展示了万有引力并不仅仅取决于物体的质量，也不仅仅取决于能量（比如热这种能量），还取决于可能具有的*压强*。要理解宇宙常数的问题，我们就非得了解广义相对论的这一特点。而这也就是向外的压强——比如压缩的弹簧所具有的——被称为*正压*的原因。显然，正压将对万有引力有正的贡献。于是，关键之处来了：压强，并不同于质量和总能量，在某些情况下，某些区域的压强可以为*负*，这样的压强有向里吸而不是向外推的效应。虽然乍听之下没那么奇怪，但从广义相对论的角度来看，负压会导致某些非常奇怪的事情：*正压可以对普通的万有引力有贡献；负压贡献的却是“负”引力，也就是说，负压贡献的是排斥性的万有引力！*[6]

爱因斯坦的广义相对论带来的这令人错愕的结果，打破了人们200年来的固有信念——万有引力只能是一种吸引力。行星、恒星和星系，的确如牛顿告诉我们的那样，一直展示出来的是吸引力。但是，在某些情况下，当压强变得非常重要（在我们日常生活的条件下，压强带来的引力贡献完全可以忽略），特别是负压（对于普通物质，如质子电子之类，压强是正的，因而宇宙常数不可能来自人们熟悉的普通物质）变得非常重要的时候，万有引力的效应可能令牛顿目瞪口呆，因为万有引力可能是*排斥力*。

这个结果对于由此而来的诸多推论非常重要，而且很容易被错误地理解，所以我要强调一下它的关键之处。在广义相对论的框架下，引力和压强既有联系又有区别。压强，或者更准确地说压强差，可以以自己的方式，一种非引力的力的面目出现。潜水的时候，你的耳膜就会感觉到压强差，因为耳膜外水压和耳膜内的气压彼此不同。这种说法完全没有问题。但在我们讨论的压强和引力问题中的压强则完全不同。根据广义相对论，压强对引力场有贡献，因而可以间接显示出力的效应——通过对万有引力有贡献体现出来。压强，虽然不同于质量和能量，但也是引力的一个来源。特别要注意的是，要是某一区域内的压强为负，那它在这个区域内就会贡献出排斥性的万有引力，而不是吸引性的万有引力。

这就意味着，假如压强为负，那么来自质量和能量的普通吸引性的万有引力，和来自负压强的排斥性的万有引力之间会存在一种抵消。如果区域内的负压强大到一定程度，那么排斥性的万有引力就会起主导作用；万有引力就会把物质彼此推开而不是拉近。于是宇宙常数就可以登场了。爱因斯坦加到广义相对论方程中的宇宙常数项相当于在空间中均匀地布满能量，方程又告诉我们这种能量具有负压强。而且，来自宇宙常数负压的排斥性万有引力会超越来自正能量的吸引性万有引力，因而排斥性的万有引力将起主导作用：*宇宙常数表现出的是排斥性的万有引力*。[7]

在爱因斯坦看来，这简直就是对症下药。遍布于整个宇宙的普通物质和辐射会展现出吸引性的万有引力，从而会将每一块空间拉向彼此。而新的宇宙常数项，同样遍布于整个宇宙，则会展现出排斥性的万有引力，从而将每一空间区域推离彼此。准确地调节该项的大小，爱因斯坦就可以用新的排斥性万有引力来平衡原有的吸引性万有引力，从而获得静态宇宙。

爱因斯坦还发现，由于排斥性的万有引力来自空间本身的能量和压强，因而它的强度具有累加性。也就是说，空间间隔越大，这种排斥性的万有引力也就会越大，这是因为更大的空间意味着更多的外推力。而在地球或者太阳系的尺度上，这种排斥性的万有引力微乎其微。只有在跨度巨大的宇宙尺度上，这种力才会变得明显。这样一来，在小到我们日常生活的尺度上，牛顿理论的成功和爱因斯坦自己的引力理论就不会有任何矛盾之处。总而言之，爱因斯坦可以舒舒服服地享受一下了：他既拥有了已由实验确认的广义相对论性质，又得到了一个静态的宇宙，这样的宇宙既不会膨胀也不会收缩。

有了这样的结果，爱因斯坦无疑会长舒一口气。如果10年苦心钻研所得到的广义相对论方程竟然不能同人们每天晚上仰望星空就能看到的静态宇宙事实相符的话，那爱因斯坦该有多揪心。但是，正如我们所见，10年之后情况急剧变化。1929年，哈勃发现人们对天空的简单认识可能是错误的。系统的观测告诉哈勃，宇宙可能并非处于*静态*，*而是*处于膨胀中。要是爱因斯坦相信原始的广义相对论方程的话，他本该在10多年之前就预言宇宙正在膨胀，而不是等到实验来发现这一事实。这样的实验发现毫无疑问可算作有史以来最伟大的发现之一——甚至可算作*最*伟大的发现。知道了哈勃的发现之后，爱因斯坦懊恼不已，他小心地将宇宙常数项从他的广义相对论方程中擦去了。爱因斯坦希望大家忘了宇宙常数的事，而大家的确也把宇宙常数忘记了，这一忘就是几十年。

但时间到了20世纪80年代，宇宙常数死灰复燃，并且以宇宙学思想史上最炫目的形式出现在大家面前。

蹦跳的青蛙和过冷却

对于向上飞去的棒球，你可以用牛顿方程（或者更准确的爱因斯坦广义相对论方程）来计算出它接下来的运动轨迹。一旦你算过一次，你就会彻底搞清楚球的运动。但是，这里还有个问题：最初是谁或者说是什么使球向上飞了出去？虽然你可以用数学算出球后来的运动情况，但球最开始的时候是如何启动的呢？对于现在的这个例子，答案当然很简单，就是棒球手扔出去的呗（当然，它也有可能是从停靠在一边的奔驰车的挡风玻璃上弹飞的，不管怎样，你总是知道的）。但所考虑的若是一个更复杂的类似问题，比如说宇宙膨胀的广义相对论解释，答案可能就不是这么明显了。

广义相对论方程允许宇宙膨胀。这一点最先由爱因斯坦和荷兰物理学家威廉·德·西特证明，随后弗里德曼和勒梅特也发现了相同的结论。但是，正如牛顿方程不会告诉我们最开始是什么使棒球飞起来，爱因斯坦的方程也没有告诉我们宇宙是怎么开始膨胀的。许多年来，宇宙学家们一直只把空间开始向外膨胀当成解释不了的初始条件，然后用方程来研究之后发生的事情。现在你明白我为什么会在前面说大爆炸理论没有告诉我们哪怕是一点有关爆炸本身的事情了吧？

1979年12月的一个晚上，一切都改变了。艾伦·古斯，斯坦福直线加速中心的一位年轻博士后研究员（现在是麻省理工学院的一名教授），告诉人们还有很多事情可以理解。是的，的确很多。尽管在20年后的今天，仍有很多细节未能搞清，但是艾伦·古斯的确做出了使宇宙学改头换面的重大发现，他的发现为大爆炸理论找到了一场爆炸，一场比所有人预想的都要大得多的爆炸。

古斯本不是一名宇宙学家，他原来的专业在粒子物理学领域。20世纪70年代末，古斯跟着康奈尔大学的亨利·泰研究大统一理论中希格斯场的有关问题。还记得我们在上一章中讨论过的内容吗？当希格斯场的值固定为某个特殊的非零值（这个非零值取决于希格斯场势能碗的具体形状）时，对称性自发破缺，希格斯场对空间区域贡献最低可能的能量。在早期宇宙中，温度极高的时候，希格斯场会强烈地波动，就像热铁碗中上蹿下跳的青蛙一样；但随着宇宙的冷却，希格斯场落到某个具体的值，这个时候其能量处于最低状态。

古斯和泰试图弄清的是：为什么希格斯场会延迟达到其最低能量态［图9.1（c）中势能碗的谷底］？如果我们用青蛙来类比古斯和泰的问题，那就是：如果在碗刚开始冷却的时候，青蛙的某一跳恰好跳到了碗的中央高地，那会怎样呢？而且，要是碗继续冷却，但是青蛙却一直待在碗的中央（美美地享受那些蚯蚓），而不是滑到碗的底部，又会怎样呢？或者用物理学的术语来说，在宇宙冷却的时候，如果希格斯场的值恰好波动到势能碗的中央并且一直保持在那里会怎样呢？如果是这种情况，物理学家就会说希格斯场处于*超冷*状态。这一名词传达的意思是：即使宇宙的温度低于希格斯场处于最低能量态时的温度，希格斯场仍处于较高能量态（在日常生活中也有这样的现象，比如高度纯净的水，就有可能在温度低于 0 摄氏度——正常情况下的冰点——的时候仍未结冰。这是因为晶体需要依托杂质才能生长，没有杂质的话，晶体无法生长，液态水就无法结冰）。

古斯和泰之所以对这种可能性感兴趣是因为这种可能性可能与研究人员在各种大统一的尝试中所遇到的一个问题有关（这个问题就是磁单极问题[8]）。不过古斯他们还想到了另外的可能性，而这另外的可能性才是使其工作变得重要的真正原因。他们怀疑，伴随超冷希格斯场而来的能量——还记得吗？场的高度代表其能量，所以，只有当场的值在势能碗的谷底时场才会具有零能量——可能对宇宙的膨胀有重要影响。1979年12月上旬，古斯仔细地考虑了这些想法，得到了下面的结论。

达到稳定状态的希格斯场会在空间中填充能量，但并不仅仅如此。更为重要的是，古斯认识到，希格斯场还会对空间贡献均匀的负压。事实上，古斯发现，一旦将能量和压强考虑进来，达到稳定状态的希格斯场将具有和宇宙常数相同的性质：希格斯场在空间中填充能量和负压，这正是宇宙常数所具有的性质。于是，古斯就发现了超冷的希格斯场的确对空间膨胀有重要的影响：就像宇宙常数那样，希格斯场也能显现出使空间膨胀的排斥性引力。[9]

到了这里，因为你已经熟悉了负压与排斥性万有引力，所以你就可能会这样想：没错，古斯的确发现了一种来实现爱因斯坦宇宙常数想法的办法，但是那又能怎样呢？这有什么大不了的呢？宇宙常数的概念不是早就被扔到废纸篓里了吗？宇宙常数除了令爱因斯坦蒙羞外还有什么用呢？重新发现已经60多年没人理的东西有什么可值得激动的呢？

暴胀

我们现在就来说说古斯的发现妙处在哪。古斯发现，虽然超冷希格斯场具有很多宇宙常数所具有的性质，但是它并不只有宇宙常数才有的性质。事实上，超冷希格斯场与宇宙常数有两点关键的区别——而正是这两点区别使得两者完全不同。

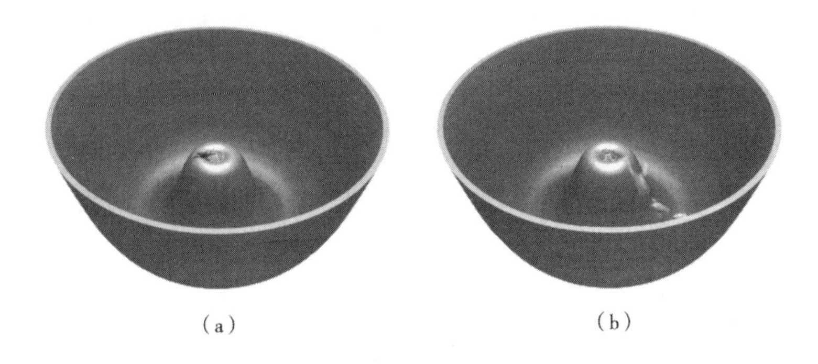

图10.1 (a)超冷希格斯场陷在势能碗的高能位置上，就像碗中凸起处的青蛙一样。

(b)一般来说，超冷希格斯场很快就会跌落到最低能量态，就像跳回到碗底的青蛙一样

首先，尽管宇宙常数是一个常数——常数就意味着不随时间改变，因而宇宙常数贡献的是稳定不变的外推力，但超冷希格斯场并不是常数。我们来想想居于图10.1(a)的碗中高处的青蛙。它虽然会在那里待上一会，但迟早会随随便便地跳一跳——这倒不是因为碗太烫，而完全是因为青蛙总会待得有些无聊——而这会使青蛙不小心掉下去，然后就像图10.1(b)那样滑落到碗底。希格斯场的行为就类似于此。当温度变得太低出现剧烈振荡时，希格斯场在整个空间中的值可能会固定在其势能碗的中心高地处。但是量子过程会带来很多随机波动，这些随机过程会使希格斯场的值涨落，离开中心的位置，从

而使得其能量和压强变为零。[10] 古斯的计算表明，这种涨落会由于势能碗的具体形状不同而有所不同，在有些情况下会在极短的时间内发生，这一极短的时间可能会短到0.0000000000000000000000000000000000001（10^{-35}）秒。随后，当时在莫斯科列别捷夫物理研究所工作的安德烈·林德和当时在宾夕法尼亚大学的保罗·斯坦哈特及其学生安德里亚斯·阿尔布莱奇发现了一种可以使希格斯的能量和压强在整个空间更有效也更均匀地变为零的办法（并且同时解决了古斯原始理论中的一些技术问题[11]）。这3位物理学家证明，如果势能碗像图10.2所示的那样，更加光滑、更有坡度的话，有没有量子过程就不重要了：希格斯场的值会很快滑到谷底，就像一个从山顶落下的球那样。这些分析的结论就是：如果希格斯场非得像宇宙常数一样，它也只能在一个瞬间内像宇宙常数。

图10.2　更光滑、更有坡度的凸起使得希格斯场更加容易滑到零能量谷，并且在整个空间中也更加均匀

第二个区别在于，爱因斯坦要仔细但任意地选择宇宙常数的值——可以贡献到每一寸空间的能量和负压——以使向外的排斥力与来自宇宙间普通物质和辐射的向内吸引力精确地平衡；而古斯却能

计算出他和泰所研究的希格斯场所贡献的能量和负压。古斯计算出来的值是爱因斯坦所选取值的大约1000000000000 000000000 0000000000000000000000000000000000000000000000000 0 00000000000000000000000000000（10^{100}）倍。显然，这个数字非常巨大。所以，与爱因斯坦的宇宙常数所带来的外推力比起来，由希格斯场的排斥性引力所导致的外推力简直就是*无限*。

我们再来看看这两个情况——即希格斯场停留在势能碗中心的稳定点，处于高能负压态，这样的状态仅能维持极短的瞬间；但是只要希格斯场处于这样的态，就会产生极其巨大的外推力——合在一起会有什么结果。古斯发现，这两种情况合在一起意味着一场时间极短但影响巨大的大爆炸。换句话说，这就意味着我们得到了大爆炸理论没给我们的东西：一场*爆炸*，而且是一场规模巨大的爆炸。这就是古斯理论激动人心之处。[12]

古斯的突破带给我们的是如下的宇宙图景。很久很久以前，宇宙极端致密，全部的能量都由希格斯场携带，而希格斯场处于远离其势能碗最低处的某个值上。为区别于其他的希格斯场（比如为普通粒子生成质量的电弱希格斯场，又或者大统一理论中的希格斯场[13]），我们将这个希格斯场称为*暴胀子场*。[1]因为其负压，暴胀子场会生成巨大的排斥性万有引力，这股巨大的力量使得每一片空间区域远离彼此；用古斯的话来说，暴胀子使宇宙*暴胀*。这股巨大的排斥性万有引力大约存在了10^{-35}秒，虽然时间短暂，但是由于它实在太过巨大了，

1. 物理学家们常常在某一名称后面加个“子”，表示相应的粒子。比如光加上“子”就是“光子”，电磁场的量子。

因而使得宇宙一下子膨胀到难以想象的地步。根据暴胀子场势能碗的具体形状不同，宇宙可能轻易地膨胀10^{30}倍、10^{50}倍、10^{100}倍，甚至更多倍。

这样的数字令人非常惊讶。膨胀10^{30}倍——最保守的估计——到底是怎样一种概念呢？想象一下吧，这就好比在眨一下眼的千亿亿亿分之一的时间内，一个DNA分子膨胀到了银河系那么大。对比来看，即使这最保守的估计也比标准大爆炸模型在相同时间内的膨胀量大百亿亿倍，这一瞬间的膨胀甚至比标准大爆炸理论中140亿年的累计膨胀量还要大！在很多暴胀理论模型中，实际计算出来的膨胀倍数都要大于10^{30}，这样的膨胀导致宇宙空间异常巨大，即使用我们最先进的望远镜，也只能看到全部宇宙的一小点。根据这些模型的理论预言，宇宙中大部分区域所发出来的光还从未曾到达过太阳系；而且，即使到了太阳和地球都消亡的那一天，很多地方发出来的光还不会到达。如果整个宇宙有地球那么大的话，我们能够看到的范围就只有一粒沙那么大。

大概在大爆炸开始之后的10^{-35}秒，暴胀子场从中心的稳定点跌落下来，其在整个空间中的值滑落到势能碗的底部，排斥性的万有引力消失了。随着暴胀子场的值滑落下来，它所积攒的能量也将释放出来，而均匀地填充于膨胀中的空间的普通物质和辐射就是产生于这股能量，就好像清晨的薄雾落到小草上成了露珠一样。[14] 这个时刻以后的故事就是标准的大爆炸理论了：大爆炸之后，空间继续膨胀并开始冷却，物质粒子聚成了星系、恒星和行星之类的结构，这些天体慢慢演变成我们今天看到的样子，如图10.3所示。

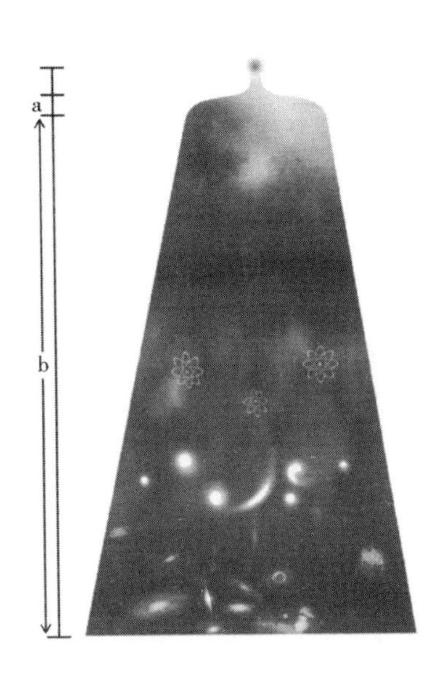

图10.3 (a)暴胀宇宙学在宇宙演化的早期插入了一段迅速、猛烈爆发的空间膨胀时期。
(b)猛烈的爆发之后，宇宙进入了大爆炸模型所提出的标准演化时期

古斯的发现——所谓的暴胀宇宙学——以及后来林德、阿尔布莱奇和斯坦哈特等人的改进版本，第一次解释了是什么使得空间膨胀。居于零能量之上的希格斯场能够提供一种使空间膨胀的外推力。古斯为大爆炸理论找到了一场爆炸。

暴胀理论体系

古斯的发现很快就被人们视作一项重大进展，迅速成为宇宙学领域的主要研究对象。但是有两点值得我们注意。首先，标准的大爆炸模型假定爆炸发生在零时刻——宇宙开始的时刻，因而爆炸是一次创生事件。暴胀理论中的爆炸发生在条件齐备的情况下——必须存

在暴胀子场，这样排斥性万有引力的向外大爆发才能有原料——并且不必去符合宇宙的“创生”。这也就是说，我们最好将暴胀大爆炸想成是已经存在的宇宙所经历的一次事件，而不必将其视为*就是*创造宇宙的事件。将图9.2中的某些部分变得模糊，我们就得到了图10.3，这样的做法是要告诉大家我们对宇宙的起源仍一无所知。特别是，如果暴胀宇宙学真的是正确的，那我们就要问这些问题：为什么会有一个暴胀子场？而它的势能碗又为什么恰恰拥有暴胀能够发生的特别形状？为什么会存在空间和时间这样的事物使得这些讨论能够发生？还有，用莱布尼茨的话来问就是，为什么是有而不是无？

另一点值得我们注意的是，暴胀宇宙学并不是一个独一无二的理论。它是一个建立在万有引力可以是推动空间膨胀的排斥力这一认识基础之上的宇宙学理论体系。关于外推力的种种细节——一旦暴胀发生，它要持续多久，外推力的强度，宇宙在暴胀期间膨胀的倍数，暴胀结束的时候究竟有多少能量变成了物质，诸如此类的问题——主要取决于暴胀子场势能的尺寸和形状，而这一点又是我们的现有理论不能回答的问题。所以，很多年来，物理学家们研究了暴胀理论的各种可能性——势能的各种可能形状，以及可能的暴胀子场数目，等等——从中挑选出了那些能够与当前的天文学观测符合的理论。我们要知道的是，暴胀理论的某些方面并不是细节之所在，而是对于各种暴胀模型来说都很普通的东西。按照定义，爆炸本身就有这样的一种性质，任何一种暴胀模型都有一场爆炸。但是，所有的暴胀理论都有的另外一些先天性质则很关键，是我们要详细考虑的部分，因为这些性质可以解决一些原始的大爆炸宇宙学所不能解决的问题。

暴胀与视界疑难

这些问题中的一个就是所谓的*视界疑难*，它与我们之前提过的微波背景辐射的均匀性有关。回想一下，我们曾经讲过来自空间某一方向的微波辐射与来自空间任意其他方向的微波辐射在极高的精确度（千分之一度的水平）上彼此相符。这一观测事实非常重要，因为它证明了空间的各向同性，可以大大简化宇宙学模型。在前面的章节中，我们曾经利用这种各向同性神奇地限制了空间可能的形状并探讨了均一宇宙时间。视界疑难这一问题在我们试图解释宇宙*如何*拥有均一性时出现。宇宙中的广大区域究竟是如何拥有彼此一致的温度的呢？

如果回想一下第4章，你或许会想到一种可能的解释：非定域量子纠缠除了可以使两个彼此间隔很远的粒子自旋关联之外，也可能会使间隔很远的空间区域温度关联。尽管这个想法听起来很有意思，但是别忘了第4章中的讨论是在完全受控的设定下进行，而空间强大的稀释能力会完全排除这种可能性。好吧，或许我们会找到更简单些的解释。或许很久以前，空间的各部分区域彼此非常接近，而这种彼此间的亲密接触使得彼此的温度也相同。这就好像把门开一会儿的话，原本温度很高的厨房和冰冷的卧室也会温度相同。但是，这种解释在标准的大爆炸理论中遭遇了失败的命运。我们现在来看一下为什么。

我们正在看这样一部电影，它讲述了宇宙从起源一直到今天的演化全过程。随便在什么时刻暂停一下电影，然后问问你自己：空间中的两块区域，就比如厨房和卧室吧，能够影响彼此的温度吗？它们能交换光和热吗？这种问题的答案取决于两个要素：区域之间的距离以及距离大爆炸的时间。如果两者之间的距离短于光在大爆炸之后的时间内可以行进的距离，那么它们就能够彼此影响，否则的话就不能。你现在可能会想，如果把我们的电影回放到足够接近大爆炸的时刻，可观测宇宙中的所有区域都会彼此影响；因为离大爆炸越近，不同空间区域的间隔也就越小，彼此也越容易相互作用。但是这样的推理太草率了，在这个思考过程中要考虑的并不仅仅是两者之间的距离是否足够的近，还要考虑留下来的时间是否足够的多。

我们现在来正确分析一下这个问题。慢慢回放这部关于宇宙的电影，我们要关注的是位于可观测宇宙两端的两块空间区域——这两块区域之间的距离已经超出了它们各自的影响范围。我们要想把它们的间距缩小一半的话，就要把电影回放到少于一半的地方。但即使这样的话，两者之间的距离还是太远以至于不能彼此影响：它们之间的距离虽然减半，但是大爆炸到那个时刻的时间还不到大爆炸到今天的时间的一半，而光在这样的时间内能够行进的距离也没有光在大爆炸至今的时间内行进距离的一半多。类似地，我们可以一直这样通过回放电影来缩短空间中那两块区域的间距，但是我们也将发现，这会导致两者越来越难以彼此影响。在这样的宇宙演化中，两块区域在远古时期挨得越近，我们就越难——而不是越容易——想象它们会平衡彼此的温度。相对于光可以行进多远所带来的困难，回溯时间所导致的沟通困难显然更严重一些。

这就是标准大爆炸理论中的问题。在标准的大爆炸宇宙学中，万有引力只是一种吸引力；而且，自从宇宙开始以来，它就一直扮演着减慢宇宙膨胀的角色。对于减慢的事物来说，走过给定区域所花掉的时间要更多一些。比方说，秘书[1]迅猛地冲出门去，在2分钟内就跑完了前半圈，但今天它没在最佳状态，所以后半圈花了3分钟才完成。回放这场赛马的时候，我们必须往回放到一半多的时间（全长5分钟的影片我们要回放到开始2分钟的时候）才能看到秘书跑到半圈标记的位置。与此类似，在标准的大爆炸理论中，引力所起的作用是减慢空间的膨胀，因而，如果我们从任意时刻开始回放宇宙演化的电影，我们必须回放多于一半的时间才能使得空间中两块区域之间的距离缩减为一半。因而，如上所述，这就意味着虽然空间区域在更早的时刻变得更近，但彼此间也变得越难——而不是越易——相互影响，因而它们的温度相同这一事实也就令我们越困惑——而不是越明白。

物理学家们将某一区域所发出来的光在大爆炸之后的时间内所能到达的最远位置以内的空间区域定义为这一区域的*宇宙视界*（简称*视界*）。视界可以类比为我们在地球表面的某个制高点所能看见的最远距离，当然这只是类比。[15] *视界疑难*这个谜题基于这样一种认识：如果空间中的两个区域的视界始终是分开的——永远不能彼此相互作用、交流，或者用任何方式彼此影响——那么它们怎么会有差不多完全一致的温度呢？

视界疑难并不是意味着标准的大爆炸模型不对，它只是需要解释。而暴胀模型就能提供这样的解释。

在暴胀宇宙学中有一个很短暂的时期，在这个时期内，排斥性的

1. Secretariat，秘书，世界上跑得最快的纯种马，1973年在美国肯塔基赛马会上创下了30多年不破的世界纪录。——译者注

万有引力驱动着空间越来越快地膨胀。在关于暴胀宇宙学的电影中，你只需回放到少于一半的时间就能看到空间区域的间隔减半了。这就好比秘书花了2分钟的时间跑完前半圈后，状态正佳，又猛地提速，只用了1分钟的时间就冲完了最后半圈。于是在看回放的时候，你只需要把时间回放到比赛开始2分钟的时刻——你所回放的部分（1分钟）少于一半的时间（1分半）——就能看到秘书冲过半程标志的画面了。与此类似，空间中两块不同区域的间隔在暴胀时期急速增长，且增长的速度越来越快，这就导致在你看宇宙这部电影的时候，也只需要回放到少于——实际上少很多——一半的时间就能看到间隔减半了。这样一来，随着时间越往后，空间中不同区域也就越容易相互影响。因为随着时间越往后，不同区域彼此沟通的时间就会越多。计算表明，如果暴胀使空间膨胀的倍数达到了10^{30}以上的话，这样的数量级在大多数的暴胀模型中都可以实现，我们现在所能看到的所有空间区域——所有我们测过其温度的空间区域——都可以彼此沟通，就像相连的厨房和卧室之间的沟通那样简单，因而最初时刻的宇宙很快就会拥有相同的温度。[16] 简而言之，暴胀阶段开始的时候，空间膨胀得很慢，整个空间的温度会变得一致，然后就进入了迅猛膨胀的阶段，一下子弥补了开始阶段的缓慢，临近的区域也彼此分开去了。

暴胀宇宙学就这样解释了弥漫于整个空间的微波背景辐射神秘的各向同性问题。

暴胀与平坦性疑难

暴胀宇宙学需要面对的第二个问题与空间的形状有关。在第8章中，我们强行使用了空间均匀对称的标准，找到了3种实现空间弯曲的方法。在两维的例子中，这3种可能性分别是正曲率（类似球面的形状）、负曲率（类似马鞍面的形状）以及零曲率（类似无限平坦的桌面或者有限尺度的电视游戏屏幕）。自从广义相对论建立以来，物理学家们就一直清楚这样一个事实：单位空间中的总物质或总能量——即*物质或能量密度*——决定了空间的曲率。如果物质或能量密度很高，空间就会把自己拉伸成球形，也就是说空间会有正的曲率。如果物质或能量密度很低，空间就会向外展成马鞍面，也就是说空间会有负的曲率。又或者像上一章讲过的那样，当空间中的物质或能量密度处于某一特殊值时——临界密度，相当于在每立方米的空间内有5个氢原子的质量（大约10^{-23}克）——空间将介于上述的两种极限情况之间，处于完美的平坦状态——也就是说，没有曲率。

现在我们来看看问题在哪。

掌控着标准大爆炸模型的广义相对论方程告诉我们，如果早期的物质或能量密度恰好精确地等于临界密度，它就不会随着空间的膨胀而发生变化，也就是说仍然保持在临界密度。[17] 但是，即使物质或能量密度只比临界密度高一点点或者低一点点，接下来的膨胀过程都会使物质或能量密度远离临界密度。我们来感受一下具体的数字，如果在大爆炸后的1秒时，宇宙恰好比临界状态差了一点点，物质或能量密度达到临界密度的99.99%，那么计算就会告诉我们，今天的宇宙中物质或能量密度将只有临界密度的0.00000000001%。这就像一个走在两面都是深渊的峭壁顶的登山者所面临的情况。每一步都落在峭壁顶的话就能安全通过。但是，稍稍迈错一步，不管是往右多一点还是往左多一点，倾斜都会瞬间放大，酿成不可挽回的后果（可能例子稍稍有点多了，不过还是很想讲一下。标准大爆炸模型的这个特点让我想起了很多年前大学宿舍的淋浴：如果你恰好调对了把手的位置，你就有舒服的温水洗澡。但你只要稍稍调错一点，不管是往哪边多偏了那么一点，你就会被烫得发红或是被冻得发抖。所以那时候很多同学干脆就不洗澡了）。

物理学家们几十年来一直试图测准宇宙中的物质或能量密度。到了20世纪80年代，虽然离最终的结果还有一段距离，但是有一点已经是确定无疑的了：宇宙中的物质或能量密度既不比临界密度大成千上万倍，也不是临界密度的成千上万分之一。这也就等于告诉我们，空间并没有充分地弯曲，既不是非常大的正曲率，也不是非常大的负曲率。这样的观测事实难免令标准大爆炸模型有点难堪。人们认识到，标准大爆炸模型要想与实验观测相符，就必须找到某种机制——人们还不能找到这样的解释——从而使早期宇宙的物质或能量密度*极端地*接近临界密度。举个例子，计算表明，在大爆炸后的1秒，宇宙中的物质或能量密度同临界密度之间的差别不能超过临界密度的*百万亿分之一*；如果物质或能量密度和临界密度的差别稍稍大于这一极小的量，那么标准大爆炸模型所预言的今日物质或能量密度就会远远大于实验观测值。因而，标准大爆炸模型中的宇宙就像在两面是深渊的峭壁顶前行的登山者一样，走在极端窄小的山脊上。数十亿年前的微小差别将会导致今天的宇宙千差万别。这就是所谓的*平坦性疑难*。

我们已经讲过了平坦性疑难的关键之处，但还是很有必要再强调一下，这里的重要之处在于虽然我们要理解平坦性疑难是一个问题，但这并不等于说有了平坦性疑难就意味着标准大爆炸模型是错的。对于平坦性疑难，大爆炸理论的忠实信徒会耸耸肩无所谓地回答道：“宇宙当时的情况就是那样。”对于他们来说，只要好好地调节一下早期宇宙的物质或能量密度——从而使理论对今天的物质或能量密度预言与实验观测相符——平坦性疑难就不存在了。但是这样的回答让很多物理学家不舒服。如果一个理论，其成功要依赖于精细调节某些我们无法给予的基本解释的性质，那么这样的理论在物理学家看来就是极不自然的。由于标准大爆炸模型不能解释早期宇宙的物质或能量密度为什么非得精细调节到某个特定值，标准的大爆炸模型在很多物理学家看来具有很强的人为性。因而，平坦性疑难可说是找出了标准大爆炸理论有极强的初始条件——我们不了解的远古时期的情况——敏感性这个弱点；平坦性疑难告诉我们，标准大爆炸模型只有假定宇宙*必须如此*，才能解释一些问题。

相反，物理学家们希望看到的理论是所能给出的预言不依赖于我们无法知道的量（诸如很久以前的情况如何）的理论。这样的理论可靠而自然，因为它们给出的预言并不依赖于各种很难甚至不可能直接确定的琐碎细节。暴胀理论就是一个这样的理论，它对平坦性疑难的解释很好地反映了这一点。

这里关键的一点，是要注意到吸引性的万有引力会放大任何背离临界物质或能量密度的偏差，而暴胀理论中的排斥性万有引力则正好相反：它可以*减少*对临界密度的偏差。要想直观地感受一下这一点，只需想想宇宙的物质或能量密度和其几何上的曲率之间的联系。特别需要注意的一点是，即使宇宙在早期具有高度弯曲的形状，暴胀膨胀之后，也会出现一片大到足以覆盖今天所看到的整个可观测宇宙的区域，而这样的区域看起来将是平坦的。事实上，我们早就熟知这种几何特性：篮球表面的弯曲可以一目了然；但是地球也是圆的就没有那么明显了，很多的思想家花了很长时间才理解了地球表面也是弯曲的这一事实。造成这种结果的原因在于，在一切不变的情况下，某一事物越大，它的弯曲就会变得越缓，其表面上的某一大小不变的区域就会看起来越平坦。如果你把内布拉斯加州[1]绕在直径几百千米的球面上，如图10.4（a）所示，内布拉斯加州看起来就是弯曲的。但在地球表面，所有的内布拉斯加人都会承认，该州看起来是平坦的。而你要是把内布拉斯加州放到比地球还要巨大的球体表面，它看起来就会更加平坦。在暴胀宇宙学中，空间被拉伸得如此之多，以至于我们所看到的可观测宇宙只不过是一个巨大宇宙的小小一部分。所以，如图10.4（d）所示的巨球上的内布拉斯加州一样，即使整个宇宙是弯曲的，我们可观测的宇宙也几乎是平坦的。[18]

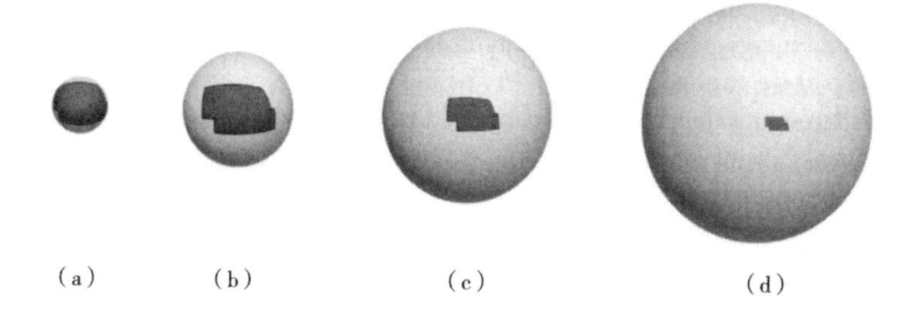

图10.4 图中大小固定的形状表示的是内布拉斯加州。可以看到，随着球的体积越来越大，其上的图形显得越来越平。这里，球代表的是整个宇宙，内布拉斯加州代表的是可观测宇宙——我们视界之内的宇宙

1. 美国中部的平原州，面积20万平方千米。——译者注

这就好像在登山者的鞋底和峭壁顶上都安有强大的磁铁一般，一旦登山者朝着错误的方向迈上一步，磁铁之间强大的吸引力就会把登山者的脚拉回到山脊。与此类似，即使早期宇宙偏离临界密度一点，从而导致失去平坦性；暴胀膨胀也会将我们讨论的这部分空间拉回成平坦的形状，同时，我们所讨论的物质或能量密度也会被拉回到临界值。

进展与预言

暴胀理论对视界疑难和平坦性疑难的独到见解代表着巨大的理论进步。对于标准的大爆炸宇宙学来说，为了使演化到今天的宇宙既具有各向同性的特点，又具有同实验观测值相一致的物质或能量密度，它就必须对早期的初始条件进行准确的、未经解释的甚至有些怪诞的精细调节。人们当然可以假定真有这样的精细调节存在，就像标准大爆炸模型的追随者宣称的那样。但是这样一种毫无道理的办法使理论充满了人为性。而另一方面，暴胀宇宙学并不需要考虑早期宇宙物质或能量密度的种种细节。按照它自己的宇宙演化方式，暴胀宇宙学预言了我们观测到的宇宙应该近乎平坦。这也就是说，按照暴胀宇宙学的预言，我们观测到的物质或能量密度应该非常接近临界密度。

对于早期宇宙的细节不敏感可算是暴胀理论的一个优美之处，正是因为有了这个性质，我们才能在对远古时期毫无了解的情况下给出确定的理论预言。但是我们也要问：这些预言是否能够经受得了精细的实验观测的检验呢？实验数据是否站在暴胀宇宙学一边呢？实验上是否观测到了暴胀宇宙学所预言的具有临界物质或能量密度的平坦宇宙呢?

多年的观测能告诉我们的答案只是"还不充分"。大量的天文学勘探仔仔细细地测量了宇宙中可见的物质或能量的总量,而这些勘探只得到了临界密度的5%。这样的观测结果显然不是标准大爆炸理论自然得出的极大密度或极小密度解释得了的——如果不考虑人为的精细调节的话——这也就是我在前面所说的,实验观测并没有发现今天宇宙的物质或能量密度比临界密度大成千上万倍或是其成千上万分之一。即便这样,5%离暴胀理论所预言的100%也还有很大的距离。但是,物理学家们早就认识到计算数据必须仔细,不能丢失任何可能性。天文学勘探发现的那5%只与能够发光的物质或能量有关,因为只有发光的能量或物质才能被天文望远镜看到。而早在几十年前,暴胀理论还没有诞生的年代,就已经有证据表明:宇宙很可能还有沉重的黑暗面。

黑暗预言

早在20世纪30年代,加利福尼亚理工学院的天文学教授弗里茨·兹威基(一位著名的科学家,其刻薄的性格是出了名的。他非常喜爱对称性,甚至因此会将他的同事称为混球,他的解释是,无论从哪个角度看他们都是混蛋——所以是球形对称的混蛋,就是混球[19])就认识到,后发星系团(距离地球3.7亿光年的星系团,由上千个星系组成)的偏远星系中的可见物质移动得太快以至于无法聚集起足够的引力来使它们聚成团。兹威基通过分析指出,大多数快速移动的星系应该被甩出星系团,这就好像行驶中的自行车会甩出很多泥水一样。但我们却没有看到这样的现象。兹威基假定该星系团中还存在其他一些不能发光具有引力效应的物质，正是这些物质使该星系团聚在一起。通过计算，兹威基发现，要是这一解释正确的话，星系团质量的绝大部分就应该由这种不发光的物质组成。1936年，威尔森山天文台的辛克莱尔·史密斯发现了确实的证据，通过对室女座星系团的研究，史密斯得到了类似的结论。但是，这两个人的工作，连同后继的一些工作，都存在着各种各样的不确定性，使得人们还没法确认就是大量的不可见物质的引力将星系聚成星系团。

接下来的30年间，有关不可发光的物质的实验观测证据越来越多，[20] 但只有华盛顿卡耐基研究所的维拉·鲁宾，以及肯特·福特和其他少数人的工作才真正抓住了问题的关键。鲁宾和她的合作者研究了大量旋转星系中的恒星移动，他们的结论是：如果假定我们所看到的就是实际存在的全部，那么很多星系中的恒星将持续不断地向外飞去。这几位科学家的观测结果明确地告诉我们，可见的星系物质不可能产生出足够强的引力以控制住那些快速移动的恒星，使之不能自由飞散。详细的分析也同时指出，如果星系沉浸在不发光物质——其总质量需远远地超过星系中可见物质的质量——构成的巨大球状空间中（如图10.5所示），那么其中的行星就仍在引力的束缚之内。所以，就像有些观众只看到来回移动的白手套就能推断出魔术师隐藏在看不见的黑袍中一样，天文学家也能得出宇宙中充满着*暗物质*——那些不聚合成恒星因而不发光，所以除了借助于引力效应外没有任何办法知道它们存在的物质——的结论。而宇宙中的发光成分——恒星——仅仅是漂浮在暗物质之海中的灯塔。

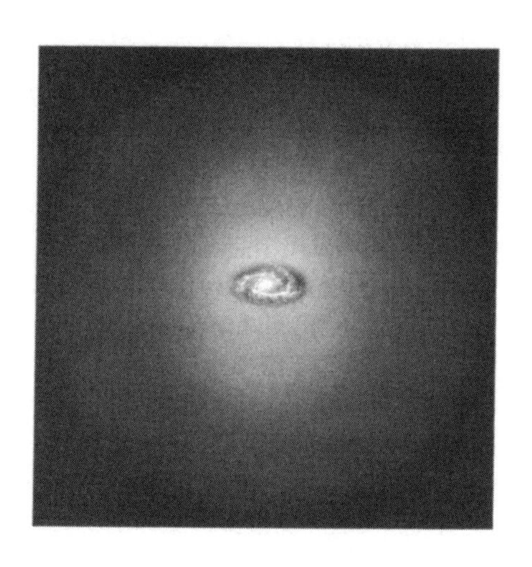

图10.5 浸在暗物质中的星系（为了使读者看清楚，图中高亮部分表示的是不可见的暗物质）

如果必须有暗物质存在才能解释观测到的恒星和星系移动，那么，暗物质是由什么组成的呢？很遗憾，直到现在也没有人能给出肯定的答案。尽管天文学家和物理学家已经就暗物质是什么提出了很多种可能性——从各种奇异的粒子到小型黑洞，但暗物质究竟是什么仍然是天文学和理论物理学中的一个主要未解之谜。虽然不能确定暗物质究竟是什么，天文学家们还是能够通过准确地分析其引力效应来计算出暗物质在整个宇宙中究竟有多少。现在人们已经知道，暗物质大约占临界密度的25%。[21] 再加上普通可见物质贡献的5%，我们已经找到了暴胀宇宙学所预言的物质或能量密度的30%。

好吧，虽然这已经算是很大的进展了，但科学家们还是得挠头，因为他们还是要知道那玩忽职守的70%哪去了（当然，这么说的前提是暴胀宇宙学真的正确)。但是，两组天文学家在1998年得到的结果出乎所有人预料，于是历史绕了一个圈，我们再次感受到了爱因斯坦是多么富于预见性。

失控的宇宙

生病的时候，我们可能会听取不同医生的意见以确认自己的病情；物理学家们也是如此，如果他们得到的数据或理论带来了某些令人困惑的结果，物理学家们常常也会再从另外的角度看看同一个问题。如果从一个完全不同的观点出发也能得出与原始分析相同的结论的话，那么这种理论的可信度就很高。当从不同角度提出的解释最后都归结到一点的时候，我们就有理由相信这种解释已经切中要害。所以，很自然的，既然暴胀理论提出了某种异常怪异的东西——还没被观测到的那70%的宇宙物质或能量密度，那么物理学家们必定希望依靠它来再确认一次暴胀理论。而很久以来人们就知道对*减速因子*的测量正好可以帮这个忙。

从暴胀开始的那一刻起，吸引性的万有引力就在减慢宇宙的膨胀，其减慢率称为减速因子。对减速因子的测量将是另一个能独立反映宇宙中物质总量的角度：更多的物质，无论发光与否，将导致更强的引力，因而会更明显地减慢空间的膨胀。

很多年来，天文学家们一直在试图测出宇宙的减速，这种测量虽然在理论上直截了当，但在实际中却是一个挑战。当我们观测远方的天体——比如星系或类星体——的时候，我们实际看到的是它们很久以前的样子：它们离我们越远，我们所看到的就是越早时期的天体。因而，如果我们能够测得它们以多快的速度远离我们，我们就相当于测到了在过去的某个时刻宇宙以多快的速度膨胀；然后，我们再测另外一个距离处的膨胀速度，这就相当于我们在测另外一个时刻的宇宙膨胀速度。对比我们所测得的不同时期的宇宙膨胀速度，我们就会算出宇宙的膨胀在某段时间内减慢了多少，因而就求得了减慢因子。

所以，按这种方案测量减慢因子需要两个条件：一是要找到一种方法确定某一天体的距离（这样我们就可以知道这个天体在时间上距离我们有多远）；二是要找到一种方法测出该天体以多快的速度远离我们而去（这样我们就能知道在那个时候空间以多快的速率膨胀）。后一个要求很容易实现，远离我们而去的警车上的警笛音调变低，远离我们而去的天体上发出来的光的振荡频率也会变低。而且，诸如氢、氦、氧这样的原子——正是这些原子组成了恒星、类星体和星系——发出来的光已经在实验室中详细地研究过了，所以只要认真地对比我们从天体中测得的光的频率与实验室中的光的频率，我们就能得到某一天体离我们远去的速度。

但是前一个要求，找到一种确定某一天体距离我们多远的方法，则令天文学家们很是头疼。一般来说，我们会认为离我们越远的事物看起来越模糊，但是这一简单的事实却很难嫁接到定量测量上。你要想判断远方物体的亮度的话，就必须首先知道该物体的固有亮度——当它就在你附近的时候它有多亮。但是我们很难知道一个离我们几十亿光年远的物体的固有亮度到底是多少。一般的办法是找到一类天体，由于某种基本的天体物理原因，该类天体总是以准确固定的亮度发光。如果天空中缀满100瓦的灯泡，我们就好办了，因为这样的话，我们就可以根据灯泡的模糊程度来判断它到底离我们有多远（虽然看清很远地方的100瓦灯泡也是一种挑战）。但是宇宙空间并没有慷慨到这种程度，那么，我们该找什么东西来当标准亮度的灯泡呢？或者用天文学的话说，什么能起到标准烛光的作用呢？多年来，天文学家们已经研究了多种可能性，到目前为止最成功的一个选择是某一类特殊的超新星爆发。

当恒星用光它们的核燃料时，来自恒星核心的核聚变的向外压力就会消失，恒星就会在其自身引力的作用下向内破裂。随着恒星核心向自己坍塌，整个恒星的温度急速上升，有的时候就会导致一场规模巨大的爆炸，爆炸将会吹散恒星的外层，整个过程就像一场精彩的太空焰火表演。这种爆炸的恒星就是超新星，一颗超新星可以在几个星期的时间里始终保持着几十亿个太阳的亮度。它绝对是令人难以置信的天文奇观：单独一颗星星就会像整个星系那么亮！不同种类的恒星——不同大小，不同原子丰度，等等——会导致不同种类的超新星爆发。天文学家在很多年前就认识到某种超新星爆发总是具有相同的固有亮度，而这就是Ia型超新星爆发。

研究Ia型超新星首先要知道白矮星。白矮星——耗光了自己的核燃料但自身却没有足够的质量来触发一场超新星爆发的星体——会从附近的伴星中吸收表面物质。当白矮星的质量达到一个特定的临界值——大约是太阳质量的1.4倍，它就会通过核反应变为超新星。这样的超新星爆发总是发生在白矮星达到其临界质量的情况下，所以这种爆发的特性，比如其固有亮度等，总是大体上趋于同一个值。而且，因为超新星的亮度远远不是100瓦的灯泡所能比拟的，所以你不但可以有一个准确可靠的亮度源，还能在宇宙中够清楚地看到它。故而它们可以被称为标准烛光的最佳候选者。[22]

20世纪90年代，两组天文学家分别由劳伦斯·伯克利国家实验室的索尔·派尔穆特和澳大利亚国家大学的布赖恩·施密特领导，决意通过测量Ia型超新星的远离速度测出宇宙的减速因子，从而测得宇宙的总物质或总能量密度。识别一次Ia型超新星爆发相对比较简单，因为超新星爆发所发出来的光总是急速增强然后又慢慢变弱。但是真正找到一颗Ia型超新星爆发却并不容易，因为在一个星系中，Ia型超新星爆发每几百年才出现一次。不过，通过利用视野广阔的望远镜同时观测数千个星系的这一革命性技术，两组天文学家在距离地球不同远近的地方发现了将近50次Ia型超新星爆发。耐心地从实验数据中计算出每一个超新星距离地球的远近及其远离速度后，两组天文学家得出了完全出乎意料的结论：宇宙在大约70亿岁后，膨胀率从未减速过。这也就相当于说，膨胀率一直在加速。

这两个实验组发现，宇宙在其大爆炸后的70亿年间一直在减速膨胀，就像路遇高速收费站的汽车一样。人们所预期的正是这样的事实。但是，实验结果同时也告诉我们，就像一通过收费站的读卡器就踩油门的司机一样，宇宙的膨胀也在差不多70亿年的减速后开始加速。大爆炸之后的第70亿年的膨胀率小于第80亿年的膨胀率，而第80亿年的膨胀率又小于第90亿年的膨胀率，依此类推，以前任意一个时期的膨胀率都要小于今天的膨胀率。人们所预期的空间减速膨胀变成了完全出乎意料的加速膨胀。

这究竟是怎么一回事呢？这个问题的答案就与物理学家们曾经问过的那丢失的70%的物质或能量密度有关。

丢失的70%

现在想想1917年爱因斯坦引入的宇宙常数，你所拥有的信息足以让你明白宇宙加速是怎么回事。普通的物质和能量产生普通的吸引性万有引力，这种引力会减慢空间的膨胀。但是随着宇宙的进一步膨胀，宇宙间的事物分散得更加厉害，因此使膨胀减速的引力就变得更弱了。这一下事情出现了转机。如果真的有一个宇宙常数的话——并且它的值又小得恰到好处的话——那它所产生的排斥性万有引力在大爆炸之后的70亿年内就会被普通物质所产生的吸引性万有引力盖过，其净效果就是减慢宇宙的膨胀，而这一点正与实验数据相符。随着时间的流逝，普通物质分散得更开，其所产生的引力也就更弱；这时，宇宙常数（其值并不因为物质分散而有所变化）所产生的排斥性万有引力就会逐渐占据上风，于是减速膨胀的时期让位于加速膨胀的时期。

于是，在20世纪90年代后期，根据上述的推理和对数据的深入分析，派尔穆特组和施密特组都认识到，爱因斯坦在80年前为广义相对论方程引入宇宙常数并不是一个错误。他们认为宇宙的确应该有一个宇宙常数。[23] 但是他们并不认同爱因斯坦提出的宇宙常数大小，其原因在于爱因斯坦所追求的是排斥性万有引力和吸引性万有引力彼此相消从而导致静止的宇宙，而派尔穆特和施密特等人需要的是在某些年间排斥性的万有引力要居于主导地位。虽然派尔穆特和施密特等人的发现还需要进一步的实验确认以及更加仔细的分析，但我们必须得说，爱因斯坦再一次预见了宇宙的基本性质，只不过这次足足花了80年才得以用实验验证。

超新星的远离速度取决于普通物质的吸引性万有引力和由宇宙常数所提供的“暗能量”的排斥性万有引力之间的差别。如果将普通物质的总量——可见不可见的都算上——算作临界密度的30%的话，超新星研究者们发现，宇宙常数的暗能量必须贡献出70%的临界密度才能使超新星的远离速度满足实验观测。

这是一个令人印象深刻的数字。如果真的是这样，那么我们就不仅仅有普通物质带给宇宙的那无足轻重的5%的物质或能量，以及现在还无法确知其成分的暗物质带给宇宙的25%的物质或能量，我们还将拥有遍布于整个空间的宇宙常数所导致的那全然不同又神秘莫测的暗能量所贡献的宇宙的大部分物质或能量。如果这些想法真的正确的话，那么哥白尼的学说将会神奇地扩充：不但我们所在的位置不是宇宙的中心，就连组成我们的物质也只是沧海一粟。即使将质子、中子、电子全都从宇宙中拿走，宇宙的总质量或总能量也不会减少多少。

除此之外，70%这个数字还有另外一个令人印象深刻的原因。将宇宙常数贡献的70%和普通物质及暗物质贡献的30%合在一起的话，宇宙的质量或能量正好100%符合暴胀理论的预言！因此，超新星的数据所展现出来的外推力正好可以用暗能量来解释；而要正确地解释超新星数据，暗能量就要正好贡献出宇宙中看不见的那70%的质量或能量；而这丢失的70%正好是一直令暴胀宇宙学家挠头的问题。所以，有关超新星的实验测量与暴胀宇宙学形成了美妙的互补关系。两者彼此印证，分别是对方的佐证。[24]

将观测结果与暴胀理论组合起来，我们就得到了如图10.6所示的宇宙演化图像。极早期的时候，宇宙的能量存在于暴胀子场中，这时的暴胀子场并没处于最低能量态。由于负压的作用，暴胀子场驱动了一场暴胀膨胀。在大约10^{-35}秒之后，暴胀子场滑落到其势能碗的最低处，暴胀阶段结束，暴胀子场释放出了蕴藏的能量，这些能量转化成了普通的物质和辐射。之后的几十亿年间，这些常见的物质所释放出来的吸引性万有引力使空间的膨胀不断减速。但是随着宇宙逐渐

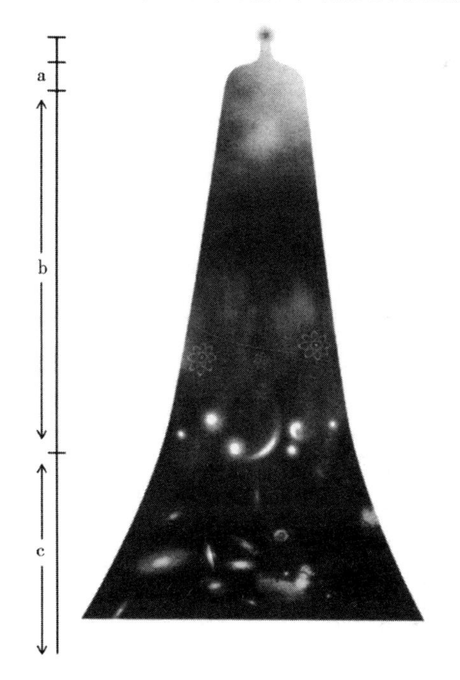

图10.6 宇宙演化的时间线。a. 暴胀。b. 标准的大爆炸演化。c. 加速膨胀时期

变得稀薄，这种排斥性的万有引力慢慢减小。时间到了距今大约70亿年前，普通的吸引性万有引力弱到了一定程度，这个时候来自宇宙常数的排斥性万有引力开始居于主导地位，于是空间的膨胀率开始上升。

距今大约100亿年的时候，除了离我们最近的一些星系，大部分星系都随着空间的膨胀而离我们远去，它们的速度快到超越了光速，所以我们无论使用什么样的望远镜都无法看到那些飞走的星系。如果这些理论真的是正确的话，那么到了遥远未来的某一天，宇宙将会变成巨大、空荡、毫无生气之所。

谜题与进展

有了这些发现之后，看起来我们已经解决了宇宙学中的种种疑难。标准大爆炸宇宙学不能回答的问题——是什么使空间向外膨胀？微波背景辐射的温度为什么一样？为什么空间看起来是平坦的？——被暴胀宇宙学一一解答。但即使这样，有关基本起源的困难问题仍然存在：暴胀之前是否还存在着某个时期？如果是的话，这一时期的宇宙是什么样子？是什么使暴胀子场离开它的最低能量态从而触发了一场暴胀？还有一个最新的问题，宇宙为什么会由这些好不般配的成分——5％的普通物质，25％的暗物质，70％的暗能量——组成呢？要是不考虑这样的宇宙成分极好地符合了暴胀理论关于宇宙要有100％的临界密度的预言，也不考虑暴胀理论还同时解释了在超新星的研究中所发现的宇宙膨胀的话，大多数物理学家都会觉得这种大杂烩似的组合毫无吸引力可言。很多人都会问：宇宙为什么会有这么复杂的组成呢？为什么这些全然不同的成分的比例会如此随机呢？

是不是有什么深层理论可以解释这些问题呢？

现在还没有人就这些问题提出令人信服的解释。正是这些问题和另一些紧迫的研究问题推动着当前的宇宙学研究；这些问题的存在时刻提醒着我们，在宣称我们已经完全理解了宇宙的起源之前必须解开这些混乱的结。不过，要是不考虑遗留的这些艰巨挑战，暴胀理论可算是当前最为成功的宇宙学理论。固然，物理学家们对暴胀理论的信心基于我们在本章中讨论过的那些成功之处。但是，暴胀理论并不仅仅有这些成功之处，人们对它的信心随着越来越多的发现而越来越足。我们将在下一章中看到，许多其他考虑因素——既有来自实验观测上的也有来自理论上的因素——同样会使工作在这一领域的物理学家们相信，暴胀理论是我们这一代物理学家对宇宙学所做的最重要、最持久的贡献。

第11章 缀满钻石的天空中的量子[1]

暴胀、量子涨落与时间之箭

暴胀理论的发现开启了宇宙学研究的新纪元，在那以后的20年间，关于这一方面的研究论文数以千计。科学家们搜遍了这个理论的犄角旮旯，他们的细致程度远超你的想象。尽管很多科学家在这方面的工作更多关注的是技术上很重要的细节，但还是有一些科学家走得很远，他们发现，暴胀理论并不仅仅能用来解释标准大爆炸宇宙学力所不及的那些宇宙学问题，还能够为很多老问题带来强有力的新办法。在这些老问题中的3个——星系之类的团状结构的形成，造就我们今日所见的宇宙究竟需要多少能量，以及（在我们的故事中最重要的一个问题）时间之箭的起源——上，暴胀理论取得了实实在在的，按某些人的说法甚至是令人叹为观止的进展。

让我们一起来看看。

用量子语言写的空中文字

暴胀宇宙学对视界疑难和平坦性疑难的解释只是其盛名的开始。

1. Beatles的一首歌曲，名字就叫作《缀满钻石的天空中的露西》（*Lucy in the Sky with Diamonds*）。——译者注

我们已经看到，这两个成就曾是它的主要贡献。但是随着时间的推移，越来越多的物理学家相信暴胀理论的另一项成就的重要性可能不亚于其在视界疑难和平坦性疑难这两个问题上的贡献。

这个重要的成就与一个到目前为止我还没有提请你注意过的问题有关，这个问题就是：星系、恒星、行星，或者其他一些宇宙中的团状结构究竟是怎么形成的呢？在前面的3章中，我们关注的一直是宇宙学意义上的大尺度，在这样的尺度上宇宙表现出来的是同一性；这一尺度如此之大，以至于我们可以将一个星系看作一个H_2O分子，而将整个宇宙看作一杯水。但是，宇宙学的研究不可能永远不触及星系之类的团状结构，随着我们的研究尺度变得越来越“精细”，我们早晚会问到有关星系的问题。于是，我们又遇到了一个谜题。

如果宇宙真的光滑均匀且在大尺度上各向同性的话——这是宇宙学的观测告诉我们的事实，所有有关宇宙学的理论其核心必是如此，那么小尺度上的团状结构是怎么出现的呢？标准大爆炸宇宙学的忠实信徒对这个问题不屑一顾，他们再一次用精细调节宇宙的初始条件来解决问题，他们会这样说：“极早期的宇宙大体上是均匀各向同性的，但是这种均匀性并不完美，在某些地方会有小小的疙瘩存在。至于为什么会这样，没有人知道，但当时的确就是如此。随着时间的推移，这些小疙瘩会逐渐变大，因为它们会比附近的环境具有更强的引力，因此会慢慢地把物质聚拢过来而变得越来越大。最终，这些小小的疙瘩变成了恒星、星系这样的结构。”乍看之下，这样的解释还算合理，可惜它有两大缺陷：这种说法既没能够解释初始时候为什么会有大体上的均匀性，也没能够解释为什么还有小小的但非常重要的不均匀性。这两个问题的存在，正好给了暴胀理论大显身手的机会。在前面的章节中我们已经讨论过暴胀理论是如何解释大尺度上的均匀性，现在我们来看看暴胀理论是如何对付另外一个问题的。在暴胀宇宙学中，最后导致恒星与星系形成的初始不均匀性来自量子力学。

这一重要的思想来自两种貌似毫不相干的物理学理论——空间的暴胀膨胀和量子力学的不确定原理——的相互影响。不确定原理告诉我们，宇宙中各种互补的物理性质的不确定度之间总有某种微妙的平衡。我们最熟悉的例子与物质有关（参见第4章）：我们将一个粒子的位置测得越精确，对该粒子速度的测量就会越不精确。除物质外，不确定原理还可以应用于场。类似于对物质的有关讨论，我们也可以根据不确定原理知道，空间中某一位置处某种场的值测得越准，该场在这点的值的变化率就测得越不准（在量子力学中，粒子的位置与位置的变化率——速度——构成一对互补关系，同样的，空间中某点的场值与该点处场值的变化率也构成一对类似的互补关系）。

我喜欢这样总结不确定原理：简单地说，量子力学使事物躁动不安。如果我们不能完全搞清楚一个粒子的速度，我们就没法知道它在下一时刻的位置，因为这一时刻的速度决定下一时刻的位置。在某种意义上说，粒子的速度可以取任意值；或者更确切地说，粒子处于多种速度的混合状态，因而粒子会处于毫无规律的狂乱运动状态。场的情况与此类似，如果我们不能将场值的变化率完全确定下来，我们就确定不了场值在下个时刻的大小。在某种意义上说，场以或这或那的速度上下起伏；或者更准确地说，我们可以假定场处于各种各样的改变率的混合状态，因而其值处于混乱随机的涨落之中。

在日常生活中，我们完全感觉不到粒子或场的量子涨落的存在，之所以如此是因为量子过程发生在亚原子尺度上。而我们知道，暴胀对亚原子尺度有很大的影响。突然而至的暴胀膨胀将空间拉伸到一个大得难以想象的程度，原本存在于微观尺度上的一切突然暴露在宏观尺度上。暴胀宇宙学的先锋们[1] 率先认识到，不同空间位置的量子涨落之间的随机差别会导致微观尺度上存在极小的不均匀性；由于无迹可循的量子效应，某一位置的总能量可能会和另一位置的总能量有所不同。于是，到了空间暴胀的时候，这些微小的差别就会被放大到量子尺度之外，从而导致团状结构出现；这就好像我们吹大了气球的时候会看到上面本来看不清的小图案。物理学家们相信，标准大爆炸理论的忠实信徒无法证明而只是简单地归结为“当时就是那个样”的团状结构的起源正是上面解释的那样。暴胀宇宙学用不可避免的量子涨落的放大效应解释了一切：暴胀将量子涨落所带来的微小不均匀性放大到整个星空。

短暂的暴胀时期过后，这些小小的团状结构在接下来的几十亿年间由于引力的作用而继续增长。就像标准的大爆炸宇宙学描述的那样，由于团状结构比其周围的环境更加密实，因而有更强的引力，它们可以将周围的物质慢慢吸引过来，从而使自身变得更大。最后终于有一天，这些团状物质大到了一定程度，恒星、星系也就形成了。毫无疑问，小小的团状结构最终发展成星系要经历数不清的详细步骤，而我们对于其中的很多仍不了解。但是我们已经了解了整体框架：量子世界中，由不确定原理带来的量子涨落使得世间万物都不能保持完美的均匀性。对于经历过暴胀的量子世界来说，这种小尺度上的不均匀性将被放大成大尺度上的不均匀性，这种不均匀性会在未来的某一天导致星系之类的天体的形成。

基本思想就是这样，不想深究这个问题的读者可以略过下面的几段。但对于那些感兴趣的读者，我很愿意再进一步深入探讨一下。我们首先回忆一下前面讲过的内容：暴胀阶段结束的时候，暴胀子场的值将落到其势能碗的最低位置，蕴藏在暴胀子场中的能量和压强将全部释放出来。我们曾经说过，在整个空间中情况都是如此——暴胀子场不管在这里还是那里经历的都是相同的演化过程——这是我们从方程中自然得出的结论。不过，这种情况仅当我们略去量子效应时才严格成立。平均来说，暴胀子场的值的确会跌落到势能碗的最低位置，就像球会从斜面上滚落一样。但是，就像从碗中滑下来的青蛙可能会到处乱蹦，暴胀子场也会由于量子力学的不确定原理而处于随机涨落的状态。在场值降低的这个过程中，某些地方的值可能突然升高一下，另一些地方的值又可能突然比周围的值降得更低一点。正因为有这种量子涨落存在，不同位置的暴胀子场可能会在不同的时刻降至最低能量。也就是说，暴胀过程在空间中不同位置的结束时间可能有所不同，这样的话，不同位置处的空间膨胀率就有可能有微小的差别，由此造成的不均匀性——就像褶皱一样——有点类似于比萨师傅揉面团时着力不均而造成的凸包。人们一般认为，相比于天文学尺度，来自量子力学的涨落通常会因为太小而微不足道。但是在暴胀理论中，空间的膨胀倍数如此之大——每10^{-37}秒就能膨胀1倍，以至于临近位置在暴胀时间上的微小差别都会导致巨大的空间褶皱出现。事实上，人们在某些具体的暴胀模型中所做的计算表明，按这种机制产生的不均匀性可能有点太大了；所以有的时候研究人员非得仔细调节相关参数不可，要不然的话，理论所预言的宇宙可能会显得比实际情况臃肿得多。总之，暴胀宇宙学的确为我们带来了一种现成的机制，使我们得以理解小尺度上的不均匀性如何使得一个在最大尺度上看似均匀的宇宙中出现了恒星和星系这样的团状结构。

暴胀宇宙学告诉我们，遍布于整个天空如钻石般闪亮的那一千多亿个星系不是别的，正是量子力学在天空中的自我展示。对于我来说，这样的认识简直就是现代科学中最伟大的奇迹。

宇宙学的黄金时代

用卫星对微波背景辐射温度所做的细致入微的观测为上节讨论的那些思想提供了奇迹般的证据。我已经反复强调过，天空中各处的辐射温度彼此符合得很好。但我没有提过的是，这种符合只能到小数点后的第4位，实际上，不同位置的辐射温度有微小的差别。精确的实验观测——最早由1992年的COBE（宇宙背景探测器）完成，近年来的WMAP（威尔金森微波各向异性探测器）也贡献不菲——告诉我们，空间中某处的温度可能是2.7249开，另外的地方可能是2.7250开，还有的地方可能是2.7251开。

奇妙的是，天空中这种极其微小的温度变化竟有规律可循，而这种规律性又可以用解释天体形成的同一机制——暴胀过程将量子涨落放大——加以解释。简单地说就是，微小的量子涨落遍穿天际，这种涨落使得空间中的某处可能稍热一点，另一处又稍冷一点（来自稍密实些区域的光子必须用更多的能量来克服引力的作用；因此，相对于来自稍疏散区域的光子，这些光子的能量和温度要稍微低点）。以这样的观点为基础，物理学家们做了精细的计算，并根据计算结果预言了微波背景辐射温度随位置变化而变化的情况，如图11.1（a）所示（细节并不重要。图中横轴所示的是天空中两点的角度差，水平轴表示的是两点间的温度差）。图11.1（b）表示的是实验数据与理论预言之间的对比，其中黑点表示的是从卫星上得来的观测数据，我们可以看到，理论与实验符合到令人难以置信的程度。

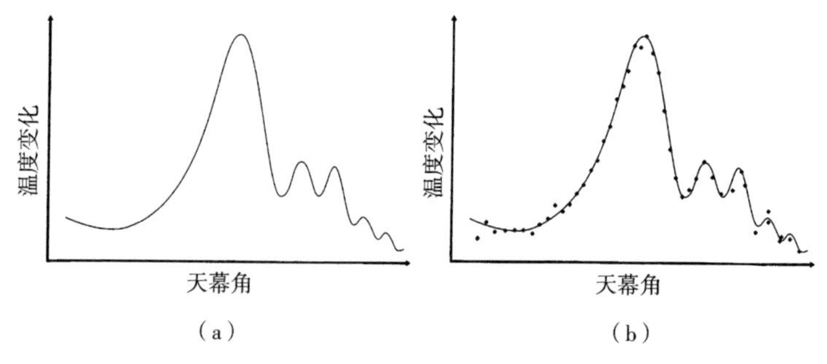

图11.1 （a）暴胀宇宙学所预言的微波背景辐射在天空中不同位置处的温度变化。（b）用来与理论预言对比的卫星实验观测数据

我希望你已经被实验数据和理论预言的符合程度深深触动，因为如果不是那样的话，就意味着我没能很好地传递出这一结果的神奇之处。所以，为以防万一，我还是再来强调一下这到底意味着什么。近年来，人们利用安装在卫星上的望远镜测量了微波光子的温度，这些光子已经朝我们飞了大约140亿年，其间并未受到任何阻碍。人们发现，来自空间中不同方向的光子具有几乎一样的温度，这些光子在温度上的差别只有千分之几的量级。而且，人们从观测数据中发现，来自不同方向的光子之间的微小差别具有某种特定的规律，这种差别上的规律性可以用图11.1（b）中的黑点表示。而最神奇的地方在于，今天的人们可以在暴胀理论的框架下利用理论计算来解释这些微

小的温度差——要知道，这种温度差可是在140亿年前就确定下来的——的规律性；而且，追本溯源，我们发现，这种解释的关键竟与量子力学的不确定原理有关。太神奇了，难道不是吗？

这一成功使很多物理学家相信暴胀理论的有效性。而且，同样重要的是，这样或那样的精确天文学观测（近年来才逐渐得以实现）使宇宙学从只能依靠假想与猜测的时期逐步过渡到有坚实实验基础的成熟时期，一个令工作在这一领域的科学家们兴奋万分的黄金时代即将到来。

创造一个宇宙

有了这样的一些进展，物理学家们已经等不及要看看暴胀宇宙学到底能走多远了。比如说，物理学家们很想知道，暴胀理论是不是能够回答莱布尼茨所提出来的终极问题——为什么会有宇宙存在？以我们现在的理解水平，这个问题可能太大了。即使某一宇宙学理论真的在这个问题上有所进展，我们也可以问，为什么会有这样一种特别的理论？它的假设、参数、方程都是哪来的？这样的话就仅仅算是把这个终极问题又往后推了一步。除非只依靠逻辑本身我们就能够要求宇宙存在，并且要求宇宙只能被唯一的一组方程和参数掌控，这样的话或许我们才会满意。但到目前为止，这还只能算是一场白日梦。

与此相关但没这么含糊不清的一个问题在各个年代都会被人们问到，这个问题就是：组成宇宙的质量或能量究竟来自何方？对于这个问题，暴胀理论尽管不能完全回答出来，却能带来一些新的灵感。

在探讨这个问题之前，我们先来想象一个巨大但柔软的盒子，这个盒子中满是跑跳不休的小孩子。这个盒子密封得很好，绝对不会散发热量或能量。但是整个盒子很柔软，它的墙壁甚至可以向外移动。孩子们不停地撞向墙壁——每次几百个孩子一起撞过去，一拨之后马上就是另一拨——这样一来，盒子就会慢慢膨胀。于是，你可能会想，由于盒子完全密封，孩子们的总能量会完全驻留在盒子内。要不然的话，那些能量还能去哪呢？这样的想法虽然貌似合理，但实则不然。能量还是*有*地方去的。孩子们在每次撞击墙的过程中都会消耗能量，这些能量的大部分都转化成了*墙的移动*。正是盒子的膨胀吸收消耗了孩子们的能量。

现在，孩子中的调皮鬼们打算换个玩法。他们用大量的橡胶带将彼此相对的两面墙钩住。这样一来，橡胶带就会对墙产生一个向内的负压力，这种负压力的作用效果正好与孩子们撞击墙的作用效果相反；这样设置的橡胶带不但没有将能量传递给盒子用以膨胀，相反的，橡胶带的负压还能“消化”膨胀的能量。随着盒子的膨胀，橡胶带也越拉越紧，而橡胶带越紧就意味着蕴藏于其中的能量越多。

当然，我们真正感兴趣的并不是膨胀的盒子，而是膨胀的宇宙。充满空间的也并不是孩子们和数不清的橡胶带。根据我们的理论，在宇宙演化的不同时期，空间中充满的是均匀的暴胀子场或是普通物质粒子（电子、光子、质子，等等）。但是，简单分析一下之后，我们就可以将从盒子的故事中得出的结论应用于宇宙。快速运动的孩子们会承受盒壁由于膨胀而向内施加的力，宇宙中快速运动的粒子也会承受宇宙由于膨胀而施加的向内的力：这种向内的力就是万有引力。根据这段分析（数学上也是如此），只要将万有引力替换为盒子的墙，我们就可以将宇宙类比为盒子。

因而，正如孩子们所拥有的总能量会在盒子膨胀的时候不停地转变为墙的能量而损失，普通的物质粒子和辐射所携带的能量也会在宇宙膨胀的时候不断地*转化为引力*而损失。此外，正如调皮鬼们的橡胶带会在膨胀的盒子内施加负压，均匀的暴胀子场也会在膨胀的宇宙内施加负压。所以，就像橡胶带的总能量会随着盒子的膨胀而增加，因为橡胶带可以从盒子的墙中抽取能量；暴胀子场的总能量也会随着宇宙的膨胀而增加，因为它可以从*引力中获得能量*[1]。

总而言之：随着宇宙膨胀，物质和辐射的能量遗失给引力，而暴胀子场则从引力那里获得能量[2]。

当我们试图解释构成星系、恒星或者宇宙间其他天体的物质和辐射的起源时，这种看法的重要性就会变得非常明显。按照标准大爆炸理论的说法，物质和辐射所具有的质量或能量会随着宇宙的膨胀而减少，因此，早期宇宙中的物质或能量远比今天我们所能看到的多。但

1. 橡胶带这个例子虽然很方便地说明了问题，但是有其不完美之处。橡胶带所施加的向内的负压阻碍了盒子的膨胀；而暴胀子场的负压则推动了宇宙的膨胀。两者之间的这一重要区别正好折射出了我们在上一章的第一节末尾强调过的问题：在宇宙学中，驱动空间膨胀的并不是均匀的负压强（只有压强差才会产生力的效果；均匀的压强，无论正负，都不会产生力的效果）。压强和质量一样，都会贡献出引力。负的压强贡献出的是排斥性的万有引力，驱动空间膨胀的正是这种排斥性的万有引力。不过这一点并不影响我们的结论。

2. 宇宙膨胀的时候，光子的能量损失可因为其波长的变长——所谓的*红移*——而得以直接观测到，光子的波长越长，其能量损失也就越大。微波背景中的光子就经历了差不多140亿年的此类红移，而这正好解释了它们的很长的——还是微波——波长和低温。物质经历与此类似的动能（由于粒子运动而具有的能量）损失，但是束缚于粒子质量中的总能量（其静止能量等于粒子静止时所具有的能量）并不变化。

是这样一来的话，标准大爆炸理论不但没能解释宇宙中现存的所有物质或能量的起源，还使自身陷入一场永无希望取胜的战斗中：越是早期的宇宙中，存在着越多的质量或能量等着标准大爆炸理论解释。

但是在暴胀理论中，一切恰恰相反。还记得吗？根据暴胀理论，物质和辐射产生于暴胀阶段的末期，这个时候的暴胀子场从势能碗的高处跌落到最低能量处，并且释放出所蕴藏的全部能量。因而，人们就要问暴胀理论是否能够解释这样的问题：在暴胀阶段结束的时候，暴胀子场如何才能产生足够多的物质或能量以符合今日宇宙中的物质和辐射的量？

这个问题的答案是：暴胀理论不费吹灰之力就能做到这一点。我们之前已经解释过，暴胀子场就像引力的寄生虫一样——以引力为食——所以暴胀子场所具有的总能量会随着空间的膨胀而增加。或者更准确地说，数学分析表明，暴胀子场的能量密度在整个暴胀时期保持不变，这就意味着暴胀子场所具有的总能量正比于暴胀子场弥漫于其中的空间的大小。我们在前面的章节中已经看到，宇宙的尺寸在暴胀时期将至少膨胀10^{30}倍，这意味着宇宙的体积将至少膨胀$(10^{30})^3=10^{90}$倍。所以，暴胀子场所具有的总能量增加了同样的倍数——10^{90}倍：当暴胀阶段趋于终结的时候，也就是在暴胀开始后的大约10^{-35}秒，暴胀子场总能量至少增加了10^{90}倍。这就意味着，一旦暴胀过程启动，即使暴胀子场最初所拥有的能量并不很多，它也会由于膨胀而将自身所拥有的能量放大到极大的地步。简单的计算告诉我们，即使暴胀子场最初填满的空间长度只有10^{-26}厘米，其重量不过20磅，它通过暴胀获得的能量也将多到足以解释今日宇宙间的一切物质之起源。[2]

因而，不同于标准大爆炸理论所给出的解释——这一解释将导致早期宇宙中的总物质或总能量多到无以言表；暴胀宇宙学，从最初微小的空间上以20磅的暴胀子场起家，通过不断地“挖掘”引力，制造出了今日宇宙的全部普通物质和辐射。当然，这绝不意味着暴胀理论回答了莱布尼茨的终极问题——为什么是存在一个宇宙而不是相反，因为我们还没能够解释为什么会有暴胀，甚至为什么会有空间存在。但是我们无法利用暴胀理论解释的东西已经只有20磅——甚至比我的狗洛基还轻，而这一点显然是标准大爆炸理论根本做不到的。[1]

暴胀，平滑性与时间之箭

或许我的狂热早已出卖了我，或许已经有读者们感觉到我的偏心了。但是说真的，在所有的当代科学进展中，人类在宇宙学领域所取得的成就最令我敬畏。看起来我永远都无法忘怀许多年前第一次读广义相对论时的那种迫不及待的心情了；就是在那个时候，我第一次认识到，原来我们可以利用广义相对论，从时空中我们所在的这小小角落出发，来了解整个宇宙的演化。几十年后的今天，技术的进步已经将过去只能抽象讨论的早期宇宙演化问题付诸实践检验，而我们也已看到，理论竟然*真的有用*。

1. 艾伦·古斯和艾迪·法依等多位研究人员已经探讨过在实验室中通过合成一小块暴胀子场从而创造一个宇宙的可能性。其中的麻烦之处并不仅仅在于我们还没能在实验上发现暴胀子场这一事实，还在于我们很难将重20磅的暴胀子场填充到边长不足10^{-26}厘米的空间内，要知道这样导致的密度将非常巨大——大约是原子核密度的10^{67}倍——这一水平已经远超我们现有的实验能力。我们不但现在做不到这样的事情，很可能在将来也做不到。

还记得吗？我们曾在第6章和第7章中讨论过，宇宙学的研究除了能令我们知晓时间和空间故事外，还能给我们以另外的启迪：帮助找到时间之箭的源头。通过那几章的讨论我们发现，关于时间之箭唯一可靠的一点是早期宇宙必定高度有序，也就是说，早期宇宙的熵必须极低；这个时期的熵将决定未来的熵的量，而宇宙必定会向着熵增的方向演化。要是人们根本就没有按照顺序装订好《战争与和平》这本书，那么书的页码就没法被弄乱，因为它本来就是乱的；同样的，早期宇宙若不是处于高度有序的状态，后来的宇宙所处的状态也没法变得更加无序——比如牛奶溅落、鸡蛋破碎、人们变老这样的无序状态——因为它本来就处于无序状态。于是我们的问题来了，高度有序的低熵状态究竟是怎么开始的呢？

在这个问题上，暴胀宇宙学可以派上用场。但在我们深入讨论之前，先让我来更加详细地说一说问题本身，以防止某些重要的细节逃过了你的眼睛。

因为有过硬的证据存在，大部分人都相信这样一点：在宇宙的早期历史中，物质均匀地遍布于空间。但是一般来说，这就意味着早期宇宙处于高熵状态——就像可乐瓶中的二氧化碳分子均匀地分散于房间内一样——而我们则很难解释这一点。不过，如果我们将引力也考虑进来的话——讨论整个宇宙的时候当然应该考虑引力——我们就得说，物质均匀分布的状态实际上是一种高度有序的低熵状态，因为引力原本会使物质聚团。与此类似，光滑均匀的弯曲空间也处于一种低熵的状态；相比于崎岖不平的弯曲空间，光滑的弯曲空间可算是高度有序（这就好比使《战争与和平》的页码有序的编号只有一种，但是使其页码混乱的编号却有很多种；空间也是这样，崎岖不平、怪模怪样的空间形状可有很多种，有序、光滑、均匀的空间形状可并不多）。于是就有一道难题留给了我们：为什么早期宇宙会处于一种物质均匀分布的低熵（高度有序）状态，而不是物质聚团分布——就像各种各样的黑洞——的高熵（高度无序）状态呢？为什么空间会异常准确地按照光滑、有序、均匀的形状弯曲，而不是按照皱皱巴巴——也好比黑洞那样——的形状弯曲呢？

保罗·戴维斯和堂·佩奇首先就这个问题进行了仔细的研究。[3]他们发现，暴胀宇宙学在这一研究中发挥了至关重要的作用。要看清这一事实，我们首先得记住这样一点，我们所讨论的这一问题基于这样一个假设，即物质一旦在某处聚团，就会形成较大的万有引力，从而吸引更多的物质聚拢过来；对应来说，空间中的某处一旦形成褶皱，就会产生更大的引力，从而使得褶皱更为严重，进而导致空间高度不均匀地弯曲。总之，将引力也考虑进来的话，物质聚团、空间出现褶皱才是高熵的状态。

但是我们也得知道，上述的推理过程依赖于这样一个假设：普通的万有引力是一种*吸引力*。物质聚团也好，空间出现褶皱也罢，它们的出现都是因为有更强的万有引力，能够把周围的物质吸引过来。但是暴胀阶段的万有引力是一种*排斥性*的力，所以这一阶段的情况会有所不同。比如说空间形状。排斥性万有引力那巨大的外推力会驱使空间迅速膨胀，从而拉平初始时的褶皱；这一过程有点像给气球吹气：

开始时皱皱巴巴的气球，吹足了气后就会鼓起来，从而变得光滑了。[1] 而且，空间的体积在暴胀时期膨胀的倍数非常之巨大，因而使得聚团物质的密度大大减小了。我们可以这么想象这一情况：或许你养的鱼数目比较多，而你的鱼缸又不大，因而看起来那些可爱的小东西总是挤来挤去的，但如果把你的鱼缸换成奥运比赛所用的游泳池，那么这些小鱼就再也不会感到拥挤了。总之，虽然吸引性的万有引力使得物质聚团，空间出现褶皱，但是排斥性的万有引力则正好相反：它会消除这些效应，使宇宙变得光滑、均匀。

因而，暴胀时期结束的时候，宇宙的尺度变得难以想象的巨大，空间中的褶皱都被拉平了，原本聚团的物质也被冲散了。而且，随着暴胀子场滑落到势能碗的最低处，暴胀膨胀接近尾声，暴胀子场所蕴藏的能量将会释放出来，在整个空间中均匀地填满普通的物质粒子（虽然直到很小的尺度这种均匀性仍然存在，但是在更小的尺度上会出现量子涨落带来的不均匀性）。总之，我们已经前进了一大步。我们通过暴胀理论所得到的结果——*均匀地分布着物质的光滑而均匀的空间*——正是我们试图解释的东西。要想解释时间之箭，我们需要的正是这种低熵的初始状态。

1. 不要在这里搞糊涂了：我们在上一节讨论过的量子涨落的暴胀放大效应仍然会导致空间具有不均匀性，只不过这种不均匀性大概只有十万分之一那么点。这样小的不均匀性不会消除宇宙整体上的光滑性。我们现在讨论的是宇宙的这种整体上的光滑性是怎么出现的。

熵与暴胀

事实上，这一进展意义非凡。但是有两个问题还没有弄清。

首先，看似我们得到了这样的结论：暴胀膨胀使空间变得光滑，物质分布变得均匀，所以暴胀过程中总的熵似乎降低了，但这就意味着出现了某种破坏热力学第二定律的物理机制——而不是统计上的意外那么简单。要真是这样的话，那么不是热力学第二定律错了就是我们的推理错了。但实际上，我们并不需要面对这样的两难选择，因为总的熵并没有随着暴胀过程的发生而有所下降。真实的情况是，暴胀发生的时候，总的熵会有所增加，只不过*增加的总量比我们原本以为的量要少得多*。你已经知道，暴胀阶段结束的时候，空间会被拉扯得非常光滑，因而引力对熵的贡献——物质越是聚团、无序，空间越是不光滑，这种熵就越大——达到最小值。但是，暴胀子场在滑到其势能碗最低位置的时候，会释放出巨大的能量，这些能量会产生出数目惊人的物质——大约10^{80}个物质粒子与辐射。这些粒子的数目如此巨大，就像一本页数奇多的书一样，带来的熵不容小视。这样一来，即使引力熵有所降低，新产生的这些粒子带来的熵也足以补偿这种降低。因而，总的熵，正如我们根据热力学第二定律预料的那样，实际上增加了。

但是很重要的一点是，暴胀膨胀虽然平滑了空间而且保证了一个各向同性、均匀、低熵的引力场，但同时也使得引力场实际贡献的熵与本应贡献的熵之间*产生了一条巨大的鸿沟*。虽然在暴胀过程中总的熵增加了，却比*本来应该*增加的数量少得多。在这层意义上，我们可以说暴胀过程导致了一个低熵的宇宙：暴胀结束的时候，熵的确是增加了；但是增加的量并不是空间膨胀过程中的熵增量可比的。如果我们将熵比作财产税，那么暴胀过程就相当于纽约将撒哈拉沙漠纳入自己的版图：这样一来，总的税收自然是增加了，但是这种税收上的增加同面积上的增加完全不可比拟 —— 面积惊人的撒哈拉沙漠只能贡献那么可怜的一点税收。

暴胀阶段一结束，万有引力就开始追讨那笔缺少的熵差。万有引力从空间不均匀性（当初量子涨落带来的小小不均匀性所埋下的种子）中聚集起来的每一块物质团 —— 不管它是星系、恒星、行星，还是黑洞 —— 都在增加着自身的熵，都在帮助万有引力实现它本该有的熵。考虑到这层意义，我们可以说，暴胀是这样一种机制：它制造了一个巨大的宇宙，却只给了这个宇宙很少的一点引力熵，从而为接下来的几十亿年间的引力聚集做好了铺垫，我们今日见证的正是这一结果。所以，暴胀理论为时间之箭找到了方向：它首先为时间之箭安排了一个极低引力熵的过去；然后，时间之箭的未来就是熵增的方向。[4]

我们沿着第6章中讨论过的时间之箭所引导的方向走下去的话，就会遭遇第二个问题。从一个鸡蛋我们想到了生蛋的鸡，从生蛋的鸡想到了鸡吃的饲料，又从鸡吃的饲料想到了太阳的光和热，再从太阳的光和热想到了大爆炸中均匀分布的原初气体。就这样，我们随着宇宙的演化回到了高度有序的过去，在旅程的每一个阶段我们都把低熵之谜留给了更古远的一个阶段。通过刚刚结束的讨论，我们认识到更早的暴胀膨胀阶段可以自然地解释大爆炸之后的光滑性和均匀性。但暴胀本身是怎么回事呢？我们能否解释这一串推敲的最初一环呢？我们最终能否解释为什么恰好存在暴胀膨胀发生的条件呢？

这个问题极为重要。不论暴胀理论能够解释多少谜题，只要暴胀理论没法发生，一切的讨论都是白费工夫。而且，由于我们无法回到过去直接看一看暴胀是否真的发生过，若想评判我们在为时间之箭设定方向方面是否取得了真正的进展，就要弄清楚达成暴胀膨胀所需的必要条件其可能性究竟有多少。换句话说，物理学家们对标准大爆炸理论依赖于精细调节成各向同性的初始条件非常不满，因为如此设置初始的动机仅来自实验观测，而不是理论自身的要求。简单地为早期宇宙假定一个低熵状态令人难以满意；同样的，不经解释就直接将时间之箭安插到宇宙中也令人不安。乍看之下，暴胀理论取得了一些进展，使我们了解到标准大爆炸理论中假设的一些东西实际上来自暴胀演化。可如果暴胀理论的启动也需要其他一些非常特别、极端低熵的条件，那我们岂不又回到原点了？我们只不过将大爆炸理论的特殊条件转换成了点燃暴胀的必要条件，而时间之箭的谜仍旧是个谜。

那么，暴胀发生的必要条件是什么呢？我们已经知道，暴胀子场的值只要在某段时间内在某个很小的区域内停留在势能碗的某一高地上，暴胀过程就将不可避免地发生。因此，我们的目标就是找出这种初始状态实际发生的可能性。如果最终发现这种初始条件很容易满足，我们就应该相信暴胀很可能实际发生过；但是，如果这种必要条件很难实现，我们就只好把有关时间之箭的问题再推迟一步作答——因为我们必须得先解释清楚启动一切的暴胀子场低熵状态是如何形成的。

在下面的讨论中，我将首先为大家讲讲在这个问题上已经理解得比较好的一面，然后再来谈谈有关这个问题人们还不清楚的地方。

玻尔兹曼的回归

我在前面的章节中曾经说过，我们最好将暴胀过程视作一次发生在已存在的宇宙中的事件，而不是将其视作一次创造宇宙的事件。虽然我们仍无法对前暴胀时期的宇宙形态给出一个无可争辩的说明，但还是让我们一起来看看在假定一切都处于完全平常的高熵状态下，我们能前进多少。为明确起见，让我们将原初的前暴胀时期的空间想象成坑坑洼洼的样子；相应地，暴胀子场高度无序，其场值就像热锅中的青蛙一样跳来跳去。

如果你在一台没有作弊的角子机上耐心地玩下去，早晚有一天会转出3颗钻石；原初宇宙的高能量的狂暴状态迟早也会由于偶然的涨落而使小块空间中暴胀子场的值跳到正确、不变的位置上，从而诱发暴胀膨胀的爆发。如我们在前面的章节中解释的那样，计算表明，只需要有很小块的空间——只需要10^{-26}厘米见方——就能确保宇宙膨胀（紧随暴胀膨胀的标准大爆炸膨胀），将空间拉扯到比我们今日所见宇宙大很多的地步。因而，根本不需要预先假定或者简单断言早期宇宙的条件正好适合暴胀膨胀发生，按这种方式思考的话，只要有一块20磅重的东西有超微观涨落发生，周围只需是普通、平淡无奇的无序环境，就能产生暴胀所需的必要条件。

而且，正如角子机会转出大量不能赢的结果，在原初空间的其他区域上也有其他种类的暴胀涨落发生。大多数情况下，这些涨落不会是正好的值，也不会足够均匀以使暴胀膨胀得以发生（即使在10^{-26}厘米见方的区域中，不同位置处场值间的差异也将极其巨大）。但对我们来说重要的是，只要有那么一小块空间能够诱导暴胀发生就行，它将成为低熵链上最初的一环，并会最终将我们带到熟悉的宇宙。因为我们所看到的只有这么一个大宇宙，我们也就只需要宇宙这台大角子机成功一次即可。[5]

我们一路追寻宇宙的踪迹，发现了来自原初混沌的统计涨落，对时间之箭的这一解释与玻尔兹曼的原始想法有异曲同工之妙。回想第6章，玻尔兹曼认为我们今天看到的一切，来自虽然不多但偶尔会有的总体无序中的涨落。而玻尔兹曼原始理论中的问题在于，偶然的涨落为什么会这么离谱，制造出了一个过度有序的宇宙，而本来不需要如此高度有序即可符合我们的生活所知。宇宙为什么会如此之大，存在着数以亿计的星系，而每个星系中又有数以亿计的恒星？宇宙为什么不走捷径呢？比如说，就制造出少数几个星系，甚至根本就只制造出一个星系。

从统计的观点看，较为温和的偶然涨落——带来一定程度的有序，但又不像我们今日看到的那么多——更是远远不可能。而且，因为平均说来熵是在增加的，所以玻尔兹曼的论证表明，我们所见的一切很有可能才刚刚得自于向着低熵态的偶然统计跃迁。回忆一下这是为什么：越靠近统计发生之时，所必须有的熵就越低（熵，一旦落到很低的位置，就要开始上涨，如图6.4所示。因而，如果涨落昨天发生，熵就落到昨天该有的位置，如果涨落10亿年前发生，熵就落到

10亿年前该有的更低位置）。因而，时间越靠后，所需要的涨落就越不可思议、越不可能。所以，向着低熵态的跃迁很有可能才刚刚发生。但是，如果我们接受了这种结论，我们就没法再相信记忆、记录，甚至当前讨论背后的物理定律——而这是我们无法忍受的。

玻尔兹曼思想的暴胀化身的巨大优点在于，早期的一小点涨落——在极小块空间内，到所需条件的适度一跃——将不可避免地导致我们所熟知的巨大且有序的宇宙。暴胀膨胀一旦开始，那小块的空间将会被无情地拉扯到最少如我们今日所见宇宙的尺度上。因而，宇宙为什么没抄近路就毫不奇怪了；宇宙为什么如此之大，其中为什么有这么多的星系也就毫不奇怪了。从一开始，暴胀就给了宇宙一笔神奇的交易。低熵的小块空间被暴胀的杠杆作用放大到宇宙的巨大跨度。最为重要的是，暴胀带来的并不是什么古老的大宇宙，它带来的是*我们的*大宇宙——暴胀解释了空间的形状，解释了大尺度上的均匀性，甚至还解释了“较小尺度”上的不均匀性，比如说星系以及背景辐射中的温度变化。暴胀利用涨落达到低熵状态，一下子解释了很多问题，并具有强大的预言能力。

玻尔兹曼可能一直都是对的。我们所看到的一切可能都来自原初混沌那高度无序的状态的偶然涨落。在其思想的暴胀实现中，我们可以相信自己的记录，可以相信自己的记忆：涨落并不是刚才发生的。过去真的存在，我们的记录就是已发生事情的记录。暴胀膨胀放大了早期宇宙的那一小点有序——它一下子就把宇宙变得极为巨大，但同时却只有很小的引力熵，所以，接下来继续伸展以及星系、恒星和行星形成的那140亿年，就不足为奇了。

事实上，这种方法告诉我们的还有更多。既然在百乐宫那众多的角子机上都有赢得大奖的可能，那么在高熵原初态和整体的混沌中，暴胀膨胀所需要的初始条件也没有理由非得来自单独的一块空间。所以，安德烈·林德提出，可能分布在或这或那的很多小块空间都经历了平滑空间的暴胀膨胀。如果真是这样，那么我们的宇宙就只不过是偶然的涨落使物理条件刚好有利于暴胀发生（如图11.2所示）时所萌生的众多宇宙中的一个，或许还会有更多的宇宙继续产生出来。而因为其他这些宇宙将永远与我们隔绝，所以我们可能永远都没有办法确认这种“多宇宙”图像是否正确。但是，仅作为一种理论框架的话，这种图像使得物理内涵既丰富又富于启发性。除了其他方面，它还为

图11.2　暴胀可以反复发生，新的宇宙总是萌芽于旧的宇宙

我们提出了另一种思考宇宙的方式：在第10章中，我将暴胀描述为标准大爆炸理论的“前端”，其中，所谓的爆炸是发生在瞬间的急速膨胀。但是，如果我们将图11.2中每一个宇宙的暴胀式发育视作其自身的爆炸，那么我们最好将暴胀视作包罗万象的宇宙学体系，在这个体系中，大爆炸就像演化一样，一个接一个地发生。因而，在这种方法

中，我们并不是将暴胀纳入标准大爆炸理论中，而是将标准大爆炸理论纳入暴胀理论中。

暴胀与鸡蛋

为什么你只能看到鸡蛋破碎而不会看到破碎的鸡蛋重新变得完整？我们所感受到的时间之箭来自何方？下面就是这一方法能够告诉我们的答案。通过普通的高熵原初态所常有的涨落中的某一瞬间机会，一块小小的20磅重的空间达到了能引发暴胀的条件。猛烈地向外膨胀将空间拉扯得极其巨大且极为平滑，随着暴胀趋近结束，暴胀子场将其因暴胀而被瞬间放大的能量以物质和辐射的形式均匀地填充到空间之中。随着暴胀子场的排斥性引力逐渐消失，普通的吸引性引力变得重要起来。而且，如我们所见，引力充分地利用了由量子涨落造成的微小不均匀性，使物质聚集成星系以及恒星，并最终形成了太阳、地球、太阳系中的其他天体，以及我们看到的宇宙所具有的其他特点（如我们讨论过的那样，大爆炸之后差不多70亿年的时候，排斥性引力再次取得主导地位，不过这只与最大的宇宙尺度上的事情有关；对于较小的实体，比如单独的星系或者我们的太阳系没有直接影响。对于这些小的天体来说，引力只具有普通的吸引性）。太阳那相对低熵的能量，被地球上低熵的植物以及动物生命形式利用，产生出更为低熵的生命形式，这些低熵的生命形式通过热与消耗慢慢地引起总的熵增。最终，这一链条上产生出了母鸡、母鸡下蛋，剩下的故事你都知道了：鸡蛋从你的厨房中的台子上滚落摔碎不过是宇宙不可抗拒地走向高熵状态过程中的小小一部分。暴胀拉伸使空间结构具有低熵、高度有序、均匀平滑的性质，这种性质类似于《战争与和平》中的页码按照正确的序号排列。正是这早期的有序状态——没有厉害的聚团或蜷曲，也没有庞大的黑洞——为宇宙接下来向着高熵方向的演化做好了准备，并带来了我们所感受到的时间之箭。以我们现在的理解水平，这就是所能获得的对时间之箭最完备的解释。

白璧微瑕

对我来说，暴胀宇宙学与时间之箭的故事非常有趣。从狂烈又活力十足的原初混沌中，产生出了均匀暴胀子场的超微观涨落，而这暴胀子场还不如乘飞机时所允许的手提行李重。它开启了暴胀膨胀，而暴胀膨胀又为时间之箭设定了方向，剩下的就都是历史了。

但是在讲这个故事的时候，我们做了一个未经证明的关键假设。为判断暴胀被启动的可能性，我们不得不指定暴胀出现之前的前暴胀时期的特征。我们预想的这一特别时期——狂乱、混沌、活跃——看起来很合理，但是将这种直观上的描述转换成数学语言并证明却极为困难。而且，这仅仅是猜测。在图10.3的模糊部分，没有这一信息，我们就没法对暴胀启动的可能性做出令人信服的判断；而对这一可能性的任何计算都敏感地依赖于我们所做的假设。[6]

因为我们的理解中有这样的缺陷，所以我们能给出的最合理的结论是，暴胀提供了一个将看起来全无干系的问题——视界疑难、平坦性疑难、结构起源问题、早期宇宙低熵问题——捆绑起来的强大理论框架，并提供了一种对付所有这些问题的解决之道。这样感觉像是对的。但是再进一步，我们需要一个能对付得了模糊地带的极端特性——极端的热以及巨大的密度——的理论，那样我们才能对宇宙的最初时刻有一个清楚的、毫不含糊的认识。

我们在下面的章节中将会学到，这将要求有一个理论，这个理论必须能够跨越或许是过去80年间理论物理所面对的最大障碍：广义相对论与量子力学之间的鸿沟。很多科学家相信，一个较新的，所谓的*超弦*理论已经达成了这个目标。但是，如果超弦理论真是对的，那么宇宙的结构将比所有人能够想象出来的还要奇特很多。